公務員試験

地方初級

テキスト&問題集

JN015558

新星出版社

地方初級試験 この1冊で決める
最短合格テキスト

〈本書の特色〉

本書は、高校卒業程度の知識で受験できる「地方公務員初級採用試験」及び「国家公務員一般職、税務職員採用試験」に共通した教養試験の受験用テキスト＆問題集です。

出題方法に合わせ知識分野・知能分野に分け、各科目の重要項目をまとめたテーマ解説編、練習問題編の構成です。

解説編は原則2ページ見開きで、「集中レッスン」「これも！」「先生の黒板」、科目により豆知識の「知っ得」、確認テストの「フォローアップ問題」でまとめています。

「集中レッスン」では、出題分野の中心テーマについて項目を集約してまとめています。「これも！」はプラスのテーマ項目をコンパクトにしたものです。

受験生の皆さんは、学校の授業の際、先生が黒板なり白板に箇条書きにした項目を一生懸命ノートに書き写した記憶があるでしょう。これが「先生の黒板」です。したがって、ここには解説が省かれており、項目のみ列挙されています。教科書や参考書を開いて内容を確かめてみてください。ここも出題範囲です。

練習問題は本試験型の5肢択一式問題です。科目の各テーマで学習してからチャレンジしてください。

出題テーマ厳選　「集中レッスン」「これも！」「先生の黒板」

〈赤シートで実力アップめざせ〉

本書は赤シートで対応しています。解説編では重要項目のキーワードを赤文字で表示、暗記項目がひと目でわかります。学習した後で、赤シートをかぶせて、必要な数式、用語など覚えたか確認ができます。もちろん、練習問題でも解答が伏せられますから、何回でも解くことができます。

〈「傾向と対策」で難関攻略の完成〉

受験ガイドの最後に、過去に出題された項目を含めた内容を「傾向と対策」としてまとめました。

解説編で学習した内容以外で出題された項目が挙げられているものもあり、追加の学習の確認ができます。その他、「作文試験」「適性試験」「面接試験」にも触れています。参考にしてください。

〈受験ガイドで最新情報わかる〉

地方公務員初級の採用試験情報は、試験制度はほぼ共通しているものの、自治体により異なりがありガイドとして1本化できません。掲載の「受験ガイド」は、令和4年度までの情報をまとめ掲載しましたが、詳しい内容は、ご自身で各自治体等で確認するようにしてください。

また、平成24年度から試験制度が変わった国家公務員についても最新情報になっていますが、追加情報が公表されますから、詳細は必ず各人事院等で確認してください。

■マークの重要度　各テーマの★マークは重要度。「★★★」は最も出題率が高く、難易度も高い項目。「☆★★」は次に重要な表示で、ここも出題率が高いと見込まれるところ。「☆☆★」は要マーク、覚えておきたいテーマ。

目　次

知識分野

これでわかる！ 地方初級試験
◇公務員受験ガイド◇
完全最新情報

公務員をめざす人は、地域を中心とした地方公務員の仕事を選ぶか、国の行政の仕事を選ぶかをまず決めなければなりません。自分がどんな職業に就きたいのか、目的や目標が大事になります。地域や国の行政で、「全体への公共奉仕」をどう発揮していくか、はっきり決めて受験しましょう。

このガイドでは、高校卒業程度（学歴は問わないのが一般的）の知識で受験できる事務系・技術系を中心とした地方公務員初級試験、国家公務員一般職試験・専門職試験（税務職員）の概要です。受験を考えているみなさんは、まず、このガイドでプランを練ってください。

地方公務員の数

わが国の地方公務員数は、おおよそ図のとおりです。総人口からみると国民の約23人に1人が地方公務員です。この数字をみると、いかに私たちの身の回りに多くの公務員が行政の役割を担って働いているかがわかります。

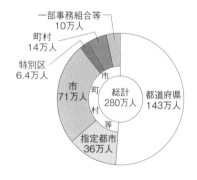

一部事務組合等
10万人

町村
14万人

特別区
6.4万人

市
71万人

町村等

総計
280万人

都道府県
143万人

指定都市
36万人

区分を知ろう

事務系を希望する場合、どの分野の事務職に就きたいのかを決めなければなりません。募集内容にある「区分」とは、職種を決める「試験区分」ですから、自分の目的をしっかり考えて選びたいものです。

地方公務員初級（以下、**地方初級**）の事務系では、「一般・行政事務」、「学校・教育事務」、「警察事務」といった募集区分になります。

技術系は「土木」、「電気」、「水産」といった職種になりますが、毎年決まって募集を行っているわけではありません。技術系専門教科を学んでいる人には窓口が狭い分野でもあります。早めに各人事委員会等で募集内容を確認して受験計画を立てるようにしましょう。

国家公務員の場合は、「国家公務員一般職」

◆受験できる試験区分（職種）

◇地方公務員…自治体、団体等の募集
①地方初級
＜事務系＞一般・行政事務、学校・教育事務、警察事務
＜技術系＞農業、総合土木、電気、機械、水産など
②公安系（警察官、消防官など）
③技能系（清掃作業員、公営交通運転士など）

◇国家公務員…人事院の募集
①事務系・技術系（国家一般職）
②専門職系（税務職、刑務官ほか）
◇国家公務員…機関等の募集
裁判所職員、衆・参議院職員・衛視ほか

（以下、**国家一般職**）募集として「事務」「技術」「農業土木」「農業」「林業」の5区分があります。また専門職分野として「税務職員（以下、**税務職**）」などがあります。

✏️ **■区分関連**

※地方初級試験案内では募集表記が「初級」、「Ⅲ類」、または「Ⅱ類」「Ⅱ種」とする県や市もある。

※大阪府では、従来の「行政Ａ（18〜21歳）」が「行政（18-21）」に名称変更（技術区分を除く）。国家公務員試験も平成24年度から制度が変わったように、内容が動いています。**詳細は、必ずご自身で各自治体、人事委員会等で確認を取り受験準備をしてください。**

※国家一般職（事務・技術区分）、税務職、刑務官は「地域試験」で実施、合格者は原則、当該地域の官署に採用。

仕事内容・勤務地は？

◇地方初級⇒

＜事務系＞ 各自治体の知事部局（役所等）、各種委員会事務局、各種公営企業（病院含む）、学校等に配属。経理、企画・立案、調査、折衝、窓口業務から健康福祉、環境整備、まちづくり等にあたる。

＜技術系＞ （総合土木の例）→本庁、関係機関、土木事務所の土木事業（緑化や景観等）や土地改良事業など道路、河川、港湾、上・下水道などに関する設計・施工・管理などを、高校で学んだ専門知識を生かして行う。

◇国家一般職⇒

中央省庁・出先機関で総合職試験、大卒一般職試験採用者をサポート。事務系は一般事務、技術系は各省庁、出先機関で専門知識を生かした業務。税務職は、税務署等で国税に関する業務。

資格年齢を確認しよう

◇地方初級

⇒おおむね、受験年度の4月1日現在、17歳以上21歳未満の者
（募集では「平成○年4月2日〜平成○年4月1日までに生まれた者」と表示）

◇国家一般職

⇒①受験年度の4月1日現在、卒業した日の翌日から2年を経過しない者及び受験年度の3月までに卒業見込みの者、
②人事院が①に準ずると認める者

◇税務職

⇒一般職①の「2年」が「3年」を経過しない者。②人事院が①に準ずると認める者
※刑務官の例→17歳以上29歳未満

採用までの日程

地方初級の試験は以下のように行われます（日程は東京都特別区Ⅲ類の例）。自治体により異なりますが、第1次試験以降は日程に大きな違いはありません。併願の受験日程を立てる上でも、希望する自治体等には必ず早めに問い合わせるか、インターネットでこまめに情報を把握するようにしてください。

◇地方初級（例）

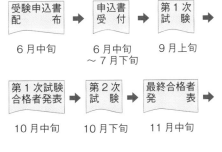

受験申込書配布	➡	申込書受付	➡	第1次試験	➡
6月中旬		6月中旬〜7月下旬		9月上旬	

第1次試験合格者発表	➡	第2次試験	➡	最終合格者発表	
10月中旬		10月下旬		11月中旬	

※ ➡ 採用

申込期間 →	1次試験 →	1次合格発表 →
6月中旬～6月下旬	9月上旬	10月上旬

2次試験 →	最終合格者発表 →	※採用
10月中旬～中旬	11月中旬	

※最終合格者はいずれも、採用候補者名簿に登載され、採用者の決定が行われる。採用の基本は翌年4月1日以降。

■併願を考える

　道府県と政令指定都市は試験日が同一（試験問題も共通）で行われる。これは他県等との併願を防ぐための措置と考えられる。しかし、東京都Ⅲ類と特別区Ⅲ類はこれよりも2～3週間早い日程となっており、他県との併願が可能となっている。

　また、行政が同一地区内（都道府県とその地域の市）の採用試験日は、1週間のズレがあり、これも可能となっている。地域的な条件などを考慮しながら併願を考えたい日程である。

　したがって、例としては①＜東京都・特別区＞＜近県＞＜都下の市＞、②＜道府県・政令指定都市＞＜道府県所在の市＞といった併願である。

　ただし、行政の取り組みの違い、目的や地域的な条件にもよるため、自分にとって受験が可能なケースを考えねばならない。

試験内容

　地方初級は、1次試験、2次試験とも形式は一定ではありません。次の表で記載した1次試験の作文を2次で、2次試験の人物試験を1次で行うところもあります。また、「適性試験」「適性検査」などもあり、すべての自治体で共通しているわけではありません。内容の詳細は試験案内で確認してください。

◇地方初級（一般例）

1次試験
①教養試験（事務・技術系共通：5肢択一式） ［知能分野］文章理解、判断推理、数的推理、資料解釈 ［知識分野］社会科学、人文科学、自然科学 ②専門試験（技術系：各試験区分の専門科目） ③作文試験（事務系：理解力、表現力など）

2次試験
①人物試験（個別面接など） ②適性検査（職務適性・素質・性格など） ③身体検査 ※②③を実施しないところもある。

◇1次・2次試験の例⇒

　1次では、福井県などで適性検査がある。大分県では、教養試験Ⅱ（国語）、兵庫県では論文試験もある。面接試験では、神戸市（1次、2次）、前橋市・宇都宮市（2次、3次）という例がある。

◇教養試験の解答数例⇒

　120分50題必須が一般的（新潟・長野・埼玉・静岡・愛知・岐阜・岡山・香川・熊本県などその他各県）。45題では東京都Ⅲ類、東京特別区（知能28題、知識17題選択）。これ以外では、京都府（社会科学9題・知能25題必須、人文・自然科学11題選択）。40題では、北海道、青森県。また、神戸市のように20題必須、15題選択で100分という例がある。市役所は、ほぼ40題となっている。

1次試験

①基礎能力試験（全区分共通：多肢選択式）

　[知能分野] 文章理解7題、課題処理7題、数的処理4題、資料解釈2題

　[知識分野] 自然科学5題、人文科学8題、社会科学6題、情報1題

②適性試験（事務・税務：計算等の事務処理・スピード能力）

③専門試験（技術系：各試験区分の専門科目）

④作文試験（事務・税務）

2次試験

①人物試験（個別面接）

②身体検査（税務職）

合格ライン

合格ラインは合格判定基準から考えます。

それには、「各試験種目（教養試験）の成績で一定の基準に達しない場合は（他の種目の成績にかかわらず）不合格」というのがあります。「作文は悪かったけど教養は平均点以上は取れたから1次は大丈夫」と考えていると、不合格というケースもあります。

また、「教養試験で一定の基準（点）に達しない者は、1次試験の作文の採点をしない」というのもあります。

このように、1次試験ではいずれかの種目が基準ラインに達しないと2次試験には進めませんから、1次試験の種目は、最低目標得点を7割あたりに置いて受験することが大事です。

■人事院各地方事務局（所）

申込先	所在地	連絡先
人事院 北海道事務局	〒060-0042 札幌市中央区大通西12丁目	TEL 011 (241) 1248 FAX 011 (281) 5759
人事院 東北事務局	〒980-0014 仙台市青葉区本町3-2-23	TEL 022 (221) 2022 FAX 022 (267) 5315
人事院 関東事務局	〒330-9712 さいたま市中央区新都心1-1	TEL 048 (740) 2006〜8 FAX 048 (601) 1021
人事院 中部事務局	〒460-0001 名古屋市中区三の丸2-5-1	TEL 052 (961) 6838 FAX 052 (961) 0069
人事院 近畿事務局	〒553-8513 大阪市福島区福島1-1-60	TEL 06 (4796) 2191 FAX 06 (4796) 2188
人事院 中国事務局	〒730-0012 広島市中区上八丁堀6-30	TEL 082 (228) 1183 FAX 082 (211) 0548
人事院 四国事務局	〒760-0019 高松市サンポート3-33	TEL 087 (880) 7442 FAX 087 (880) 7443
人事院 九州事務局	〒812-0013 福岡市博多区博多駅東2-11-1	TEL 092 (431) 7733 FAX 092 (475) 0565
人事院 沖縄事務所	〒900-0022 那覇市樋川1-15-15	TEL 098 (834) 8400 FAX 098 (854) 0209

難関突破が見えた！
出題項目がわかる「傾向と対策」

　知識分野（社会科学・人文科学・自然科学）は高校で学んだ教科書程度のレベルが基本です。東京都Ⅲ類では知識分野で「生活常識」があり4分野で出題されます。

　一方、知能分野の「判断推理・数的推理・（空間把握含む）・資料解釈」は、数学などを中心とした応用といえるでしょう。問題レベルは決して難しいものではありません。この分野の「文章理解」の科目にもいえることですが、新聞や書籍を読むことに慣れることです。また市販の問題集で数をこなして練習することも大事です。

　ここでは、地方公務員・国家公務員で過去10年間出題された試験の傾向をまとめました。特に、科目に挙げた「重要項目」はしっかり押さえておきたい内容です。

　教養試験は2次試験に進むためにも、7割は得点して突破したいものです。

★知識分野

　社会科学 →地方初級・教養試験50題のケースでは、そのうち政治3問、経済2問、倫理社会2問の計7問（14%）の出題となっている。7割を合格ラインに設定すれば5問は必須得点となる。

(1) 政治

　出題の基本テーマは「日本国憲法」と「国会その他」で、憲法は主要な条文を理解しておこう。

　23年度「東京特別区」では憲法前文の第2段落から穴埋め問題が出題された。

　出題範囲が広いので内容にとまどわないように、日ごろから新聞などに目を通すことが必要である。

🔖 **重要項目**

①**日本国憲法**⇒三権分立、国会・内閣の機能、選挙制度、法律改正事項、司法制度、各種の人権など。

　※過去の地方初級では「人権」に関する問題が頻出。今後も要マークである。

②**国会その他**⇒衆議院と参議院の違い、国会解散と総選挙、内閣不信任決議、地方自治の解散・解職請求、国連の構成国・主要組織と法的拘束力、欧州連合（EU）、東南アジア諸国連合（ASEAN）、米国大統領制、英国議会制度

(2) 経済

　出題は、金融・財政の仕組み、市場経済の仕組み、会社・企業（株式会社制度）の設立内容、国際経済体制（OECD、WTOなど）などと範囲が広く、詳しい知識が求められる。

①**財政と金融政策**：⇒好・不況時の政府財政支出・社会保障制度、税制、日本銀行の金融政策などが代表的。

②**市場経済の仕組み**⇒完全競争市場と寡占市場の関係、企業と消費者行動など。第二次世界大戦後の日本の市場経済の動きなども整理しておきたい。

🔖 **重要項目**

　特別会計と一般会計、税制・租税、ビルトイン・スタビライザー、株式会社制度、自由市場と寡占市場、インフレとデフレ、リーマン・ショック、為替、貿易収支、ブレトンウッズ協定、プラザ合意、WTO、GNI（旧GNP）とGDP、大企業と中小企業、需要・供給曲線、アダム・スミス、ケインズ

　※デフレ下にある現在の日本経済に関する出題は十分予測される事項。財政・金融政策、

税制、為替などは欠かせないキーワードとなる。

(3) 倫理・社会 ────

「政治」の分野と関連が深いが、分野分けをすると「世界の思想史」「社会事情」となる。思想史では、古代ギリシアの3哲人の基本的理念などは必須事項。

社会事情は範囲を特定できないが、社会情勢に関する出題となり、新聞などで動きを理解しておこう。

✎ 重要項目
①**世界の思想史**⇒ソクラテス、プラトン、アリストテレス、孔子、孟子、荀子、老子、ルソー、ホッブス、モンテスキュー、デカルト、ロック、デューイ、サルトル
②**社会事情**⇒労働三法と労働三権、非正規雇用、社会保障制度（健康保険、厚生年金、介護保険などの仕組み）、防衛機制、マージナル・マン

♠学習プラスワン♠

社会科学の科目は暗記項目も多いところだが、知識を確実にするために学習にプラスワンの価値をつけよう。

暗記項目（人物や事項の名称）一覧表を作り、そこに関連した時代の歴史項目や現在の動きをそれぞれ備考としてメモしていく。この横断的な方法が、社会科学と人文科学両分野のバラバラになりがちな知識を大きくまとめたものとして理解できるようになる。

人文科学 →地方初級では合計11題（22%）の出題である。最低8問は正解しておきたい科目群である。

(4) 日本史 ────

出題はどの時代を中心にといった勉強では通用しない。時代の流れをテーマ別に時系列表にしていくと関連が分かりやすい。
◇**テーマ別理解**：歴史上の争乱、法令・制度、政治制度や情勢、文化・宗教などの年代別、

背景、関連した人物をまとめる。

（時系列表の一例→各時代の争乱）

飛鳥時代	672年　壬申の乱 ・皇位継承争い ・天智天皇、○大海人皇子、×大友皇子
奈良時代	740年　藤原広嗣の乱 ・社会不安と朝廷内の権力争い ・吉備真備、玄昉、聖武天皇の遷都
	764年　恵美押勝の乱 ・朝廷内の権力争い 　（藤原仲麻呂）、道鏡の権勢、孝謙上皇（称徳天皇）
平安時代	810年　薬子の変 ・藤原氏内部の争い（○北家 vs ×式家） 　北家・冬嗣（蔵人所）、嵯峨天皇
	866年　応天門の変 ・政敵排除の争いと他氏排斥 　北家・藤原良房（摂政）、伴善男 　藤原基経、宇多天皇、阿衡の紛議、 　菅原道真の登用
	969年　安和の変 ・藤原氏の他氏排斥→不動の地位
	939年　平将門の乱 ・武士の成長と反乱 　　藤原純友の乱 ・＜承平・天慶の乱＞

✎ 重要項目
律令国家時代の政策、鎌倉・室町時代の出来事・政治、江戸幕府の政策、3代改革、板垣退助らの自由民権運動、明治政府の外交と対外条約、日清、日露戦争、第一次・第二次世界大戦
　※明治以降は必須事項。新政府の改革、江戸末期から諸外国と結んだ条約とその後の流れ、関係した人物などはしっかり整理しておきたい。

(5) 世界史

　世界のあらゆる地域が絡み合う世界史は範囲が広い。古代～近世が中心となるが、地域をヨーロッパ、中国、アジア、アメリカなどに分けて、その歴史を年代順に時系列にして覚えると理解が深まる。出題数は多くはないが、第一次・第二次世界大戦の各国、戦後世界の動きも押さえておきたい。以下は、出題のテーマや問題の肢として必ず出てくる事項である。

🖎 重要項目

①ヨーロッパ→

(古代) ギリシア、ローマとキリスト教、ミラノ勅令

(中世) 宗教対立、十字軍、荘園制、百年戦争とバラ戦争

(近世) 大航海時代 (ポルトガル、スペイン)、イタリア・ルネサンス、宗教改革、イエズス会

(近代) イギリスの絶対王政、イギリス市民革命、アメリカ独立革命、フランス革命、ナポレオン時代

(19世紀以降) ウィーン体制、ナポレオン3世、イギリスの選挙法、ビスマルク、アメリカ南北戦争、イギリスの植民地支配と帝国主義、アフリカ分割、第一次世界大戦、ロシア革命、ヴェルサイユ体制、世界恐慌、第二次世界大戦、国際連合、冷戦、キューバ危機、ベトナム戦争

②中国→

(秦) 始皇帝、焚書坑儒

(前漢) 高祖、武帝

(後漢) 光武帝

(隋) 文帝、科挙

(唐) 李淵、太宗、律令国家、荘園

(宋) 趙匡胤、朱子学、印刷など新技術

(元) フビライ、交鈔

(清) アヘン戦争、三角貿易、アロー戦争、太平天国の乱、義和団事件、辛亥革命

③その他→

　エーゲ文明、ポリス、マケドニア王国、インダス文明、ウマイヤ朝、アッバース朝、レコンキスタ、ゲルマン民族の移動、オスマン帝国、ムガール帝国、マヤ・アステカ文明、インカ帝国、ロマノフ王朝、東インド会社

　※22年度東京都Ⅲ類では「南京条約」について出題された。過去の東京特別区では「1910年代の中国革命」「古代国家の形成」など出ている。

(6) 地理

　出題内容は世界をテーマにしたものが、かなりのウェートを占めている。日本では「水系」に関するものが過去に出たが、地形 (三角州や扇状地など) の特色と場所は覚えておきたい。また、地図の図法、雨温図の特徴も押さえたい。

🖎 重要項目

農業・鉱業の産出国と割合、主要国の輸出入、著名な工業地帯、人口問題、土壌の特色、気候帯の分布とその特色、湖の分布、国と主要産業、民族と宗教・言語など

(7) 文学・芸術

　出題が0のケースもあり学習配分としては低い。日本史・世界史の文化の流れとして関連付けられるが、多くの時間を割く科目ではないので効率的な学習をしよう。

🖎 重要項目

(文学)

　外国文学、日本文学の作家と書籍名の組合せ。難問としては、有名な文章や書き出しと作者名の組合せなど。現代・古典を問わない。

(芸術)

　建築様式や西洋美術・絵画、日本画などで、作品名や作者などの組合せを問うことがある。有名な作品は覚えておきたい。

(8) 国語

配点部分としては3問と多く、確実に得点しておきたいが、正確な知識として覚えておかないと、思わぬ失点をするところだ。

言葉の意味を正しく覚える。語句の使い方を間違えていないか再確認しておこう。新聞や書籍に目を通して言葉に慣れておきたい。

🖊 重要項目

「言葉」の使い方、意味、書き方が中心で、漢字、四字熟語、ことわざ、慣用句、故事成語、格言などで出題される。

助動詞の使い方の出題も目に付く。地方初級ではたびたび出題されているのでマークしたい。

◆学習プラスワン◆

歴史以外では国語の場合、多くの情報集めをすることはない。本書の内容をしっかり覚えよう。新聞を読むことは大いに役立つので、そこで言葉や表現に慣れれば十分試験に対応できるであろう。

自然科学 →合計で7問（14%）、各科目の出題数は低いが理数系が苦手という場合でも捨てることはできない。むしろ、失点をどれだけ少なくするかが大事な分野である。

(9) 数学

数学Ⅰ・A、数学Ⅱ・Bの基本が理解できていれば難問は出題されないと考えてよい。公式をキッチリ覚えて、以下の内容を幅広く繰り返し学習しよう。図形では、中学の範囲もあり、基礎的な部分は確実に正確に計算することが求められる。

🖊 重要項目

2次方程式の解、2次不等式の大小の領域・求め方、2次関数のグラフの最大値・最小値の解き方。直線の方程式など、（図形）面積、相似

(10) 物理

出題は1題が多い。物体の運動、「ばね」を利用した力と運動の法則といった力学の問題がよく出る。運動方程式、力学基本の3公式、等加速度直線運動、フックの法則、エネルギー保存の法則、運動量保存の法則など押さえておきたい。

🖊 重要項目

電気と磁気、熱・波の分野（電気回路、消費電力、電流（フレミングの法則、右ねじの法則）や光、音波、波の性質など

(11) 化学

地方初級を含め2題出題のケースが多い。物質の構成、性質、変化などが中心で、分野は、物質の分離、原子構造、物質と水との性質や状態、原子やイオン間の化学結合、エタノールやマグネシウムなどの化学反応、酸化還元反応などは必須。化学反応式の問題では、代表的な化学式の変化と物質名を覚えておくと問題の理解に強みだろう。

🖊 重要項目

（計算式）水溶液のpH、化学反応による体積、溶液の濃度、熱量など

(12) 生物

出題は1～2題が基本的なので、以下の内容を重点的に学習するのが効率的である。教科書では図を使った項目が多いが、問題は図式化されることが少ないので、図の形態をしっかり覚えておくことも大事である。

🖊 重要項目

各細胞の特徴と働き、植物遺伝子の交配、身体の構造・機能、神経・分泌液・臓器の血糖濃度調節、ホルモンの作用。自律神経・栄養素の働き、生物の環境保護、地球温暖化関連分野

(13) 地学

天文分野からの出題が多い。地球と太陽の働き・関係、地球の自転・公転、太陽系の惑星、恒星の明るさ、ケプラーの法則、各大気圏の特徴、エネルギーや熱放射など押さえておこう。

✎ 重要項目

前線と天気、日本付近の気象・気圧配置、地震の原因や影響、各種の岩石

♠理科系：こんな問題も出た♠

<物理>液晶モニター、発光ダイオードなどの知識に関する正誤。

<化学>塩素とその化合物（塩化水素、塩化ナトリウムなど）の性質や用途。

<生物>メンデルの遺伝の法則にしたがったエンドウの種子の交配結果。

<地学>大気圏の構造の正誤、地殻の構成についてなど。

★知能分野

教養試験問題の半分を占める科目群である。数学的な理解、文章の読解力と、応用を試される問題であるが、数をこなし問題を解くことなどでクリアできるところでもある。

(14) 現代文

出題は、文章理解を中心に文章整序、空欄補充の3項目。問題・選択肢とも長文のため、特に文章理解では日ごろの理解力や慣れ（速読力）が必要である。

①**文章理解**⇒「内容一致」を選択肢から求めるものが主流。誤りの選択肢には、内容と関係ないもの、書き込みがない（述べていない）ものなどが、さりげなく入っていることに気がつけば答は難しくない。選択肢の該当する部分がどの段落・節かを見つけて、前後の文章をしっかり読み取ることである。

②**文章整序**⇒選択肢を頼りに、まず正解にならないものを省いていく。段落整序では末尾

の文と次の段落の冒頭文との間に考えられる語句や表現を検討していくのが早道である。

③**空欄補充**⇒選択肢の単語や語句が文章上同じような意味合いで使われ、誤りを誘う設定になっている。これに惑わされず、選択肢の語句で、ある該当部分では使われない、文章にならないものがあるのをまず見つける。範囲を絞って解答していくことが大事である。

✎ 対 策

◇**誤りの見つけ方**⇒文章を読みながら、「～とあるが～ではない」「～とは言ってはいない。～に対応する言葉はない」という否定の内容判断をする手法を用いることで。設問の肢の正誤を絞る。

(15) 古文・漢文

古文の出題対象は、高校時代に学んだ著名な古典文学からが多い。難しい内容と決めてかからず文章もそれほど長くはないので、内容の理解に努めることである。旧使いの単語や言い回し、文法などを理解しておくことが大事である。

漢文の問題はほとんどないが、いざというときのために「レ点」の読みなど忘れなければよい。文章が非常に短く理解の可能な内容であるから、「日本語を読む」といった考えで臨めばよい。

(16) 英語

英語も文章理解が中心で内容一致問題が主流である。文章量もそれほど長くはなく、難しい単語や、用語として使い方の難しいものは説明が付いている。単語がいくつかわからなくても全体の文章はわかる内容になっている。

したがって、単語一つ一つの意味を訳すために時間をかけることは解答時間のロスになる。わからない単語は飛ばす、行単位の文意をつかむ、といった読み方で問題文の脇にメモって解答にのぞむことである。

対　策

　問題の狙いは、訳ができることよりも文章の理解であるから、選択肢の正しいものを選ぶより、誤りがわかることが大事になる。これは「現代文」と共通で「内容に関係ないもの、書き込みがないもの、述べられていないもの」の理解ができれば対応できる。日常の学習として、英字新聞や簡単な英文雑誌などに目を通すことができればよいだろう。

(17) 判断推理（空間把握）

　この科目は教科書があるわけではないので、問題数が多い（7〜8題）だけに、市販の問題集で数をこなすことが大事である。
①**判断推理**⇒命題など条件から選択・整合、順序、配置・位置、時刻、うそ、カードゲームといった問題になる。推理の要素であるから、与えられた条件を、表や図式化して問題（確実にいえること）を探る。
②**空間把握**⇒図形や立方体の切断、移動、回転（軌跡）、結合（組合せ）、個数の問題から出題される。

(18) 数的推理

　数学の応用問題で、問題数が多い（6〜7題）。通過算、覆面算、旅人算、仕事算から整数、方程式・不等式、n進法、三平方の定理、円周、速さ・時間・距離、確率、濃度、割合、組合せ、図形といった内容が出題される。高校までに学んだことが応用できれば違和感なく解けるので、市販の問題集で慣れることが大事である。

(19) 資料解釈

　大まかに、社会統計や人口統計などを利用した実績表（年度別・地域別・項目別など）、各分野の実績など利用した棒グラフと折れ線グラフ・円グラフ、分布図、時刻表などが題材である。

　表やグラフからの読み取りが求められるので、数値、量などの変化、統計の相関関係の把握、最大・最少値、ヒストグラムの内容把握など出題意図を的確につかむことが大事になる。解答の過程では割合、平均値、増減などの計算も要求されることがあるが難しいものではない。

★作文試験は理解力と表現力

　作文試験は1次試験で実施するのが大部分である。ポイントは、公務員として必要な「**課題に対する理解力**」、「**文章による表現力**」などについて所定の行数（800字〜1000字程度）でまとめることが問われる。

　50分から1時間の指定時間内で、
①問題テーマに対して自分の考え（問題を理解した自分の意見）を具体的にまとめる
②起承転結のはっきりした文章にまとめあげること

　問題を理解したうえで、自分の考えがどれだけ相手に伝わるように文章で表現できているかが判定材料となる。ほぼ作文試験は必須なので、慣れるためにも受験対策として、自分で問題を作って書く練習をしてみることも

大事である。

　次に挙げたものは、過去の地方初級で出題された問題テーマである。

- **さいたま市**：公務員に今一番求められているのは何だと思うか
- **神奈川県**：受験者が受けたサービスで心に残ったことは何か
- **静岡県**：私が社会人として一番大切だと思うこと
- **和歌山県**：10年後の自分について、どのようにありたいかについて
- **岡山県**：携帯電話の良い点と悪い点について
- **愛媛県**：社会人として心がけたいこと

15

★適性試験はスピード勝負

国家一般職（事務）・税務職では必須試験だが、地方初級では青森県、福井県など数県で実施されているだけなので試験案内で確認してほしい。**職務上の事務処理能力**を問う試験で、比較的簡単な問題を時間内でできるだけ多く解答する。択一式で類例の問題を見ながら解答するのが一般的。問題が120題、解答時間15分が共通した内容である。

★採点方法での注意

適性試験で大事なことは、減点法が採用されていることです。一般の試験のように苦手なところは飛ばして、得意な問題から解くというのは大きな失点となります。これは、飛ばした問題数は、次の解答をしているのがあれば、その未解答部分は誤答として正解数から減点されるからです。また、不正解の数も減点の対象となります。

例えば、「A形式：10問」「B形式：10問」「C形式：10問」という組合せの試験の場合、Aを飛ばしてBを10問、Cを10問中8問正解したとします。この場合、正解が18問なので18点かというと、そうではありません。減点法でAは誤答、Cの不正解2問も誤答として扱われ、正解18点 − 誤答12点となり、得点は6点しか獲得できません。また、Aを飛ばして、Bを正解、Cは未解答なら10 − 10で0点となります。

このように、適性試験は飛ばして解くということは得策ではないので、最初から1問ずつ解答していくことが得点が高くなるということを理解して臨みたいものです。

★面接試験に勝利の方程式

面接試験は、公務員試験では必ずあります。大部分が2次試験で、1次試験合格者に対して行われます。主流は個別面接です。面接官を前にしていろいろな角度から質問されることをしっかり受け答えできるかがポイントです。

その範囲は、①志望動機、②公務員としてやりたいこと、③学生時代、クラブ活動、思い出、④家族、自分の性格、友人、⑤過去の経験、アルバイト、学んだこと、⑥読んだ小説、考えたこと、⑦最近の出来事で思ったこと、⑧自分の欠点、得意なこと、自慢できること、⑨趣味など、あらゆる分野に及びます。難解な質問はありませんが、予想していなかった質問を受けることもあります。

これらをまとめてみると、「性格」「協調性」「信頼感」「積極性」といった人物評価と、「志望動機」「職業への目的・意欲」といった意識評価が問われるようです。

したがって、例えば職場の同僚・社会の住民との協調性が保たれることなど、公務員として不可欠な要素は質問された返事の中でしっかりアピールできなければなりません。自分が意見を述べている間、面接官は、自己の意見を持っているか、協調性のある人間か、積極的な人間かなどを判断します。

面接試験に受験勉強というものはありませんが、筆記試験とはまた違った「自分を整理して考える」準備はして、自分の個性を訴えられるようにしたいものです。

| 性　格 | 協調性 | 信頼感 | 積極性 | ＋ | 志望動機 | 目的・意識 |

↓

面接のポイント

政　治

◇**政治頻出問題上位**

①基本的人権

②我が国の国会

③衆議院と参議院

④内閣の役割

⑤二大政党と多党制

⑥各国の政治制度

⑦アメリカの大統領制

⑧国際連合

⑨地方自治制度

⑩社会契約説

近代政治思想

①近代民主政治の基礎となる思想は、法の支配の思想と社会契約説に基づくロック、ルソーの思想が中心となる。
②法の支配と法治主義の違いを理解しておこう。

（1）　法の支配

　近代民主政治の大原則は、「法の支配」ということばに表されている。13世紀のイギリスの裁判官ブラクトンの「国王といえども、神と法の下にある」ということばは、権力者といえども、コモン・ロー（国王裁判所の下で発展してきた判例による法理）に従わなければならないという、法の支配の原則を示したものである。

　このように、「法の支配」ということばに

特別な意味が与えられるのは、権力者の意思の上に法が置かれるからである。

（2）　社会契約説

　王権神授説を理論的根拠にした絶対王政が、資本主義とともに台頭してきた市民階級の手によって打倒されると（市民革命）、彼ら自身の政府を樹立した。そこで、市民革命の正当性の根拠と市民社会の在るべき姿を求めて理論の構築がなされた。それが社会契約説であり、個々の自然権を有する個人が市民社会を構成し、国家の基礎づけを行う理論である。

◆法の支配と法治主義

　「法の支配」は法に基づく政治原理であるが、同じ政治原理でも2つの源流がある。
　　①イギリスで発達した「法の支配」の原理
　　②ドイツで発達した「法治主義」の原理

◇ロックとモンテスキューの権力分立論
　ロックの権力分立論は、国家権力を立法権、執行権、同盟権（外交権）の三つに分けてはいたが、執行権と同盟権は今日の行政権にあたり、王権と立法権の二権分立制である。しかも、立法権には、執行権と同盟権に優位性をもたせ、議会が君主を抑制することで権力分立の目的を達成しようとしたのである。
　これに対し、モンテスキューは国家権力を立法権・行政権・司法権に三分し、相互の抑制・均衡の上に立って、権力の濫用から人権を守ろうとしたのである。

　前者は、法の内容自体が国民の人権や自由を守るべきものとするのに対し、後者は法の内容とその正当性を問わない。後者の場合に、行政活動に対して法律の根拠を必要とするのが「法律の留保」である。しかし、憲法が法律や君主大権による権利制限を認める意味の場合、これは人権侵害の歯止めとはならない。

　本来、基本的人権は憲法制定以前に確立された権利であるから、たとえ憲法によっても奪うことはできない。憲法が基本的人権を

◇国家権力の分立論
ロック→二権分立制
　・立法権　　　　　　　　　　　　→議会
　・行政権（執行権、同盟権）　　　→君主
モンテスキュー→三権分立制
　・立法権
　・行政権　｝抑制と均衡
　・司法権

知っ得

政治

■社会契約説－３人の政治思想■

◆ホッブズ　自己保全と自然権の譲渡

彼は自然状態を人間の利己的な本性から出発して、「万人の万人に対する闘争」の状態が果てしなく続くから、自らの生命を守るためには、自然権をすべて統治者に譲渡する契約を結び、自己保全を図らなければならないとした。主著は『リヴァイアサン』。

◆ロック　自己の権利信託と行使

彼は人間の本性は理性的で自由な個人であるとし、自然状態においても自然法が存在しており、自己の生命を維持する権利が互いに尊重されていると考える。そこでは個人間の同意によって共同社会が形成され、ついで政府が共同社会からの信託によって生まれる。各人は社会契約においても自分の自然権を完全に放棄する必要はなく、政府が信託に反した場合には預けた権利を政府から取り返すことができ（抵抗権）、政府を取り替えることもできる（革命権）としたのである。主著は『統治二論（市民政府二論）』。

◆ルソー　人民主権としての一般意思

彼は人間の本性は善でも悪でもない、あるがままの自然人であるとし、自然状態は各人が孤立して自足する平和的な理想の状態であるが、文明化によって崩壊すると考えた。そこで、彼はこの崩壊した状態から抜け出すためには、すべての人が全面的に自己を一般意思に従わせる社会契約が必要であるという結論に達した。

一般意思は共同体の福祉を促進しようとする人間本性に根差した普遍的な意思であるから、この一般意思に従うことは、本来の自分自身の意思に従うことになり、各人は自由となって自分の主人となる。

このように、一般意思は国家の唯一最高の意思であり、国家の主権である（人民主権論）。それゆえ、統治者や政府は一般意思を実現すべきものとして、あくまで一般意思の公僕であり、一般意思の代表者となることはできないとしたのであった（直接民主制）。主著は『社会契約論』。

「法律の範囲内」に抑えることは、許されないのである。日本国憲法においては、かかる意味の「法律の留保」を認めず、「法の支配」を徹底することにしたのである。

　〔近代政治思想〕　主権概念：ボーダン『国家論』
　　　　　　　　　　三権分立制：モンテスキュー『法の精神』

★★★フォローアップ★★★

次の著名な政治思想家と代表的な著書の組合せとして正しいのはどれか。

政治思想家	著書
（ア）ルソー	a 『リヴァイアサン』
（イ）ホッブズ	b 『社会契約論』
（ウ）ロック	c 『統治二論』

(1)　（ア）－b　（イ）－c　（ウ）－a
(2)　（ア）－a　（イ）－b　（ウ）－c
(3)　（ア）－c　（イ）－a　（ウ）－b
(4)　（ア）－c　（イ）－b　（ウ）－a
(5)　（ア）－b　（イ）－a　（ウ）－c

◇解答　(5)

政治と国家

政治とは、異なる社会集団や個人間の対立を権力によって調整し、秩序を形成することである。つまり、秩序にしたがって社会生活を運営する営みが政治であり、そのための組織が国家であると理解しておこう。

（1）　権力の正当性（正統性）

　まず権力は何によって、正当化されるのであろうか。国家の支配関係を維持するためには、被治者（支配される者）がその支配を正当であると認める根拠が必要である。その疑問に答えたのが、マックス・ヴェーバーの3類型と呼ばれるものである。

　ヴェーバーの3類型とは、伝統的支配・カリスマ的支配・合法的支配である。3類型の中では、合法的な支配が最も強い正当性を持つとされている。

■ヴェーバーの「権力」3類型■

◇伝統的支配	◇カリスマ的支配	◇合法的支配
支配者の権力が国家や民族の歴史的伝統を持ち、それらに対する信頼感によって正当性が与えられる支配形態である。天皇制や君主制がその例として挙げられる。	特定の個人の天才的・超人的能力、理想的模範性などに対する畏敬の念が被支配者の服従の基礎となる。アレクサンドロス大王、カエサル、ナポレオンなどはこの例である。	一定の法の規定する権限に基づき、法に従うことが被支配者の国家に対する服従の根拠となっている支配形態である。近代民主政治がその例である。

（2）　国家論

　およそ国家という以上は、主権・領域・国民の三要素が必要である。しかし、国家とは何であるかという問いには、さまざまな意味がこめられており、一義的な答えを出すことはできない。政治を行うための組織が国家であるとか、三要素を備えたのが国家ということもできるが、国家と社会の関係や国家の起源まで説明できるものではない。

　そこで、起源と本質から見た国家に関する学説を紹介する。

◆国家論学説と提唱者（1）　起源論

①王権神授説

　統治者の権力は神から与えられたものとする考え方

　フィルマー、ボシュエなど

②社会契約説

　国家は成員間の契約により形成されたとする考え方

　ホッブズ、ロック、ルソーなど

③国家征服説

　ある部族が他の部族を制圧した際に、支配の装置として国家が成立したとする考え方

　オッペンハイマー、グンプロヴィッツなど

④家族説

　家族関係の連合・拡大として国家が誕生したとする考え方

　アリストテレス、メインなど

政
治

◆国家論学説と提唱者（2）　本質論

①国家法人説

国家を法的な権利や義務を享有する法人とみなす考え方

ゲルバー、イェリネックなど

②多元的国家論

国家は社会集団の1つとする考え方。国家は他の社会集団と並列的に存在するものであるが、集団間の利害と機能の調整的役割を担っている点で優位性を認める

ラスキ、マッキーバーなど

③階級国家説

国家は階級支配のための権力機構とする考え方。最終的には階級闘争により階級が消滅し、抑圧機構である国家そのものも消滅するというもの

マルクス、エンゲルス、レーニンなど

④国家有機体説

国家は生きて生活している完全な有機体とする考え方

スペンサー、ブルンチュリなど

◆機能的視点からの国家

国家を機能的分類の視点から、夜警国家（消極国家）と福祉国家（積極国家）に分けることもできる。

◇夜警国家

自由放任の理念に基づき運営される国家であり、国防と治安の維持など必要最小限の機能しか持たない。いわゆる小さな政府である。夜警国家という名称は、ドイツの社会主義者

ラッサールが皮肉をこめて付けたものである。

◇福祉国家

福祉国家とは、社会問題に国家が一定の政策目標を持って介入し、国民の福祉に奉仕することを理念とする国家である。いわゆる大きな政府である。

現代国家はこのような社会問題を解決するために、行政の機能を著しく拡大させ、やがてそれが国家作用のうち著しく高い比重を占めるようになる。そこで、行政国家とも呼ぶようになったのである。

[知っ得]　◇主権　国家の三要素である主権の意味は、領域と国民を支配する統治権という意味である。

しかし、主権には統治権という意味の他に、国家の最高意思決定権としての意味、対外的に他国の干渉を許さないという意味がある。

先生の黒板　〔国家観の変遷〕（夜警国家、自由国家、消極国家、立法国家、小さな政府、安価な政府）から（福祉国家、職能国家、社会国家、積極国家、行政国家、大きな政府）へ

★★★フォローアップ★★★　（　　）内に適語を入れよ。
(1)　マックス・ヴェーバーの3類型とは、伝統的支配・カリスマ的支配・（　　　　）支配である。
(2)　（　　　　）国家論とは、国家は他の社会集団と並列的に存在するものであるが、集団間の利害と機能の調整的役割を担っている点で優位性があるとする。
(3)　国家の三要素とは、（　　）・領域・国民である。
(4)　国家は階級支配のための権力機構とする考え方を（　　）国家説という。

◇解答　(1) 合法的　(2) 多元的　(3) 主権　(4) 階級

◆政治（3）　　　　　　　　　　　　　　　　　　＜重要度＞　★★★

政党制と選挙制度

①政党制（政党政治）について理解し、それと密接に関わりあう選挙制度について、その特徴と主要な制度について理解を深めておこう。
②戦後の日本政治、特に55年体制の特徴と、その経緯について覚えておこう。

（1）　政党政治

　政党とは共通の主義・主張を持つ人々が、政策の実現をめざして結成した政治団体である。その機能は国民の意見を集約し、政策として国政に反映する役割を担う。この政党が中心となって政治を行っていくことを政党制あるいは政党政治という。政党制には二大政党制、多党制、一党制があり、それぞれの特色をしっかり把握しておくことが大切である。

■政党制の特色■

◆二大政党制
（アメリカの共和党と民主党が代表例）
　長所としては、世論の変化による安定した

政権交代が可能である。短所としては、世論が二大政党に集約されるため、国民の政策選択の余地が限定される。

◆多党制
（北欧諸国、ドイツ、フランスなどの諸国）
　長所としては、複数の政党の政権であるから、国民各層の意見を反映できる。短所としては、複数政党の政権のために、政治責任の所在が不明確となりやすく、さらに、少数党の離反による政治的不安定を招きやすくなることである。

◆一党制
（中国などの社会主義諸国）
　長所としては、政権の長期安定化が図られる。短所としては、政権交代がないために、一党独裁となり、人権や世論無視の政治が行われやすい。

（2）　選挙制度

　たとえ民主的選挙の原則（普通・平等・秘密・直接選挙）が確立されていても、特定の政党や候補に有利なように選挙制度が設定されていたのでは、国民世論を正確に議会に反映することはできない。つまり、政党制と選挙制度は深く結びついているのである。
　多くの国々で併用して採用されている選挙制度が、小選挙区制と比例代表制の組合せ

である（小選挙区比例代表並立制）。この2つを比較すると、ちょうど裏表になる。

◆比例代表制
　採用すると、死票が減って少数者の意見も反映されるが、反面、政権が不安定になる傾向がある。

◆小選挙区制
　採用すると、死票が増えて少数者の意見は反映しなくなる。しかし、安定した政権の運営と政権交代が可能となる。

■日本の選挙制度■

　選挙権年齢が20歳から18歳に引き下げられ、1970年代に18歳に引き下げた欧米の主

要各国に並んだ。選挙運動も認められると同時に、成人と同じ刑事処分の対象ともなる。

政治

◆55年体制＜二大政党制＞

1955年、分裂していた社会党も統一されて日本社会党が誕生した。その一方で、保守合同によって自由民主党（以下自民党）が成立した。この保守・革新の自社二大政党制を、戦後の大きな枠組みとして55年体制と呼んでいる。

◇55年体制の崩壊

しかし、実態は、自民党が衆参両院の議席数で安定多数を占め、その後60年代から70年代にかけて長く一党優位体制が続くことになった。55年体制が完全に崩壊したのは、1993年の衆議院議員総選挙の結果、自民党の議席数が衆議院において過半数に達しない事態に陥り、非自民連立政権の細川内閣が誕生したときである。

◆政党と圧力団体（利益団体）

社会の利害関係が複雑化・多様化するにつれ、政党の利益集約機能は低下してくる。そこで、特定集団の特殊利益を実現するために、資金提供や票のとりまとめ等を行って政治権力に働きかけるのが圧力団体である。

圧力団体は政治に関与する点において、政党と同じである。しかし、自身が政権獲得を目的としていない点で決定的に異なる。政党との関係では推薦候補者の擁立・資金の提供・票のとりまとめ等を行って、政党に影響力を行使し、その目的とする利益を実現しようとする。つまり、自身の職能的な利益を追求することに特色がある。

◇主な圧力団体

日本経済団体連合会（経団連：企業・経営者を基盤）

日本労働組合総連合会（連合：労働組合を基盤）

日本医師会など

◆政治とカネの問題

1994年に成立した政治改革関連4法には、選挙制度改革とともに、政治資金の流れを政治家から政党に移すことを目的に、政治資金規正法の改正が含まれていた。これによって、政治家個人への献金が禁止され、政治家自身が代表となっている資金管理団体への献金が大幅に制限された。

その背景には、企業・団体などの献金が政治に影響力を持ち、そのことからカネと利権が結び付く腐敗政治の温床となってきたことがある。そこで、政治資金の流れを透明化することを目的に、政治資金規正法が改正されたのである。それと同時に、政党を支援するために政党助成法が制定され、政党交付金が配分されることになった。

[知っ得]　◇議員定数　選挙制度の問題点として、議員定数の不均衡が挙げられている。これは各選挙区の有権者数に比して代表者の数が等しからざる問題であって、平等選挙の原則に反する疑いがある。一刻も早く、国会が選挙区ごとの定数是正に着手することが望まれている。

〔衆議院と参議院〕

＜衆議院＞定数465人、任期4年、解散あり、被選挙権25歳以上

＜参議院＞定数248人、任期6年（半数が3年ごとに改選）、解散なし、被選挙権30歳以上

★★★フォローアップ★★★　（　　）内に適語を入れよ。

問　衆議院は、大政党に有利な（　　）制と小政党でも当選可能な（　　）制を組み合わせた選挙制度を採用している。

◇解答　小選挙区、比例代表

世界の政治制度

①主要国の政治制度について、各国の特色をつかみ、その仕組みを覚えておこう。
②議院内閣制と大統領制との違いを理解して、その中間形態の政治制度についても視野を広げていこう。

（1） 世界の政治制度概要

世界の政治制度は、権力分立制と社会主義諸国が採用する権力集中制に大別できる。前者ではさらに、行政府と立法府の関係で議院内閣制をとる国々と行政府のトップが国民から選出される大統領制をとる国々に分かれている。

しかし、大統領制といっても、アメリカ合衆国のように立法府と行政府が完全に分離した大統領制をとる国ばかりではない。大統領が議会の解散権を持ち、大統領により任命される首相が議会に対して責任を負う半大統領制をとる国もある。

（2） 権力分立制をとる国々

＜違いを覚えよう！＞

◆イギリスの政治制度

＜内閣の成立と存続が議会の信任に基づく議院内閣制＞

内閣がもっぱら議会にのみ責任を負い、国家元首（君主や大統領）には責任を負わない一元主義型議院内閣制である。議会と内閣の関係においては、議会から内閣総理大臣として選ばれた議員が内閣を構成し、行政権を担当する。議会（下院）には内閣不信任決議権があり、内閣は議会（下院）の解散権がある。立法府と行政府の関係は密接であり、内閣が法案を提出できる。

◇イギリスの議会（二院制）

上院（貴族院）→上院は貴族と聖職者の非民選議員で構成され、その任期は終身である。

下院（庶民院）→下院議員は全員、小選挙区から選出される。任期は5年である。下院の優越が確立しており、予算など重要法案は下院さえ通過すれば、国王の裁可を得て成立する。

◇同様の政治制度の国

カナダ、ニュージーランド、オーストラリア、日本、西欧諸国、北欧諸国などが採用。

◆アメリカ合衆国の政治制度

＜立法府と行政府が完全に分離した大統領制＞

◇大統領

①連邦議会を解散する権限を持たない。
②議会から不信任決議を受けることもない。
③議会が大統領を罷免できるのは、大統領に非行があった場合の弾劾決議権だけである。
④大統領は教書を通じて立法の勧告を行うだけで、議案の提出権は議員のみが持つ。

◇合衆国の連邦議会（二院制）

解散はなく、議案提出権は議員だけが持つ。

上院→各州から2人が選出され、任期は6年である。大統領に対し、条約締結承認権、高官任命についての同意権、下院の弾劾の訴追を受けて弾劾裁判権を持つ。

下院→各州から人口に比例して選出される。任期は2年である。予算の先議権と連邦官吏弾劾発議権を持つ。

◇同様の政治制度の国

　ブラジルやメキシコなどの中南米諸国、大韓民国、インドネシア、フィリピンなどが採用。

◆フランスの政治制度

　＜議院内閣制と大統領制の混在した半大統領制＞

　国民から直接選挙された大統領が強大な権力を持ち、大統領から任命された首相が内閣を構成し、議会に対して責任を持つ。内閣は元首である大統領と議会に対して責任を負う大統領制的議院内閣制である。大統領は議会（国民議会）を解散できる権限を有するが、議会は内閣に対して不信任決議権を持つにすぎない。

◇フランスの議会

　元老院（上院）→県選出代議士・県会議員・市町村会議員で構成される選挙人団による間接選挙で選出される。任期は9年である。

　国民議会（下院）→国民の直接選挙により選出される。任期は5年で解散がある。法律案について両院が対立した場合には、国民議会が最終的な議決を行う。その他、政府不信任決議権、予算法案先議権などで国民議会が優越する。

◇同様の政治制度の国

　ロシア、ウクライナ、ルーマニア、リトアニア、モンゴルなどが採用。

（3）　権力集中制をとる国々

◆中華人民共和国の政治制度

　全国人民代表大会（全人代）は、議事機関であり、中国における最高の国家権力機関である。国務院は行政の最高機関、最高人民法院は国家の裁判機関である。

◇国家主席

　全国人民代表大会議長であり、国家元首であるが、実権は持たない。

◇同様の政治制度の国

　朝鮮民主主義人民共和国、ベトナム、キューバなどが採用。

これも！

◆ドイツの政治制度

　ドイツにも大統領が存在するが、日本の天皇に近い儀礼的な存在である。大統領は連邦会議により選出され、大統領が連邦議会で選出された首相を任命する仕組みになっている。

　権限は首相が持ち、実質的には議院内閣制の国である。

◆イタリア・インドの政治制度

　イタリアやインドにも大統領は存在するが、首相が実権を持っているドイツ型の議院内閣制である。

先生の黒板〔大統領の違い〕

＜合衆国＞任期4年・間接選挙・三選禁止・議会解散権なし

＜フランス＞任期5年・直接選挙・三選禁止規定なし・議会解散権あり

★★★フォローアップ★★★　（　　　）内に適語を入れよ。

問　フランスは、大統領制と議院内閣制が混在した（　　　）の政治制度をとる国である。

◇解答　半大統領制（大統領制的議院内閣制）

国際社会

①国際社会の特質を理解し、国際法と紛争処理システムの形成、国際平和機構の設立を中心に覚えておこう。
②国際連合の紛争処理システムについて理解を深めておこう。

（1）　国際社会の特質

◆国際社会の構成

国際社会とは、主権国家を基本的構成単位として成り立っている社会である。最近では、これに非政府組織（NGO）を含めるようになった。

◆国際社会の秩序づくり

主権国家の上に規制する権力が存在しない以上、国家間の紛争を防止し、紛争を解決する決定的な手段はない。

そこで、オランダの法学者グロチウス（グローティウス）は国際法を提唱し、国際慣習法の体系化に努めた。また、各国とも成文法としての条約に取り組み、国家間の合意による紛争解決を図っていくようになった。国際連盟の下での常設国際司法裁判所、今日の国際連合の下での国際司法裁判所で、国際法に基づく裁判が行われるようになったのも、このような秩序づくりの表れである。

さらに、2003年に戦争犯罪を犯した個人の責任を裁く常設の国際法廷である国際刑事裁判所が、オランダのハーグに設置された。

◆秩序維持のための安全保障方式

かつて力の論理が優先される世界において、各国が平和を維持し、安全を守るためには、国力・軍事力を均衡させることにあった（勢力均衡政策）。

しかし、この方式は各国の疑心暗鬼から、

しかし、いまだ国家の上に立ってそれを規制する権力は存在しない。したがって、現実の国際社会の動きは、その時々の各国の力関係によって左右されることが多い。

◆国際社会の歴史

国際社会は、1648年のウエストファリア会議を契機に成立した（30年戦争後の中世封建社会から絶対王政の確立期）。以降、主権国家が国際社会を構成する単位となっている。

```
秩序維持の動き

 勢力均衡政策
    ⇩
 集団安全
 保障方式
    ↓
 国際連盟
    ⇩
 国際連合
```

無用な軍備拡張政策を引き起こし、結局、第一次世界大戦を引き起こす原因となってしまった。

そこで、関係国が相互に不可侵を約束し、第3国の侵略行為に対し集団で対処することによって、平和と安全を維持しようということになったのである（集団安全保障方式）。

その最初の試みが国際連盟であり、それが第二次世界大戦により挫折した後でも、その基本的な考え方は、現在の国際連合へと引き継がれている。

（2）　国際平和機構の樹立

◆国際平和機構の構想

カントはその著書『永久平和論』の中で、永久平和のための国際組織の構想を示唆し、後の国際連盟の成立に影響を与えた。

政治

◆国際連盟と国際連合

①国際連盟

第一次世界大戦終了後の1920年、ウィルソン合衆国大統領の平和原則14か条の提唱によって成立したのが国際連盟である。本部はスイスのジュネーブに置かれ、国際紛争の平和的解決、軍縮、集団安全保障、国際協力活動の推進などを目的として、総会、理事会、常設国際司法裁判所などが置かれた。

しかし、国際連盟自体に①大国の不参加（米国、当初はソ連も参加せず）②総会・理事会とも全会一致の原則③武力制裁が欠けており、経済制裁だけしか行えない、などの諸要因があり、結局、第二次世界大戦を防止できなかった。

②国際連合

第二次世界大戦後、国際連盟に代わる形で設立された国際平和機構が国際連合である。1945年10月24日に国際連合憲章に基づいて発足、ニューヨークに国連本部が置かれた。

◇安全保障理事会

国際連合の中心的な役割を果たす機関は、常任理事国（5か国）と非常任理事国（任期2年の10か国）の計15か国で構成される。も

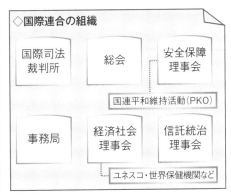

◇国際連合の組織

国際司法裁判所	総会	安全保障理事会
		国連平和維持活動（PKO）
事務局	経済社会理事会	信託統治理事会
		ユネスコ・世界保健機関など

ともとは、第二次世界大戦の終戦処理機関としての役割で発足したものであるから、戦勝国である連合国の五大国（アメリカ合衆国・イギリス・フランス・ソ連（現在はロシア）・中国）が常任理事国を務めたのは当然の成り行きであり、手続事項以外の表決で拒否権を認めたのもその表れである（大国一致の原則）。

◇総会

全加盟国が参加する決定機関であり、一国一票の主権平等原則に立つ。したがって、本来の意味での国際世論形成の場といえる。安全保障理事会が大国の拒否権で機能が果たせない場合に、緊急特別総会を開いて平和維持の働きを果たすところにも存在意義を見つけ出すことができる。

◆国際連合の決議

(1) 安全保障理事会の決議

理事会の開催の時期と場所などの手続事項は、15理事国のうちの9理事国で決定する。手続事項以外の実質事項は、5常任理事国を含めた9理事国で決定する。常任理事国のうち1か国でも反対すれば、その議案は否決される（大国による拒否権の行使）。

(2) 総会の決議

一般事項は出席国の過半数、新加盟国の承認や加盟国の除外などの重要事項は出席国の3分の2以上で決定する。

[知っ得] ◇常任理事国・日本 国際連盟の時代、日本は安全保障理事会の常任理事国であった。

★★★フォローアップ★★★ （　　）内に適語を入れよ。
問　国際法を提唱した（　　）は、国際法の父と称されている。
◇解答　グロチウス（グローティウス）

軍縮に向けた取り組み

①東西冷戦時代の核による抑止に基づいた核軍縮と、冷戦終了後の軍備管理について理解を深めておこう。

②日本の非核化政策の取り組みである非核三原則も覚えておこう。

（1） 東西冷戦時代

1945年2月、米英ソの三国で結ばれた秘密協定（ヤルタ協定）によって、第二次世界大戦後の世界秩序づくりが行われた。その後の展開は、「資本主義」対「社会主義」という「2つの世界」の対立構造となっていく。両陣営とも同盟国を引き込んで、北大西洋条約機構（NATO）対ワルシャワ条約機構（WTO）という軍事ブロックが形成される。ヨーロッパをはさんだ二大陣営の対立、いわゆる東西冷戦構造が国際政治の潮流となっていくのである。

◆二大陣営の軍事的対立

| 北大西洋条約機構 | | ワルシャワ条約機構 |

（2） 軍拡から軍縮へ

冷戦時代は東西両陣営、特にアメリカとソ連は核兵器の報復力で相手の攻撃を抑止できるとする核抑止論に基づき、軍備拡張と核兵器の開発に努めてきた。しかし、核戦争寸前のキューバ危機を契機として、核拡散防止条約（NPT）、戦略兵器制限交渉などの兵器制限と軍備管理が本格化した。その背景には、とどまることを知らぬ軍備拡張が、互いの経済力を削ぎ、財政上の圧迫となって表れてきたからである。

しかし、ソ連のアフガニスタン侵攻を契機に、米ソ間でしばらく交渉の進展はみられなかった。その後ゴルバチョフ政権の発足を機に、中距離核戦力（INF）全廃条約が締結され、さらに戦略兵器削減条約、包括的核実験禁止条約（CTBT）など積極的な兵器削減と核兵器の廃絶に向けた取り組みが進められてきた。

（3） 新STARTの履行停止と核の脅し

新START（新戦略兵器削減条約）は、2009年12月に失効したSTART I（第1次戦略兵器削減条約）の後継条約として、2010年4月にアメリカとロシアが調印し、翌2011年2月に発効した。その後、2021年に5年間の延長で合意し、2026年2月まで有効だが、ロシアのウクライナ侵攻に対する米欧の制裁などを受け、ロシアのプーチン大統領は2023年2月、新STARTの履行停止を表明した。

また、ロシアは2023年3月に隣国ベラルーシに戦術核兵器を配備し、2024年5月には戦術核演習を実施して、ベラルーシも参加するなど、核による脅しを強めている。

◇軍縮に関する年表	
年代	事　項
1955年	第1回原水爆禁止世界大会（広島で開催）
1962年	キューバ危機 →米ソのデタント（緊張緩和）へ
1963年	部分的核実験禁止条約（PTBT）成立 →大気圏、宇宙空間、水中における核実験の禁止
1968年	核兵器不拡散条約（NPT）調印
1972年	米ソ、第1次戦略兵器制限交渉（SALT I）に調印 →1979　第2次戦略兵器制限交渉（SALT II）に調印 →条約は発効せず
1978年	第1回国連軍縮特別総会開催
1987年	中距離核戦力（INF）全廃条約に米ソが調印 →核兵器廃棄に関する初めての合意
1989年	マルタ会談　→冷戦終結
1991年	第1次戦略兵器削減条約（START I）に米ソが調印 →1993　第2次戦略兵器削減条約（START II）に米ロが調印
1995年	核拡散防止条約（NPT）の無期限延長決定
1996年	包括的核実験禁止条約（CTBT）成立
1997年	対人地雷全面禁止条約（オタワ条約）成立
2002年	戦略攻撃能力削減条約（モスクワ条約）に米ロが調印
2010年	米ロが新戦略兵器削減条約（新START）に調印
2019年	トランプ大統領の離脱宣言で、中距離核戦力（INF）全廃条約が失効
2021年	国連で採択された核兵器禁止条約（TPNW）が発効
2023年	ロシアが新戦略兵器削減条約（新START）の履行停止を表明

（4）　日本の取り組み

　日本は、核兵器による惨禍を受けた唯一の被爆国という立場から、核兵器不拡散条約（NPT）に批准しているが、安全保障上の問題等から、核兵器禁止条約（TPNW）には参加していない。

◆非核地帯

　核兵器や原子力発電所などの使用を禁止した地域。非核地帯のうち条約で核兵器を禁止した地帯は非核兵器地帯と呼んでいる。非核兵器化を進めている地域は中南米を皮切りに、しだいに広がっている。

◆国際原子力機関（IAEA）

　原子力の平和的利用の促進と、軍事的利用への転用防止を目的として、1957年に発足した。

◆化学兵器禁止条約

　化学兵器の開発、生産、保有などを包括的に禁止し、米国やロシア等が保有する化学兵器を一定期間内（原則として10年以内）に全廃することを定め、1997年に発効した。しかし、所期の目的は果たされておらず、廃棄への取り組みが続けられている。

先生の黒板〔冷戦終結後の地域紛争〕

湾岸戦争、チェチェン紛争、ボスニア内戦、コソボ紛争、アフガニスタン紛争、イラク戦争、シリア内戦、ウクライナ戦争

★★★フォローアップ★★★　（　　　）内に適語を入れよ。

問　（　　　）は、2017年7月に国連で122カ国・地域の賛成多数により採択されたが、核保有国並びにその核抑止力に頼る国々は参加していない。

◇解答　核兵器禁止条約

統治機構と地方自治

日本国憲法の三大原則、国民主権と三権相互の関係は必須の知識であるから、しっかり理解して覚えておこう。合わせて、地方自治が住民自治と団体自治の理念に基づいて運営されていることを理解しておこう。

（1）　日本における三権相互の関係

　三権分立制といっても、その関係がどの国も同じというわけではない。立法府と行政府の関係に注目して見れば、大きく分けて2つの類型がある。

①行政府と立法府の役割分担がはっきりしている型

　行政府の長は、その多くが国民から選出される大統領制をとる。アメリカの大統領制がその典型である。

②行政府と立法府の関係は一応独立しているが、両者の関係がより緊密な類型

　これが議院内閣制であり、大統領制とともに多くに国々で採用されている。イギリスがその典型である。

　日本国憲法においては、後者の政治制度を採用している。

（2）　議院内閣制

　議院内閣制とは、行政権である内閣の成立・存続が国会の意思に依存している政治制度である。わが国の憲法も、議院内閣制を採用していると考える。

　なぜなら、憲法で以下の内容に表れているからである。

①内閣の成立要件として、国会が内閣総理大臣を指名（第67条）

②内閣の構成において、内閣総理大臣及びその他の国務大臣の過半数は国会議員とされる（第67条・第68条1項）

③行政権の行使につき、国会に対して連帯責任を負う（第66条3項）

④存続には衆議院の信任を必要とすること（第69条・第70条）

　このように、内閣を国会の強い民主的なコントロールの下に置いた理由は、国民の意思（民意）が議会の多数派に反映して、その主導の下に内閣が構成され、行政権が行使されるという代表民主制の実現にある。それゆえ、行政権の行使につき、国会に対して連帯責任を負うことになるのである（民主的責任行政）。

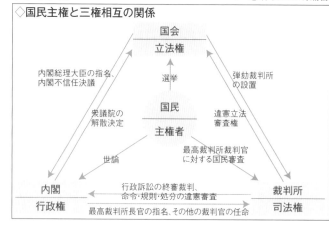

◇国民主権と三権相互の関係

国会
立法権

内閣総理大臣の指名、内閣不信任決議
選挙
弾劾裁判所の設置

衆議院の解散決定
国民
主権者
違憲立法審査権

世論
最高裁判所裁判官に対する国民審査

内閣
行政権
行政訴訟の終審裁判、命令・規則・処分の違憲審査
最高裁判所長官の指名、その他の裁判官の任命
裁判所
司法権

政治

（3） 地方自治

　地方自治とは、住民が住民自身の問題を処理・運営するとともに（住民自治の原則）、国とは別個の団体（地方公共団体）に処理・運営させる（団体自治の原則）制度である。

　つまり、**憲法第92条**で規定されている「地方自治の本旨」とは、住民自治の原則と団体自治の原則を制度的に保障したものである。

　したがって、地方自治の具体化は法律により実現されるとともに、地方自治制度そのものを奪うことも許されない。

◆住民の直接請求権

　地方自治は住民の身近な問題を処理・運営するものであるから、住民の直接参加を認めることが制度の趣旨に適う。そこで、地方自治法は、住民の**直接請求権**を制度化している。

◇住民の直接請求権

直接請求権の種類	有権者の割合	提出先
監査請求	50分の1	監査委員
条例の制定・改廃請求	50分の1	首長
議会の解散請求	3分の1	選挙管理委員会
議員・首長等の解職請求	3分の1	選挙管理委員会

◆地方分権の推進

　1999年、地方分権関係調整法により、従来問題のあった**機関委任事務**が廃止され、自治体の自治事務と国の事務を代行する**法定受託事務**に再編成されることになった。

先生の黒板　〔司法権〕　司法の独立、裁判官の身分保障、民事裁判・刑事裁判・行政裁判、原告、被告、検察官、被告人、控訴、上告、統治行為論

これも！

◆国会の地位

> 「国会は、国権の最高機関であって、国の唯一の立法機関である」（憲法第41条）。

　国権とは国家権力の意味。その「最高機関」の意味は、国会が主権者である国民に一番近い存在であることに由来している。三権分立制を否定したものではない。

①国会中心立法の原則
　→国会以外の機関が法を制定することはできないとする原則。例外としては、両議院の規則制定権（憲法第58条2項）・裁判所規則（同第77条1・3項）。

②国会単独立法の原則
　→国会以外の機関が議決に関与することはできないとする原則。例外として、地方特別法における住民投票（憲法第95条）。

◆内閣の構成

　国会で指名を受けた内閣総理大臣が国務大臣（17名を限度）を任命（内閣法附則により増員される場合がある）
　　⇒合議体の内閣を構成。
　内閣の意思決定
　　⇒閣議で行う。慣例上、閣議は非公開であり、決議は全員一致である。

◆統治行為論

　高度な政治行為は司法審査になじまないとする理論。国会・内閣の政策決定の判断は国民主権に基づくものであり、民主的な意思決定に対しては、法を適用して判断することに適さないとするもの。砂川事件上告審判決と苫米地事件上告審判決で示されている。

★★★フォローアップ★★★　（　　　）内に適語を入れよ。
問　内閣総理大臣と国務大臣の過半数が国会議員であることを要するとしたのは、（　　　　　）の表れである。

◇解答　議院内閣制

人権保障の歴史と基本的人権の種別

①人権保障の歴史を、重要な歴史的文書や事柄で覚えよう。
②日本国憲法が定める人権について、その種別と内容を覚えておこう。合わせて、新しい人権についても各々の権利内容と根拠条文を覚えよう。

（1）　人権保障の歴史

　人権保障の歴史は、人の支配の抑制から市民革命期の人権宣言、そして人権保障の国際化と歩んできた。

（2）　基本的人権の類型とその保障

　日本国憲法における基本的人権の種別は、以下の通りである。

◆自由権

　国民が国家に対し、自由の干渉をやめることを要求し得る権利。以下の3種類に分類できる。

①精神活動に関する自由

　思想及び良心の自由、信教の自由、表現の自由及び集会・結社の自由、学問の自由。

②身体に関する自由

　奴隷的拘束や苦役の禁止、居住・移転の自由、海外移住及び国籍離脱の自由、法定手続による保障、公務員による拷問や残虐な刑

◆人権保障の発展　（国名は略号）

年代	事項	国名	内　容
1215年	マグナ・カルタ	英	貴族が国王に逮捕拘禁権・課税権の制限などを承認させた
1628年	権利請願	英	議会が国王に人民の権利と自由を承認させた
1642〜49年	清教徒革命	英	市民革命が起きた
1679年	人身保護律	英	議会が不逮捕・投獄の禁止、裁判を受ける権利を定めた法律を制定した
1688年	名誉革命	英	議会が国王を追放した
1689年	権利章典	英	議会の王権に対する優越が確立した
1775〜83年	アメリカ独立戦争	米	イギリスの植民地支配から独立した
1776年	バージニア権利章典	米	人権宣言の先駆けとなった
1776年	アメリカ独立宣言	米	人民の革命権を盛り込んだ宣言文書
1789年	フランス革命	仏	アンシャン・レジーム（旧制度）に対する革命の勃発
1789年	フランス人権宣言	仏	国民主権・権力分立・人権保障を盛り込んだ宣言文書
1919年	ヴァイマル憲法	独	生存権を保障した世界初の憲法
1948年	世界人権宣言	国連	人権に関する世界共通の基準を明らかにした宣言文書
1966年	国際人権規約	国連	人権保障を法制化したもので、批准国には実施義務がある

罰を科すことの禁止、住居の不可侵、刑事被告人の権利など。

③経済活動に関する自由

私有財産制の保障、職業選択の自由。

◆**平等権**

個人の人格価値が等しいことから生じる権利。法の下での平等、家庭生活における個人の尊厳と両性の本質的平等、教育の機会均等、選挙における平等など。

◆**参政権**

国民が国家に対して政治に参加することを要求し得る権利。選挙権、被選挙権、最高裁判所裁判官の国民審査、地方特別法の制定における住民投票、憲法改正手続における国民投票。

◆**社会権**

国民が国家に対して人間に値する生活を要求し得る権利。生存権、教育を受ける権利、勤労の権利及び労働基本権。

◆**請求権（受益権）**

社会権と同様、国民が国家に対して何らかの作為を要求し、他の基本的人権を守ることに資する権利。公務員の不法行為による損害を填補する国家賠償請求権、国家の適法行為による財産的損失を填補する損失補償請求権、裁判を受ける権利、無罪の裁判を受けたときの刑事補償請求権など。

覚えたかな!?

先生の黒板〔新しい人権〕

プライバシーの権利、知る権利、環境権、アクセス権、自己決定権

これも！

◆**基本的人権の享有主体**

基本的人権は国家以前に存在するものであるから、この憲法の規定がなくても、個人である以上誰でも享有することができる。ただし、天皇（皇族も含む）と外国人については、各々の制約から権利の性質に応じて個別的に判断するしかない。前者は象徴であり世襲であることから、参政権については、差異がある扱いを受ける。これに対し後者は、国民主権を前提にした参政権と、その者の属する国が第1次的に負う社会権には限界がある。法人については、その社会活動の状況を見ていけば、個人であることを前提にした権利でない限り、享有主体として認めていくべきことになる。

◆**基本的人権の制約原理**

基本的人権に対する制約の根拠は、人権間の相互衝突がある場合に、社会秩序維持の観点から調整するということである。これを「公共の福祉」と呼んでいる。この「公共の福祉」によって、法律による規制が可能になる。

◆**生存権の法的性質**

国家の単なる政治的指針、いわゆる努力目標を示したものにすぎないとする見解が有力である（プログラム規定説）。朝日訴訟と堀木訴訟で、最高裁判所の判決が示されている。

◆**プライバシー権の法的性格**

もともとは興味本位の私事の暴露から個人の生活を守ることにあったが、今日では、自己に関する情報の流れをコントロールする権利として把握されている。

★★★フォローアップ★★★　（　）内に適語を入れよ。

(1) 国民主権・人権保障・権力分立制を明確に宣言した最初の歴史的文書はフランス（　　　）である。

(2) 生存権を保障した世界初の憲法は、（　　　）憲法である。

◇**解答**　(1) 人権宣言　(2) ワイマール

＜練習問題＞

練習問題1

近代政治思想について説明した文章の空欄（A）〜（C）に入る人名の組合せとして正しいものは、次のうちどれか。

　（　A　）は、国家は主体である諸個人が自然法に従い、自らの自然権をすべて放棄するという相互契約によって成立すると考えた。これに比して（　B　）は、（　A　）において認められていた国家権力の絶対性を市民の抵抗する権利によって否定し、市民階級の立場を明らかにした。（　A　）と（　B　）の説が市民社会の発展に即し、市民階級の利益を反映するものであったのに対し、（　C　）は、国家主権を社会契約によって形成される一般意思に基づくものとした。この一般意思のもとでは、利己的個人主義が否定されて、人間の共同体的なあり方の回復が求められた。

	A	B	C
（1）	ホッブズ	ロック	ルソー
（2）	ホッブズ	ルソー	ロック
（3）	ロック	モンテスキュー	ルソー
（4）	ロック	ルソー	モンテスキュー
（5）	ルソー	ロック	ホッブズ

練習問題2

国家の起源に関する次の記述のうち誤っているのはどれか。

（1）国家は一種族の他種族に対する武力的征服によって成立するという考え方を国家征服説という。

（2）征服によって国家が生じる例として、ゲルマン民族がローマ帝国を滅ぼし国家を建設した例が挙げられる。

（3）原始社会においても、人は社会生活を統制されたが、これを国家の起源とみることはできない。

（4）国家とは、ある階級が他の階級を支配するための権力機構としたものである。

（5）部族のような小さな共同体が、国家として出現する余地はない。

練習問題1　　　　　［解答］（1）

A：ホッブズである。彼は人間の本性を自己保存の欲求と利己心の主体であるとし、自然状態を「万人の万人に対する闘争」の状態が果てしなく続くと考え、結局、個人の生存を守るためには、国家権力の絶対性を肯定せざるをえなかった。

B：ロックである。彼は人間の本性は理性的で自由な個人であるとし、自然状態においても自然法が存在しており、自己の生命を維持する権利が互いに尊重されていると考えた。各人は社会契約においても、自分の自然権を完全に放棄する必要はなく、政府が信託に反した場合には預けた権利を政府から取り返すことができ（抵抗権）、政府を取り替えることもできる（革命権）としたのである。

C：ルソーである。人間の本性は善でも悪でもない、あるがままの自然人であるとし、自然状態は各人が孤立して自足する平和的な理想の状態であるが、文明化によって崩壊すると考えた。そこで、彼はこの崩壊した状態から抜け出すためには、すべての人が全面的に自己を一般意思に従わせる社会契約が必要であるという結論に達したのである。

　以上から、組合せとして正しいのは（1）。

練習問題2　　　　　［解答］（5）

　部族のような小さな共同体が核となって、古代国家は成立した。よって、（5）が誤りで正解となる。（1）と（2）は正しい。（3）の社会生活の統制は、生産関係を維持する上で成員間の共通認識があったにすぎない。（4）はマルクスなどの階級国家説である。

政治

練習問題3

政党制には二大政党制、多党制、一党制があるが、それぞれの長所と短所を組み合わせた記述として妥当なものは、次のうちのどれか。

【長所】

A　世論の変化による政権交代が可能となる。

B　有権者による政権の選択が容易である。

C　政権は安定し、長期化する。

D　国民各層の意見を反映できる。

【短所】

ア　少数党離反で、政治的不安定になりやすい。

イ　人権や世論無視の政治に陥りやすい。

ウ　政治責任の所在が不明確になりやすい。

エ　国民の政策選択の余地が限定される。

	二大政党制	多党制	一党制
（1）	A－エ	D－ア	C－イ
（2）	B－ウ	A－ア	D－エ
（3）	C－イ	B－ウ	A－ア
（4）	D－ア	A－ウ	B－イ
（5）	A－イ	B－ウ	C－エ

練習問題4

国際法に関する記述として、妥当なものはどれか。

（1）条約は、国家間の約束を文書化した成文国際法であり、国家は条約によって国際慣習法と異なる内容の合意をすることができない。

（2）国際法では、その解釈や運用をめぐって各国の判断が対立した場合、当事者の合意がなくても、国際司法裁判所において解決することができる。

（3）国際慣習法では、長く領海は3海里とされてきたが、国連海洋法条約で沿岸国に認める領海200海里が世界の大勢になった。

（4）国際慣習法は、長年にわたって国家の間で慣習として行われてきたものをいい、国際社会一般に適用される。

（5）カントは、自然法に基づく国際法の概念を提唱し、その著書『戦争と平和の法』によって主権国家の上位に立つ国際組織の設立を呼びかけた。

練習問題3　　　　　　［解答］（1）

　AとBは二大政党制の特色を述べたものであり、Cは一党制、Dは多党制の特色を述べたもの。二大政党制は政治責任の所在が明確になる利点があるが、反面、エ国民の政策選択の余地が限定される。多党制は国民各層の意見を反映できるが、ウ政治責任の所在が不明確になり、ア少数党の離反により政治的に不安定に陥りやすい。一党制は政権は安定し、長期化するが、イ世論や人権を無視する政治となりやすい。

　以上から、組合せとして妥当なのは（1）。

練習問題4　　　　　　［解答］（4）

（1）前半の記述は正しいが、後半の記述は誤り。条約は国家間の合意であるから、国際慣習法と異なる内容の合意を定められる。

（2）国際司法裁判所に提訴するためには、当事国双方の合意が必要である。

（3）前半の記述は正しいが、後半の記述が誤り。領海は12海里である。200海里は排他的経済水域である。

（4）妥当な記述である。

（5）カントは著書『永久平和論』の中で、国際平和機構の提唱を行った。カントの代わりにグロチウス（グローティウス）が入る。

練習問題5

人権保障の歴史に関するA～Dの記述のうち、妥当なもののみをすべて挙げているのはどれか。

A　マグナ・カルタは、17世紀のイギリス市民革命期の宣言文書である。

B　イギリスで名誉革命が起きた後、議会は国王に国民の権利と自由を認めさせた。

C　フランス人権宣言は、国民主権・権力分立・人権保障を盛り込んだ宣言文書である。

D　世界人権宣言は、人権に関する世界共通の基準を法制化し、各国に拘束力をもたせたものである。

（1）A
（2）A、B
（3）B、C
（4）B、C、D
（5）A、B、C、D

練習問題6

わが国の三権分立制に関する記述として、日本国憲法上、妥当なものはどれか。

（1）最高裁判所は、国会が制定した法律については違憲立法審査権を有するが、内閣が制定した命令については違憲審査権を有しない。

（2）国会は罷免の訴追を受けた裁判官を裁判するため、両議院の議員で組織する弾劾裁判所を設ける権限を有する。

（3）内閣総理大臣は、国会の議決により参議院議員の中から指名されなければならず、この指名は、他のすべての案件に先立って行われなければならない。

（4）内閣は、衆議院及び参議院の両議院で内閣不信任決議案が可決された場合、両議院を解散することができる。

（5）最高裁判所の裁判官は内閣が任命するが、下級裁判所の裁判官は最高裁判所の長官が任命する。

練習問題5　　　　　[解答]（3）

A　マグナ・カルタは1215年に、貴族が国王ジョンに逮捕拘禁権・課税権の制限などを承認させた宣言文書。17世紀のイギリスの市民革命期ではないので誤り。

B　妥当な記述である。1688年、名誉革命により国王が追放されると、代わって即位した国王は1689年に、王位に対する議会の優位を認めた「権利の宣言」に署名し、これが「権利章典」として発布された。

C　妥当な記述である。

D　世界人権宣言（1948年）は、人権に関する世界共通の基準を明らかにした宣言文書であるが、国家に対する法的拘束力がない。人権保障を法制化したのは、国際人権規約（1966年）である。

　以上から、妥当なもののみをすべて挙げているのは（3）。

練習問題6　　　　　[解答]（2）

（1）違憲審査が法律に及ぶ以上、下位規範の命令に及ぶのは当然である（憲法第81条参照）。

（2）妥当な記述である（憲法第64条1項）。

（3）内閣総理大臣は、国会議員の中から国会が指名する（憲法第67条1項）。衆議院議員であること、または参議院議員であることの要件はない。

（4）参議院は内閣不信任決議案を提出できない。提出できるのは問責決議案であるが、これには法的効力がない。一方、内閣が解散できるのは、衆議院だけである（憲法第69条）。

（5）下級裁判所の裁判官は、内閣が任命する（憲法第80条1項）。

練習問題7

次の文は、国際社会における核軍縮の取組みに関する記述であるが、空欄A～Cにあてはまる語句の組合せとして、妥当なものはどれか。

アメリカと旧ソ連の間で1980年代に始まった戦略兵器削減交渉は、途中の打切りなど何度かの危機を乗り越えて、1991年、STARTⅠが結ばれ、戦略核弾頭の削減などが実現した。その後も、1995年には、1970年に発効した（　A　）の無期限延長が決定され、さらに1996年には国連総会で、非核保有国がその締結を繰り返し要求してきた（　B　）が圧倒的多数で採択されるなど、核廃絶への努力が続けられた。

しかし、（　A　）による核軍縮が進まない状況の中で、非核保有国により核兵器を法律的に禁止しようとする動きが高まり、2017年に国連加盟国の6割を超える122か国の賛成を得て（　C　）が採択され、2021年に発効した。

（1）A 核拡散防止条約（NPT）
　　　B 包括的核実験禁止条約（CTBT）
　　　C 中距離核戦力全廃条約（INF）
（2）A 核拡散防止条約（NPT）
　　　B 包括的核実験禁止条約（CTBT）
　　　C 核兵器禁止条約（TPNW）
（3）A 包括的核実験禁止条約（CTBT）
　　　B 核拡散防止条約（NPT）
　　　C 核兵器用核分裂性物質生産禁止条約（FMCT）
（4）A 包括的核実験禁止条約（CTBT）
　　　B 核拡散防止条約（NPT）
　　　C 戦略兵器削減条約（START）
（5）A 包括的核実験禁止条約（CTBT）
　　　B 核拡散防止条約（NPT）
　　　C 化学兵器禁止条約（CWC）

練習問題7　　　　　　　[解答]（2）
　（A）核拡散防止条約（NPT）、（B）包括的核実験禁止条約（CTBT）、（C）核兵器禁止条約（TPNW）が入る。
　以上から、組合せとして妥当なのは（2）。
　核拡散防止条約は、米・英・仏・中・ロの五大国に核保有国を限定し、非核保有国は査察を含む保障措置協定を国際原子力機関（IAEA）と結ぶことが義務付けられている。
　包括的核実験禁止条約は、あらゆる空間における核兵器の実験的爆発及び他の核爆発を禁止するもので、発効要件国44か国のうち、米・中・エジプト・イラン・イスラエル・北朝鮮・インド・パキスタンの8か国が批准しておらず、発効していない。
　核兵器禁止条約は、核兵器を非人道的で違法とし、その開発、保有、使用などを禁止する条約で、50か国が批准して2021年1月に発効したが、核保有9か国及び日本を含む核抑止力に依存する国々は署名していない。

政治

練習問題8

主要国の政治形態に関するA〜Dの記述のうち、妥当なもののみを挙げているのは、次のうちどれか。

A　イギリスは、国王が国の元首とされるが政治の実権は議会にある。議会は国民の選挙による下院と、貴族などで構成される上院の二院制をとっている。下院の第一党の党首が、内閣総理大臣となり内閣を構成する。

B　アメリカ合衆国において、立法権は連邦議会、行政権は大統領、司法権は連邦裁判所に属する。上院は各州から2人選出された議員により構成されており、大統領に対する条約締結承認権や高官任命についての同意権など下院にはない権限を有している。

C　中華人民共和国は、プロレタリアート（労働者階級）独裁の考え方に基づき、民主的集中制をとっている。共産党が指導政党とされ、国家権力の最高機関として中国共産党全国代表大会の下に、行政機関である国務院と司法機関の最高人民法院が置かれている。

D　フランス大統領制は、大統領制と議院内閣制の中間の半大統領制という形態で作り上げられている。大統領は間接選挙により選出され、議会に対して無答責である。したがって、国民議会（下院）を解散する権限もない。一方、大統領によって任命される首相と閣僚が内閣を構成し、議会に対して責任を負う仕組みとなっている。

（1）A
（2）A、B
（3）A、B、C
（4）A、C、D
（5）A、B、C、D

練習問題9

日本国憲法に保障されている権利のうち、日本国民のみ保障されており、外国人には保障が及ばないとされるのは、次のうちどれか。

（1）思想・良心の自由（憲法第19条）
（2）裁判を受ける権利（同32条）
（3）国会議員の選挙権（同15条1項）
（4）国家賠償請求権（同17条）
（5）人身の自由（同31条〜39条）

練習問題8　　　　　［解答］（2）
　AとBの記述は、その通りである。
C　国家権力の最高機関は、共産党全国代表大会ではなく、全国人民代表大会である。
D　フランスの大統領は国民の直接選挙で選出され、国民議会（下院）に対する解散権がある。
　以上から、妥当なもののみ挙げているのは（2）。

練習問題9　　　　　［解答］（3）
　基本的人権は国家以前に存在するものであるから、この憲法の規定がなくても、個人である以上、誰でも保障される。ただし、外国人については、国民主権を前提にした参政権、その者の属する国が第一次的に負う社会権には限界がある。
（1）思想・良心の自由は、すべての自由の基礎であり、個人の人格価値そのものである。個人である以上、外国人でも保障される。
（2）裁判を受ける権利は、基本的人権を守るための権利である。したがって、外国人でも保障される。
（3）国民主権を前提にした参政権については、外国人に保障が及ばない。国会議員の選挙権について及ばないのは当然の理である。しかし、地方選挙（憲法第93条2項）については、定住外国人の選挙権を認めても、それは憲法が禁止したものではないとする判断が示されている（最高裁判所判決　平成7.2.28）。
（4）公務員による不法行為に基づく損害賠償請求権は、基本的人権を守るための権利である。したがって、外国人でも保障される。
（5）人身の自由は、国家以前に存在する権利である。したがって、外国人でも保障される。

経
済

経　済

◇目　次

◇**経済頻出問題上位**

① GNI と GDP
② 景気循環
③ 市場経済の仕組み
④ 需要曲線と供給曲線
⑤ 第二次世界大戦後の日本経済
⑥ 財政投融資と金融政策
⑦ わが国の財政と税
⑧ 地域的経済連合
⑨ 貿易収支
⑩ 経済学説

経済学説と資本主義経済体制

経済学説は経済理論の歴史と捉え、時代背景に留意して、理解を深めていこう。資本主義経済体制と社会主義経済体制の違いとあわせて、社会主義経済が市場原理を導入する体制へと変化していることをを理解しておこう。

（1）主要な経済学説

◆重商主義

貨幣すなわち金銀を唯一の富とみなし、その蓄積のために保護貿易・産業の保護育成が図られた。絶対主義の下に提唱された殖産興業論である。

◇**代表者とその著作**：トーマス・マン『外国貿易によるイングランドの財宝』

◆重農主義

重商主義に対抗して提示された経済学説である。農業のみが富の源泉とみなし、重商主義により疲弊していた農業の重要性とその救済を訴えた。だが、剰余価値の概念や経済循環の考え方は、後の古典派経済学に影響を与えた。

◇**代表者とその著作**：ケネー『経済表』

◆古典派経済学

この古典派経済学の登場によって、経済学（理論経済学）が誕生したといえる。資本主義が封建社会から産声を上げ、産業革命が社会に広範な影響を与えはじめた時代に、彼らの関心は各個人が自己の利益を求める社会がどのようなものになっていくのかということだった。前二者との大きな違いは、国富を客観的にとらえ、そこから経済現象の分析に入っていったことである。資源配分が最適に行われるプライス・メカニズム（価格機構）を想定し、国家が経済に介入しないことを旨とする自由主義経済政策を提示したのは、古典派経済学の不朽の功績である。この古典派経済学の系譜に連なる代表的な経済学者とその著書を紹介しておこう。

◇**代表者とその著作**：アダム・スミス『国富論（諸国民の富）』、リカード『経済学および課税の原理』、マルサス『人口論』、J．S．ミル『経済学原理』

国家不介入の自由主義経済政策を提示したのは？　　　古典派経済学

◆歴史学派

歴史学派の名前の由来は、経済法則の歴史性を強調し、経済学の課題をこの歴史的法則の発見に求めたことにある。当時のドイツはヨーロッパの後進国であり、産業の育成には保護政策が必要であったことから、古典学派の自由放任政策、特にリカードの比較生産費説に基づく自由貿易政策に反対せざるをえなかったのである。

◇**代表者とその著作**：リスト『経済学の国民的体系』

◆マルクス経済学派

19世紀の中頃、周期的に襲うようになった恐慌と失業、そして労働者の悲惨な生活状態を見たとき、古典派経済学者がいう市場原理で資源の最適配分が行われると楽天的にはなれないであろう。マルクスは剰余価値の概念を導入して、資本主義経済の諸法則を体

系的に解明した。そして、**資本主義社会がやがて崩壊し、社会主義へ移行せざるをえない必然性**をもつことを主張したのである。

◇**代表者とその著作**：マルクス『資本論』、レーニン『帝国主義論』

◆近代経済学派◆

現代経済学につながる大事な系譜は限界効用学派とケインズ学派である。

◆限界効用学派（新古典派も含める）

経済行動の決定が、最後に投下される単位量によってなされるという考え方、いわゆる「限界効用概念」に基づく経済体系が作りだされた。

◇**代表者とその著作**：ワルラス『純粋経済学要論』、マーシャル『経済学原理』

◆ケインズ学派

ケインズ経済学以前の古典派経済学では、自発的失業と摩擦的失業の存在は認めているが、**非自発的失業の存在は認めていなかった**。これは市場の均衡について、完全雇用を前提にしていたからである。都市にあふれている失業者も、いずれ雇用されるようになるというのが、経済学者としての見立てであった。

しかし、いつまで経っても、失業者は失業者のままであった。これに対しケインズは、非自発的失業が含まれたままでも、市場の均衡が成立することを明らかにした。それが**有効需要の原理**であり、完全雇用を実現するためには、**政府が有効需要を創出して**（投資あるいは消費を増加させる）、完全雇用を実現する水準まで国民所得を増大させる必要があることを主張したのである。

◇**代表者とその著作**：ケインズ『雇用・利子および貨幣の一般理論』

（2）資本主義経済体制

資本主義経済は、生産手段の私有を認め、市場における**自由な競争**を想定しているから、企業の倒産と失業もある。一方、**社会主義経済**は生産手段の私有を認めず、所得の公平な分配を目指すため、**自由な競争を認めない**のが原則である。

しかし、資本主義国においても、大量の失業者の発生を防ぐために、第二次世界大戦後、従来の自由放任から積極的な景気調整と社会保障の充実を政府が行う政策の転換を図るようになった（**修正資本主義、混合経済体制**）。

また、社会主義国においても、非効率的な計画経済から**市場原理を導入**するに至っている。

◆セイの法則

「供給は自ら需要を創り出す」という法則。結果、需要と供給は恒等的に等しく、常に完全雇用が達成されるとしたので、1929年の大恐慌後の大量の失業者の発生に対し、古典派経済学は有効な処方箋を出せないでいた。

先生の黒板

〔社会主義国の市場原理の導入〕
旧ソ連―ペレストロイカ
中国―改革開放・社会主義市場経済
ベトナム―ドイモイ

★★★フォローアップ★★★　（　　　）に適語を入れよ。
問　ケインズは、完全雇用を実現するために、政府が（　　　）である消費と投資を増加させて、完全雇用を実現する水準まで国民所得を増大させる理論的根拠を提示した。

◇**解答**　有効需要

市場機構と寡占市場

① 市場における価格決定のメカニズムを、需要曲線と供給曲線との関係から導けるようにしよう。その際、各々の曲線がシフトする場合の変化について確かめておこう。
② 寡占（独占）の弊害とその形態についても理解しておこう。

（1）市場機構

◆市場（自由競争市場）

　市場とは、財・サービスの買い手と売り手が出会って、自由に売買を行う場である。商品市場のほか、労働市場、金融市場、外国為替市場などがある。

◆需要曲線と供給曲線

　需要曲線と供給曲線は、様々な要因によってシフトし、価格が変化していく。

◇需要曲線の左へのシフト①（需要量の減少）の主な要因

　人気のない商品の場合➡他の条件を一定とするとき、価格は下落する。

◇需要曲線の右へのシフト②（需要量の増大）の主な要因

　消費者の所得が上昇する場合、人気のある商品の場合、人口が増加する場合➡他の条件を一定とするとき、価格は上昇する。

◇供給曲線の左へのシフト③（供給量の減少）の主な要因

　天候不順で農作物・水産物が不作・不漁の場合、大災害や戦争で、生産施設に大きな被害を受けた場合、人気がなくなり、需要の

◆価格メカニズム

　自由競争市場では、価格は需要と供給の関係で決まる。これを市場価格という。つまり、市場価格を目安に取引が行われる。このメカニズムにより、社会的に必要とされる企業や産業が発展し、不要な企業や産業は整理されて退場する。これによって、社会全体の資源が最も効率的に配分されることになる。このことをアダム・スミスは、その著書『国富論（諸国民の富）』の中で、「見えざる手」に例えたのである。

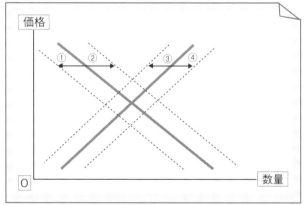

増加が見込めなくなった商品の場合➡他の条件を一定とするとき、価格は上昇する。

◇供給曲線の右へのシフト④（供給量の増大）の主な要因

　生産技術の進歩によるコスト低減の場合、人気があり、大きな需要が見込まれる商品の場合➡他の条件を一定とするとき、価格は下落する。

（2）寡占市場

　競争が激化して企業が規模の拡大を図ると、一部の大企業に生産が集中することになる。このようになると、**少数の大企業が市場の大部分を支配する状態**になり、市場における価格の自動調節機能は喪失するに至る。このような市場を寡占市場という。

　寡占市場においては、有力企業がプライス・リーダー（価格主導者）として、一定の利潤が出る価格を設定する管理価格が形成されやすい。たとえ需要が減少し、生産コストが下がっても、価格の下方硬直性が見られるようになる。

　さらに、価格競争が弱まると、価格以外での競争（広告・宣伝、デザインなどの非価格競争）が激しくなり、その費用が価格に上乗せされて、消費者に販売されることになる。

■企業が市場を支配するための手法■

◆カルテル（企業連合）

　同一産業内の各企業が、価格・生産量・販売地域などについて協定を結ぶこと。

◆トラスト（企業合同）

　同一産業内の各企業が競争を排除し、1つの企業として合併したもの。

◆コンツェルン（企業連携）

　大企業が中心となり様々な産業分野を、株式所有・融資などの方法を通して、支配・結合している企業形態。

先生の黒板

〔市場の失敗〕外部不経済の存在、公共財の不足、寡占や独占の形成

これも！

◆代替財と補完財

　価格は財相互の関係によっても変化する。
（1）**代替財（競争財）**：バターとマーガリンのように、一方の価格が下がれば、他の財の需要が減少する関係にある財。
（2）**補完財**：バターとパンの関係のように、一方の価格が下がれば、他の財の需要も増える関係にある財。

◆コングロマリット

　巨大企業が異種産業の企業を吸収または合併し、経営の多角化を進めていく企業形態。

◆多国籍企業

　多数の国々に支店、子会社などの関連会社を持つ企業をいう。

■寡占（独占）に対する法規制■

　日本においては、独占による弊害を除去し、公正な取引を確保するために、**独占禁止法**が制定され、**公正取引委員会**がその職務にあたっている。

知っ得　◇**独禁法モデル**
　独占禁止法のモデルは、米国で制定されたシャーマン反トラスト法である。

※価格メカニズム・メモ

◇**公共料金**：市場経済は自由競争でサービスやモノの価格が決まる仕組みだが、公共料金は政府や地方公共団体などの公的機関が価格を決定している。電気や都市ガスの料金、鉄道やバス、タクシー運賃、水道料金などが公共料金となっていて、国民生活の安定が図られている。

★★★フォローアップ★★★　（　　）に適語を入れよ。
問　同一産業内の各企業が競争を排除し、1つの企業として合併したものを（　　　）という。
◇**解答**　トラスト（企業合同）

経済主体と国民所得

①企業・家計・政府という経済主体が、生産・消費・財政という経済活動を行い、モノ・サービスが循環するという仕組みを理解しておこう。
②一定期間に生産されたモノ・サービスの流れを理解し、国民所得の計算に慣れよう。

 集中レッスン

（1）経済主体

生産の主体が企業、消費の主体が家計、財政の主体が政府である。これら三者の間でモノ・サービスの交換が行われ、経済が循環していくのである。

経済循環

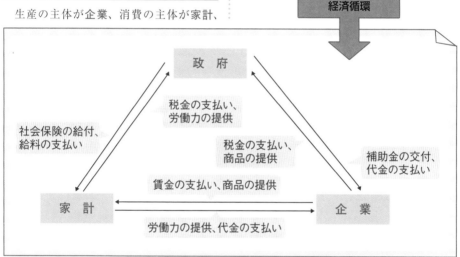

（2）国民所得

◆国民所得とその計算

国の経済指標は、主に景気の動向とその国の経済の基礎的条件（ファンダメンタルズ）を見るために用いられる。

国の経済の実態をとらえて分析し、有効な経済政策を立てるためには、一定期間に生産された財・サービスの流れ（フロー）を把握することが重要である。それが国民経済計算と呼ばれるものである。これには、さまざまな統計上の処理が施されている。

その中で国民所得といわれるものは、国民所得(NI)＝国民純生産(NNP)－間接税＋補助金で算出されるものを指す。このNIが一国の1年間の生産活動によって生み出された真の価値である。したがって、国民所得の生産面・分配面・支出面が等しい三面等価の原則も成り立つのである。

しかし、これを導くためには、統計上の処理が必要である。以下、計算のプロセスをたどっていくことにする。

◇国内総生産（GDP）
＝1年間の国内総産出額－中間生産物の総額

経
済

国内総生産（GDP）では、1年間の国内総産出額から中間生産物を差し引くのは重複計算を避けるためである。これによって、国内の経済活動の規模を示し、経済成長測定の尺度としても利用される重要な経済指標である。

◇国民総所得（GNI）
＝国内総生産(GDP)＋海外からの純所得

このGDPに海外からの純所得を加えると、国民総所得（GNI）となる。

◇国民純生産（NNP）
＝国民総所得(GNI)－減価償却費(資本減耗引当)

国民総所得（GNI）から減価償却費を差し引いたのは、固定資本は生産活動を行えば、目にみえなくとも擦り減っていくからである。したがって、その分の費用を差し引いて、新たな設備投資に備えておかなければならない。そうしないと、生産活動はいずれ停止してしまうからである。

◇国民所得（NI）
＝国民純生産(NNP)－間接税＋補助金

国民純生産（NNP）から間接税を差し引いたのは、間接税が生産物の市場価格を押し上げているからである。これに対し、補助金を加えているのは、それを使った生産物は実際よりも安く売られているからである。これにより、生産物の真の価値を算出できる。

◆国民所得

一国の1年間において新たに生み出される付加価値の合計＝最終生産物の合計といってよい。

したがって、量の把握には適しているが、質は考慮していないし、蓄積された価値（ストック）の評価もできない。

ストックは国富と呼ばれ、国富＝個人資産（住宅など）＋企業資産（機械、設備、在庫など）＋社会資本＋対外資産で表す。

また、質の点を考慮したものとしては、国民純福祉指標（NNW）が提示されている。

[知っ得]

◇**個人消費** 日本の国内総生産(GDP)の約60％は、個人消費(個々の家計の消費)で占められている。個人消費の動向は、経済全体に大きな影響を及ぼす。
◇**GDP** 現在の国民総所得(GNI)は、かつて国民総生産(GNP)と呼ばれていたものであり、経済の規模を示す中心的な存在であった。
　政府がGNPからGDPを中心に公表することになったのは、1980年代に進展した金融・資本の自由化と、1985年のプラザ合意後の急激な円高がその背景にある。海外に進出する日本の企業が増加するとともに、日本に進出してきた外国企業や労働者が増えるようになって、所得の国際取引が活発化したからである。
　そこで、国内の景気動向をより正確に把握することを目的として、GNPからGDPを指標として公表することになったのである。

〔経済成長率〕名目経済成長率—本年度名目GDP、前年度名目GDP、
　　　　　　　　実質経済成長率—実質GDP、本年度実質GDP、前年度実質
　　　　　　　　GDP

★★★フォローアップ★★★　（　　）に適語を入れよ。
(1) 生産の主体が企業、消費の主体が（　　　）、財政の主体が政府である。
(2) （　　　　）は国内総生産に海外からの純所得を加えて、算出したものである。

◇解答　(1) 家計　(2) 国民総所得（GNI）

景気変動と金融・財政政策

①景気変動の４つの局面と、好況・不況における経済現象を理解し、覚えておこう。
②景気変動に対処するために金融および財政政策を行っていることを理解し、それぞれの手法について覚えておこう。

集中レッスン

（1）景気変動

◆景気変動の原因

　市場経済は自由な経済活動を前提にするため、需要量と供給量とが一致しないことが多い。そのため、経済活動は活発な時期（需要量が供給量を上回る状態）と不活発な時期（需要量が供給量を下回る状態）とを周期的に繰り返す。それが景気変動と呼ばれるものであり、好況・後退・不況・回復の４局面からなる。

◆インフレとデフレ

　景気変動を生活者の目から見れば、物価の変動に現れる。物価が持続的に上昇する経済現象をインフレーション（インフレ）、反対に物価が持続的に下落する経済現象をデフレーション（デフレ）という。

不況下の物価上昇

　インフレは好況過程で、デフレは不況の過程で進展していく経済現象であるが、スタグフレーションという経済現象も見られる。これは不況の過程で物価が上昇する現象であって、寡占化した市場で大企業の価格支配が行われていることと、政府の有効需要拡大策が原因とされている。

◇**売りオペ（資金吸収オペレーション）**
→国債などを金融機関に売却して、出回っている資金を回収する手法。
　金利には上昇圧力がかかる。インフレのときに有効である。

（2）金融政策・財政政策

　市場経済は各自の自由な経済活動を前提とするから、景気の変動は避けがたいものである。しかし、恐慌の発生は大量の失業者を生み、一国の経済に大打撃と社会的な不安をかもしだす。また、急激なインフレも一国の経済と社会に与える悪影響を考えれば、好ましいものではない。いずれにしても、そのまま放置することは社会的な混乱を引き起こす。

　そこで、第二次世界大戦後、各国政府は景気変動の波をできるだけ少なくするために、金融・財政の両面で市場経済に介入することになったのである。

◆金融政策

　金融とは、資金の貸借をいう。その機能を代表する機関が銀行であり、銀行は支払いに小切手を使う当座預金を貸付に利用することによって、信用創造を行う。したがって、銀行を代表とする金融機関の資金の需給を調整して、極端な景気変動を抑制することが金融政策の眼目となる。

◇**公開市場操作（オープン・マーケット・オペレーション）**

　日本銀行が金融機関に対して、国債などの有価証券の売買を通して、出回っている資金の量と金利を調節する手法である。

◇**買いオペ（資金供給オペレーション）**
→国債などを金融機関から買って、出回っている資金の量を増やす手法。
　金利には低下圧力がかかる。デフレのときに有効である。

経
済

（3）預金準備率操作

準備預金制度は、金融政策の手段として、金融機関に対し、預金の額の一定率（預金準備率）に相当する金額を**日本銀行に準備預金**として預け入れさせる制度である。

準備率を上げると、銀行の信用創造が阻まれるから、市中に出回るお金の量が抑制される。インフレのときに有効である。

反対に、準備率を下げると、銀行の信用創造が増すから、市中に出回るお金の量が増える。デフレのときに有効である。

なお、預金準備率操作は、近年では多用されない傾向にあり、**日本銀行は、1991年10月以来、預金準備率操作を行っていない。**

◆財政政策

財政とは、国や地方公共団体の行う経済活動である。その機能には、資源配分機能・所得再分配機能・経済安定化機能が挙げられている。

金融政策は、金融機関の資金の需給を通して景気変動の波を調整するものであるが、有効需要を創出することはできない。そこで、有効需要を創出する財政支出の増加、あるいは減税が要請されるのである。一方、景気過熱の局面では、財政支出の削減・増税を通して有効需要を抑制する。

このような財政の機能は、財政自体に自動的に景気を調整し、経済を安定化させる機能

◆信用創造

銀行が預金と貸し出しを連鎖的に繰り返すことで、預金通貨が増えていく仕組み。一般式は次のように表す。

> **信用創造**
> ＝最初の現金預金÷預金準備率－最初の現金預金
> または、
> ＝本源的預金÷預金準備率－本源的預金

があらかじめ組み込まれていることが多い。例えば、累進課税制度や社会保障制度である。このような財政の持つ自動安定化要因をビルト・イン・スタビライザーという。

また、景気の動向に合わせて弾力的に財政規模を伸縮させ総需要を補整する補整的財政政策をフィスカルポリシー、完全雇用・物価安定・経済成長・国際収支の均衡等の目標を財政・金融・為替政策を組合せて実現を図ることをポリシーミックスと呼ぶこともある。

先生の黒板

〔景気循環の波〕

● 約50年周期の長期波動→コンドラチェフの波
● 約20年周期の中期波動→クズネッツの波（建築循環）
● 約10年周期の中期波動→ジュグラーの波（設備投資循環）
● 約40か月の短期活動→キチンの波（在庫投資循環）

◇マイナス金利政策

[知っ得] 中央銀行が政策金利をゼロ％より低くして、民間銀行が中央銀行に資金を預けにくくすることによって、民間への融資や有価証券の購入に資金を振り向けることを見込んだ政策。実体経済に資金を回すのがねらい。

★★★フォローアップ★★★ （　　　）に適語を入れよ。
問　日本銀行が不況のときに、その対策として行うオペレーションが、（　　　）オペである。

◇解答　買い

日本経済史

①日本経済史では、戦後の経済発展と現在までの流れが、学習の中心となる。
②高度経済成長期の好景気の名称を、その時代背景とともに覚えておこう。その際、高度経済成長の要因について理解を深めておこう。

集中レッスン

■■ 戦後の日本経済の歩み ■■

戦後の日本経済は大まかにいって、
(1) 敗戦からの復興期、
(2) 高度経済成長期、
(3) 石油危機と安定成長期、
(4) 円高不況から平成好況期、
(5) バブル崩壊期から現在まで、
とたどることができる。

(1) 敗戦からの復興期

◇三大改革

戦争が終結しても、しばらくは社会的混乱や資材の不足から生産が再開されない状態が続いた。そこで、戦前において放置されてきた経済の民主化に着手することになった。それが、財閥の解体・農地改革・労働民主化という三大改革である。

◇ドッジ・ライン

一方、政府は物不足解消のため傾斜生産方式を採用して基幹産業の生産増強を図ったが、その資金を復興金融金庫の債券発行によったため、通貨が膨張して悪性インフレが生じた。これに対しては、悪性インフレを収束するためにGHQから日本政府にドッジ・ラインが示され、超均衡（黒字）予算を実現し、経済の安定化を図るようにしたのである。これによって、インフレは収束したが、生産が減少して安定恐慌にみまわれ、多くの中小企業が倒産した。しかし、その後起きた朝鮮戦争

によって、米軍による特需が増え、景気は一気に回復した。この特需による恩恵は大きく、鉱工業生産が戦前の水準にまで回復した。

(2) 高度経済成長期

◇国民所得倍増計画

朝鮮特需をきっかけに立ち直った日本経済は、1955年頃から急激な設備投資が始まり、重化学工業化を一気に進めていく。1960年には、池田内閣が10年間で国民所得が２倍になるように、国民所得倍増計画を打ち出した。

さらに、この時期は神武景気（1955〜57年）、岩戸景気（1958〜61年）、オリンピック景気（1964年）、いざなぎ景気（1965〜70年）と呼ばれる好況期を迎えることにより、日本経済は成長率が平均10％を超える未曾有の発展期に入った。

(3) 石油危機と安定成長期

◇第1次石油危機

1970年代に入ると、円の切り上げ（ドル・ショック）や変動相場制への移行などにより輸出産業が打撃を受け、経済成長は減速した。さらに、1973年の第4次中東戦争によって、石油価格が大幅に引き上げられて（第1次石油危機）、資源の海外依存度の高い日本経済は大きな影響を受けた。

◇マイナス経済成長率

このときの狂乱物価と呼ばれるほどのインフレの対応策として、政府は金融引き締めなどの総需要抑制政策を行った。これによって物価は鎮静化したが、景気が急激に下降し、

翌74年には実質経済成長率が戦後初のマイナスとなった。その後、各企業の合理化への取り組みにより不況を乗り越え、日本経済は安定的な成長期に入っていった。

（4）円高不況から平成好況期

◇貿易摩擦

1980年代に入ると、ドル高・円安を背景に輸出を拡大し、国内の景気は回復していった。しかし、貿易不均衡の拡大から貿易摩擦の問題が生じ、日米の外交問題にまで発展した。

◇プラザ合意

さらに1985年のプラザ合意により、円高が急速に進み、日本の輸出品は競争力を失って、輸出関連産業を中心に深刻な不況に陥った（円高不況）。このため政府は1986年に前川レポートを発表し、輸出主導から内需主導への構造転換を目指した。この円高と貿易摩擦を背景にして、企業の海外進出や海外企業の買収などが進み、対外直接投資が増加した。このことにより、国内産業の空洞化も起きてきた。その後、政府の超低金利政策で土地や株への投資が増え、好景気（平成景気、バブル景気）となったが、金融引き締めによるバブル崩壊（1991年）で景気は落ち込み、平成不況へと入っていった。

（5）バブル崩壊期から現在まで

◇倒産とリストラ

バブル崩壊後の長い低迷期から、ようやく緩やかな回復基調に向かってきたのだが、1997年の橋本内閣の消費税率アップにより、一気に消費需要が落ち込んだ。さらに不良債権の処理に伴う金融機関の倒産、大手企業の民事再生法等による再建などが相次ぎ、リストラによる人員の削減が社会現象となった。

◆高度経済成長の要因

高度経済成長の要因は、①輸入原料が比較的安価であったこと、②外国技術の導入を図り、工業の技術革新に努力したこと、③重化学工業を中心に民間企業の設備投資を急速に進めたこと、④政府が民間企業に対し、財政・金融等の分野で優遇措置をとったことが挙げられている。

◇日中の違い

【知っ得】中国の高度経済成長の要因が、外国資本の導入に依存しているのに対し、日本の高度経済成長期は、企業の資金調達は主に国内の金融機関で行われた。日本人の貯蓄性の高さが、高度経済成長を支えたともいえる。

◇世界金融危機

2001年には消費者物価の大幅な下落で、政府は戦後初めて「緩やかなデフレ」と発表した。その後、企業の収益力が回復してくると、翌年の2002年から2007年までの期間は、いざなみ景気と呼ばれる戦後一番長い景気拡張期に入っていった。しかし、2008年に世界金融危機が起きてからは、またデフレの時代に突入。デフレ脱却のための日銀による金融緩和政策は現在も続いている。

先生の黒板

〔日米経済摩擦〕繊維製品、鉄鋼、カラーテレビ、自動車、半導体、日米構造協議、日米包括経済協議

★★★フォローアップ★★★　（　　）に適語を入れよ。
問　国民所得倍増計画を打ち出したのは、（　　）内閣である。
◇解答　池田（勇人）

経済

国際通貨体制と貿易

①ブレトン・ウッズ体制の出発から崩壊、そして現在までの国際通貨体制の推移について理解しておこう。
②貿易体制ではGATTとWTOの各ラウンドとの成果を中心に覚えておこう。

（1）国際通貨体制

◆ブレトン・ウッズ体制

　第二次世界大戦の原因が世界恐慌後のブロック経済体制にあったことから、自由貿易の拡大と安定した国際通貨制度の確立が望まれた。そこで、1945年にIMF（国際通貨基金）とIBRD（国際復興開発銀行）を中心とするブレトン・ウッズ体制が出発した。

◇固定為替相場制

　当初は金と交換できるドルを基軸通貨として、各国の通貨との交換比率をあらかじめ設定し、それを維持していく固定為替相場制がとられていた（金・ドル本位制）。

　だが、1971年にアメリカは国際収支の赤字から金の海外流失を防止するために、金とドルの交換を停止した（ニクソン・ショック）。

◇変動相場制に移行

　その後、スミソニアン体制でドルの切り下げと固定相場の変動幅を決めたが、ドル売りが続いたため維持することができず、結局、1973年から日本を含む主要国は変動相場制に移行することになった。1976年のキングストン合意は、変動相場制への移行を正式承認したものである。その合意内容は金の公定価格を廃止し、金に代わるSDR（特別引出権）を中心的準備資産としたものである。

（2）貿易体制

　ブレトン・ウッズ体制は、貿易面でのGATT

◇国際通貨体制の推移

年　代	事　項
1944年	ブレトン・ウッズ協定締結
1945年	IMFの正式発足・IBRDの事業開始
1947年	IMFは1オンス＝35ドルで金と交換できることを保証する固定相場制をとった（金・ドル本位制）
1960年代〜	対外的経済援助や軍事支出の増大によって、アメリカの貿易収支が赤字になると、ドルを金に交換する動きが強まり、大量の金がアメリカから流出した（ドル危機）
1971年8月	ニクソン大統領が金とドルの交換停止を発表
1971年12月	スミソニアン協定（固定相場制の調整）1ドル＝360円から1ドル＝308円に
1973年	主要国は変動相場制に移行
1976年	キングストン合意
1985年	プラザ合意　ドル高の是正

（関税及び貿易に関する一般協定）を加え、為替の安定・発展途上国への援助・自由貿易の促進によって、貿易の拡大を図り、資本主義諸国の経済を発展させることを目的としてきた。

　しかし、冷戦構造終結後は世界貿易の拡大により、GATTの機能を拡充していくこと

経
済

が要請されるようになった。そこで、GATTの機能は、1995年に設立されたWTO（世界貿易機関）に引き継がれることになったのである。

◆貿易体制の推移

1947年、1949年、1950年、1956年、1961年の計5回にわたって、一般関税交渉が行われ、関税の引き下げがなされてきた。（1964年以降の流れは右表）

◆IBRDとIMFの役割

◇IBRD

通称世界銀行と呼ばれることからも分かるように、資本調達が困難な加盟国や民間企業などに長期的な融資を行う機関である。現在は主に開発途上国を対象とした財政融資を行っている。

◇IMF

これに対しIMFの主要任務は、国際金融システムの監視役である。資金も融資するが、融資の対象になっているのはIBRDが行うような開発プロジェクトではない。あくまで、通貨の信用回復のために、その国の通貨を買い上げて外貨を供与することにある。

したがって、IMFの融資を受けるためには、IMFがつくる経済改革のパッケージを受け入れることが前提となる。もし、この経済改革のパッケージを受け入れなければ、自動的にIBRDのメンバーからも外されることになる。つまり、IBRDの資金の融資を受け入れたい国は、IMFの経済改革のパッケージも受け入れなければならない。そのパッケージの中身には、国民生活に一時不便を強いる内容も含まれている。

◇貿易体制の推移（各ラウンドの内容）

年　代	事　項
1964年〜67年	ケネディ・ラウンド　関税引下げと一部非関税障壁低減
1973年〜79年	東京ラウンド　関税引き下げと非関税障壁低減
1986年〜94年	ウルグアイ・ラウンド　農産物の自由化交渉、サービス・知的所有権分野のルール作成、WTOの設立
2001年〜	ドーハ・開発ラウンド　貿易のルール強化と農産物、鉱工業品、サービスなどにおいて包括的な貿易の自由化を促進するための合意を図る

知っ得 ◇二国間交渉
　自由貿易協定（EPA/FTA）の締結に向けて、二国間で行われる交渉。

先生の黒板

〔G7〕
（先進7カ国財務大臣・中央銀行総裁会議）
　アメリカ、イギリス、フランス、ドイツ、日本、カナダ、イタリア

〔G20〕
（20カ国・地域首脳会合および20カ国・地域財務大臣・中央銀行総裁会議）
　G8欧州連合に新興経済国11カ国

★★★フォローアップ★★★　（　　）に適語を入れよ。
問　1971年、ドル・ショックの後、ドルの切り下げと固定相場の変動幅を決めたのが、（　　　）協定である。

◇解答　スミソニアン

国際収支と外国為替相場

国際収支では、個々の対外経済取引がどの国際収支の項目に該当するか判断できるようにしておこう。さらに、外国為替相場では、円高の要因と国内経済に与える影響を理解できるようにしておこう。

(1) 国際収支

国際収支とは、一国の対外経済取引を総合的にまとめたものの総称。国際収支は大きくとらえると、経常収支と資本移転等収支と金融収支の項目に分けられる。

◇経常収支

経常収支には、貿易・サービス収支（貿易収支の輸出入とサービス収支の運賃・特許使用料など）、第一次所得収支（雇用者報酬・投資収益 など）、第二次所得収支（外国への無償援助・拠出金など）がある。

◇資本移転等収支

対価の受領を伴わない固定資産の提供、債務免除、商標の権利売買など非生産・非金融資産の取得処分等の収支が含まれる。

◇金融収支

直接投資、証券投資、金融派生商品、そ

◇国際収支統計表

経常収支	貿易・サービス収支
	第一次所得収支
	第二次所得収支
資本移転等収支	
金融収支	直接投資
	証券投資
	金融派生商品
	その他投資
	外貨準備
誤差脱漏	

の他投資及び外貨準備などがある。

また誤差脱漏は、国際収支統計の計算上の修正項目である。

国際収支の収入は、一国の一定期間に外国から受け取った金額であり、支出は外国に支払った金額である。経済活動が活発で輸出や海外投資が順調なときは、貿易収支が黒字となる。

(2) 外国為替相場（レート）

外国為替相場とは、外国との取引の際の自国通貨と外国通貨との交換比率であるが、実際の対外経済取引では、いちいち現金を輸送して決済しない。金融機関を通して、為替手形で決済する。

日本においては、1949年から固定相場制1ドル＝360円が長く続き、1971年に1円が切り上げられて1ドル＝308円に、さらに1973年以降は、変動相場制に移行した。

◆為替相場の決定要因

ある国の通貨に対する市場の需給で相場が決定する。その相場の決定に影響を与える大きな要因として、経済の基礎的条件（ファンダメンタルズ）がある。代表的なものに、貿易収支、経常収支、インフレ率、生産性上昇率があるが、最近では金利水準、失業率、個人消費、鉱工業生産なども含むようになってきた。

◆円高・円安の国内経済に与える影響

例えば、日本がアメリカから牛肉を買う場合は、円をドルと交換して購入することになる。これに対して、アメリカが日本から自動

◆円高・円安の国内経済に与える影響

◇円高・ドル安の場合　1ドル＝200円から1ドル＝100円へ

輸出	日本から自動車100万円＝5000ドル → アメリカへ
結果	為替レートの変動後、日本が受け取る金額は50万円となり、結局、50万円の損になる。
輸入	日本 ← アメリカから牛肉5000ドル＝100万円
結果	為替レートの変動後、日本が支払う金額は50万円となり、結局、50万円の得になる。

◇円安・ドル高の場合　1ドル＝100円から1ドル＝200円へ

輸出	日本から自動車100万円＝10000ドル → アメリカへ
結果	為替レートの変動後、日本が受け取る金額は200万円となり、結局、100万円の得になる。
輸入	日本 ← アメリカから牛肉10000ドル＝100万円
結果	為替レートの変動後、日本が支払う金額は200万円となり、結局、100万円の損になる。

車を買う場合には、ドルを円に交換して購入することになる。つまり、ドルから円に交換する量が増えれば円の価値が上がり（円高・ドル安）、円をドルに交換する量が増えれば円の価値が下がる（円安・ドル高）状態になる。以下、具体的にあてはめてみる。（上表）

◆日本の経常収支の構造の変化

日本の経常黒字の中心は、かつての貿易収支から、直接投資収益などの第一次所得収支に移行してきている。また、外国人観光客の増加により、旅行収支が増え、サービス収支の赤字は縮小傾向にある。

◆日本の貿易構造の変化

高度経済成長期から1980年代前半までは、原材料を輸入して工業製品を輸出する垂直分業型の貿易構造であった。

しかし、1985年のプラザ合意以降は、貿易

先生の黒板

〔貿易収支が為替相場に及ぼす影響〕（輸出拡大→貿易収支黒字→円高、輸入拡大→貿易収支赤字→円安）

〔為替相場が国内経済に及ぼす影響〕（円高→輸出減少・輸入増加→貿易収支赤字基調→国内不況→デフレ傾向、円安→輸出増加・輸入減少→貿易収支黒字基調→国内好況→インフレ傾向）

収支の大幅黒字による円高の影響を受けて、新興工業経済地域からの製品輸入が急増した。また円高によるリスクを回避するために、輸出関連企業はアジア諸国を中心に海外に生産拠点をシフトしてきた。そのような状況のなかで、日本からの輸出は技術水準の高い製品に特化している。現在は、輸出入とも機械類が第一位であり、工業製品における水平分業化が進んでいる。

★★★フォローアップ★★★　（　　）に適語を入れよ。

問　日本は（　　）になると、輸出関連企業は為替差損を被り、不利になる。

◇解答　円高

国際協力と地域的経済統合

①南北問題が開発途上国だけの問題だけではなく、世界全体の問題であることを理解
　しよう。その際、格差の原因と国際協力のあり方について、理解を深めておこう。
②各地域の経済統合について、それぞれの現状と課題を理解し、覚えておこう。

（1）国際協力

◆南北問題

　南北問題とは先進国（北）とその南に位置する開発途上国との経済格差、およびそれにともなう諸問題をいう。

◇先進国と開発途上国の間に経済格差がある理由

①モノカルチャー経済（単品経済）であること

　開発途上国においては、農産物・鉱産物などの一次産品が中心であり、天候や国際価格に影響されやすく、しかも先進国の工業製品と比較すると交易条件が悪い。

②高い人口増加率であること

　人口増加率が国民所得の増加率に比して高くなると、1人あたりの国民所得が小さくなり、生活水準が低くなってしまう。

◇開発途上国の現状と課題

①南南問題の発生：開発途上国の中でも、持てる国と持たざる国に分かれる二極化が起きてきた。その分岐点は、1970年代の石油危機で持てる国（OPEC 石油輸出国機構・NIES 新興工業経済地域）と、資源に乏しく開発が遅れている国（LDC 後発開発途上国）に分化したことである。その背景には、資源ナショナリズムがある。つまり、開発途上国間の経済格差という新たな問題が起きている。

②累積債務問題の発生：1980年代以降、中南米諸国は先進国から多額の借金をして急速な工業化を推進し、借金が返せない状態となった。

◇国際協力の必要性

　以上のことからいえることは、開発途上国はもちろんだが、先進国も南北問題をこのまま放置することはできないということである。南の地域で政情不安や資源をめぐる紛争がおきれば、それが資源の供給を南に頼る先進国の死命を制することになりかねないからである。これは先進国にとっても、他人事ではなくなる。

　そこで、①先進国は開発途上国の製品を適正な価格で取り引きし、途上国の人々の自立を支援する（フェアトレード）を実施すること、②政府開発援助（ODA）が真に途上国の人々の自立のための援助となるように、量的な拡充とともに、質的な面でも改善していくようにすること、③国際機関相互の連携を強化して、援助が有効に活用できるように配慮すること、などが求められている。

（2）地域的経済統合

　経済のグローバル化が進み、国境を越えて物やサービス、資金が移動している。他方で、文化や地域性などの共通の要件をもとに、各国の協力関係を築こうとする動きを地域的経済統合という。

◆地域的経済統合の目的

　各国が地域経済統合を目指す目標は、通商上の障壁を撤廃することによって、共通の経済的利益を得ることであるが、関係の緊密化と経済発展により政治的安定も図れる。

◆各地域における主な経済統合

ヨーロッパ	EU（欧州連合）
	現時点での参加国28カ国。世界最大の共同市場である。経済だけではなく、政治的統合も志向している。

アジア	AFTA（ASEAN自由貿易地域）
	1993年、ASEAN（東南アジア諸国連合）の域内経済協力を画期的に拡大するために設立。

北アメリカ	USMCA（米国・メキシコ・カナダ協定）
	NAFTA（北米自由貿易協定）の再交渉により発足し、2020年発効。保護貿易の色合いが濃くなった。

南アメリカ	MERCOSUR（メルコスール：南米南部共同市場）
	1995年に発足。域内の関税撤廃と貿易自由化を目指す関税同盟である。同年12月にはEUとの間に自由貿易協定を含む地域間協力協定に署名。

アジア・太平洋地域	APEC（アジア太平洋経済協力）
	1989年、オーストラリアのホーク元首相の提唱により発足した政府間公式協議体。環太平洋地域の経済協力の推進、貿易・投資の自由化などを図る。

先生の黒板 〔EUの歴史〕

ECSC（欧州石炭鉄鋼共同体）発足、ローマ条約、EEC（欧州経済共同体）・EURATOM（欧州原子力共同体）発足、EC（欧州共同体）発足、マーストリヒト条約、アムステルダム条約

これも！

◆新国際経済秩序（NIEO樹立宣言）

1974年の国連資源特別総会で採択された。天然資源の恒久主権と一次産品の価格安定を前提に、先進国と途上国間との間で対等な貿易構造を築くことを目指した。

◆政府開発援助（ODA）の額をGNP（現在はGNI）の0.7%目標

1969年の世界銀行・IMF年次総会で公表されたピアソン報告書で勧告された目標。その後、1970年の国連総会で採択され、1972年にはUNCTAD（国連貿易開発会議）でも合意された目標である。

◆TPP（環太平洋戦略的経済連携協定）

もともとは2006年5月にシンガポール、ブルネイ、チリ、ニュージーランドの4カ国加盟で発効した経済連携協定であったが、これらの国々が太平洋を囲む関係であったことからこの名称が付けられ、環太平洋間での経済協定として始まった。加盟国間のサービス、人の移動、基準認証などにおける整合性を図り、貿易関税については例外品目を認めない形の関税撤廃をめざしている。

〔知っ得〕
◇FTA（自由貿易協定）とEPA（経済連携協定）
FTAは国家間の物流の障害を除去・軽減するのが目的であるが、EPAは物流のみならず、サービスや投資、知的財産権の保障などさまざまな協力や幅広い分野での連携を目指す。

TPPはよく聞くよね。調べてみよう

経済

★★★フォローアップ★★★ （　　）に適語を入れよ。
問　（　　）は現時点での参加国が28カ国であり、世界最大の共同市場である。

◇解答　EU（欧州連合）

＜練習問題＞

練習問題1

ある財の需要曲線（DD）及び供給曲線（SS）が次のように与えられている。他の条件を一定とするとき、次のうち妥当でないものはどれか。

ただし、需要曲線と供給曲線の交点における価格と数量をそれぞれ均衡価格、均衡数量という。

（1）所得が増加する場合、消費者の購買力が増すので、需要曲線が右方にシフトし、均衡価格は上昇する。

（2）技術革新により、生産費が低下した場合、供給量が増加するので、供給曲線が右方にシフトし、均衡数量は増加する。

（3）天候不順により、農産物が不作の場合、供給量は減少するので、供給曲線が左方にシフトし、均衡価格は上昇する。

（4）この財と競争関係にある財の価格が上昇した場合、需要曲線は左方にシフトし、均衡価格は下落する。

（5）この財と互いに補完しあって効用を得る財の価格が上昇した場合、需要曲線は左方にシフトし、均衡数量は減少する。

練習問題2

経済学者と代表的著書の組合せとして正しいのは、次のうちどれか。

（1）マルクス：『経済学』

（2）スミス：『資本論』

（3）サミュエルソン：『国富論（諸国民の富）』

（4）フリードマン：『経済発展の理論』

（5）ケインズ：『雇用・利子および貨幣の一般理論』

練習問題1　　　　　　［解答］（4）

（1）（2）（3）の選択肢は、それぞれ問題なく正しい。（5）パンとバターのような補完財は、どちらの財も価格が上昇すれば、消費者が購入を手控えることになるので、これも正しい。

（4）競争関係にある財が値上がりした場合、たとえばバターとマーガリンのような場合には、消費者は相対的に高くなった財の購入を手控えて、一方の財に切り替える。したがって、この財に対する需要量は増加するので、需要曲線は右方にシフトし、均衡価格は上昇する。

練習問題2　　　　　　［解答］（5）

（1）マルクスの代表的著書は『資本論』である。マルクスの資本主義分析は『資本論』に結実し、その経済学体系はマルクス経済学と呼ばれている。

（2）スミスの代表的著書は『国富論（諸国民の富）』である。市場とそこで行われる競争の重要性と、富の源泉を労働にあるとした古典派経済学派の始祖であり、「経済学の父」とも呼ばれている。

（3）サミュエルソンの代表的著書は『経済学』である。経済学を数学的に精密化し、モデル科学として立脚させた立役者である。

（4）フリードマンの代表的著書は、『資本主義と自由』。彼はケインズ的な総需要管理政策を批判し、貨幣供給量と貨幣を供給する中央銀

練習問題3

南北問題に関する記述として妥当なものは、次のうちのどれか。

(1) 先進国は開発途上国に対して、政府開発援助（ODA）をGNI（国民総所得）の0.7％に相当する額を支出するという目標が掲げられているが、日本はその目標を達成している。

(2) 国連総会で採択された新国際経済秩序（NIEO）樹立宣言は、先進国からの援助を無条件に受け入れることを提言したものだった。

(3) 途上国の政府が非民主的でも、経済開発は非常に効率的なので、国際社会も黙認して援助しているのが現状である。

(4) 1970年代の石油危機で持てる国と、資源に乏しく開発が遅れている国に分化していくことで、開発途上国間の経済格差という南南問題が発生している。

(5) 1980年代以降、特に南米諸国は先進国から多額の借金をして急速な工業化を推進したが、好調な世界経済に助けられて、借金を返せる状態となった。

練習問題4

経済用語に関する記述として、妥当なのはどれか。

(1) 物価が持続的に上昇する経済現象をデフレーションといい、好況過程で進展する。

(2) 物価が持続的に下落する経済現象をインフレーションといい、不況過程で進展する。

(3) スタグフレーションとは、不況の過程で物価が上昇する現象であり、寡占市場での大企業による価格支配が原因とされる。

(4) 買いオペとは、国債などを金融機関から買って、出回っている資金の量を増やす手法であり、インフレ時に有効である。

(5) 売りオペとは、国債などを金融機関に売って、出回っている資金を回収する手法であり、デフレ時に有効である。

行の役割を重視し、各国の経済政策に大きな影響を与えた。『経済発展の理論』は、技術革新が経済を発展させる原動力であると考えたシュンペーターの著書である。

(5) 彼は、市場メカニズムに任せた場合には有効需要が不足することもあるが、政府の減税・公共投資などの財政政策により、投資を増大させるように仕向け、有効需要を増加させることが可能であることを示した。

練習問題3 ［解答］(4)

(1) 日本はこの目標を達成できていない。2021年度の実績では、対GNI（国民総所得）比の0.34％であった。

(2) 天然資源の恒久主権と一次産品の価格安定を前提に、先進国と途上国間との間で対等な貿易構造を築くことを目指した。

(3) 開発独裁に対する国際世論の批判は強く、先進国側はモントレーで開催された開発資金国際会議で、途上国側に民主主義の確立を求めた。

(4) 妥当な記述である。

(5) 1980年代以降、南米諸国は先進国から多額の借金を返せない状況に追い込まれた（累積債務問題の発生）。

練習問題4 ［解答］(3)

(1) インフレーションに関する記述である。

(2) デフレーションに関する記述である。

(3) 妥当な記述である。

(4) 買いオペ（資金供給オペレーション）は、デフレ時に有効である。金利には低下圧力がかかる。

(5) 売りオペ（資金吸収オペレーション）は、インフレ時に有効である。金利には上昇圧力がかかる。

練習問題5

次の記述は国民経済計算に関するものである。空欄（A）（B）（C）（D）にそれぞれあてはまる語句の組合せとして正しいものはどれか。

　1年間の国内総産出額から中間生産物の総額を差し引いたものが（A）であり、これに海外からの純所得を加えて、減価償却費を差し引いたものが（B）である。（B）からさらに（C）を引いて（D）を加えたものが国民所得である。

	（A）	（B）	（C）	（D）
（1）	国内総生産	国民総所得	間接税	補助金
（2）	国民純生産	国民総所得	補助金	間接税
（3）	国民総生産	国民純生産	補助金	間接税
（4）	国内総生産	国民純生産	間接税	補助金
（5）	国民純生産	国民総生産	間接税	補助金

練習問題5　　　　　［解答］（4）

　（A）国内総生産　（B）国民純生産、（C）間接税、（D）補助金と入る。

　以下、この問題に対する計算のプロセスをたどっていく。

　（A）：国内総生産（GDP）＝1年間の国内総産出額−中間生産物の総額

　国内総産出額から中間生産物の総額を差し引くのは重複計算を避けるためである。これによって、国内の経済活動の規模を示し、経済成長測定の尺度としても利用される重要な経済指標である国内総生産（GDP）が算出される。

　（B）：国民純生産（NNP）＝（GDP＋海外からの純所得）−固定資本減耗（減価償却費）

　GDPに海外から純所得を加えれば国民総所得（GNI）となり、そこから固定資本減耗を差し引いたのが国民純生産（NNP）である。建物や機械設備などの固定資本は、生産活動を行えば、目にみえなくとも擦り減っていくので、その分の費用を差し引いておかなければならない。

　（C）（D）：国民所得（NI）＝国民純生産（NNP）−間接税＋補助金

　NNPから間接税を差し引いたのは、間接税が生産物の市場価格を押し上げているからである。これに対し、補助金を加えているのは、それを使った生産物は実際よりも安く売られているからである。これによって、生産物の真の価値を算出できる。

練習問題6

わが国は昭和30年代から40年代前半にかけて、年平均10％以上の高度成長を成し遂げてきた。経済メカニズムとして作用した要因として妥当な組合せは、次のうちどれか。

A　先進国から提供された技術と資金の導入

B　低金利政策による設備投資の促進

C　生活基盤・社会福祉の充実

D　消費者物価のある程度の上昇容認

E　公害問題に対する取り組みの遅れ

（1）A　　B　　C

（2）A　　B　　D

（3）A　　C　　D

（4）B　　D　　E

（5）C　　D　　E

練習問題7

IMF（国際通貨基金）に関する次の記述のうち、妥当なものはどれか。

（1）スミソニアン合意に基づいて機能してきた固定相場制が崩壊して変動相場制になり、ブレトン・ウッズ体制が成立した。

（2）ブレトン・ウッズ体制では金本位制に戻して、固定相場制を維持しようとした。ところが、自国通貨の切り下げ競争により、再度金本位制は崩壊して変動相場制へと移行することになった。

（3）ブレトン・ウッズ体制では金・ドル本位制による固定相場制が採用され、金とドルは一定の比率で交換されたが、ニクソン・ショックによる金とドルの交換停止によりブレトン・ウッズ体制は実質的に崩壊した。

（4）ドル・ショックに伴う国際通貨体制の動揺を抑える目的で、各国間通貨の再調整を行うブレトン・ウッズ会議が開かれ、IMF（国際通貨基金）の設立が決められた。

（5）アメリカの貿易収支の赤字が続いたことで、ドルが売られ金が大量に流失した。そのため金とドルの交換ができなくなったため、キングストン合意により変動相場制に移行することが決定された。

練習問題6　　　　［解答］（4）

A　日本企業の設備投資に必要な資金は、主に日本国内の金融機関で賄った。

B　妥当な要因である。

C　この時期は、生産関連資本の充実が中心である。生活関連資本への支出が中心になるのは、1970年代（昭和45年～）に入ってからである。

D　妥当な要因である。ある程度のインフレは、生産性に差異があることから容認しなければならなかった。

E　この時期に公害規制が本格化されていないことで、企業は生産活動に専念できた。その意味で、妥当な要因である。公害規制が本格化したのは、1970年（昭和45年）以降である。

練習問題7　　　　［解答］（3）

ブレトン・ウッズ会議によるIMF体制の始まり→ニクソン・ショックでスミソニアン体制発足→変動相場制へ移行→キングストン合意で変動相場制の承認という流れを捉えていれば、正解にたどりつく。

（1）キングストン体制である。

（2）金本位制には回帰していない。金・ドル本位制である。

（3）妥当な記述である。

（4）IMF（国際通貨基金）の設立が決められたのは、ブレトン・ウッズ会議（ブレトン・ウッズ協定）であるが、それはドル・ショック以前の1944年の出来事である。

（5）すでにキングストン合意の前に、各国とも変動相場制に移行していた。キングストン合意は、その確認の場である。

次のア〜エの対外経済取引に関する記述と、A〜Cの経常収支の項目の組合せのうち、正しいものはどれか。

ア　日本の企業が、M＆Aで取得したオーストラリアの企業からの配当金を受け取る。

イ　フランス人の学生が日本から書籍を輸入する。

ウ　イタリア人の観光客が、日本のホテルに泊まる。

エ　日本の政府が、開発途上国への資金援助をする。

A：貿易・サービス収支

B：第一次所得収支

C：第二次所得収支

（1）ア−A　イ−B　ウ−C　エ−A

（2）ア−B　イ−A　ウ−B　エ−C

（3）ア−B　イ−A　ウ−C　エ−B

（4）ア−B　イ−A　ウ−A　エ−C

（5）ア−A　イ−A　ウ−C　エ−B

練習問題8　　　　　［解答］（4）

　国際収支の項目には、大きくわけて、経常収支、資本移転等収支、金融収支などがある。ここでは、そのうち経常収支について、さらに細かい項目のどれに該当するかという判断が問われている。アは第一次所得収支、イとウは貿易・サービス収支、エは第二次所得収支の項目に該当する。

　具体的に個々の対外経済取引が経常収支のどの項目なのか、さらにそれらが収入になるのか支出になるのか、しっかり理解して整理しておきたい。

倫理・社会

◇目　次

◇倫理・社会頻出問題上位

①中国の思想家
②西洋の思想家
③社会保障制度
④古代ギリシアの思想家
⑤平和や人権に関する宣言
⑥労使関係と労働市場
⑦環境問題
⑧国際機関
⑨世界の人口
⑩情報化社会

東洋思想

①東洋の二大思想であるインド思想と中国思想について理解し、それぞれの思想内容と創始者について覚えておこう。
②インド思想では仏教、中国思想では儒家思想がよく出題されている。

（1）インド思想と仏教

◆バラモン教

◇支配階級の信仰

　紀元前5世紀～前4世紀頃のインドは、今日の人類が考えるだけの全思想が一挙に出現したといっても過言ではないくらいに、インド思想の黄金期を迎えていた。その中でもバラモン教が、当時の支配階級の信奉で優位に立っていた。そこには、インド民衆の過酷な自然の中から福利を求めるための多神教を認める風土と、真理を求めて止まない隠者を尊重する気風が背景にあった。

　その奥義は、ウパニシャッドという聖典に記されている。そもそもインド思想は、人が輪廻の渦の中で生まれ死ぬという過程を繰り返し、苦しみ続けるという前提に立っている（輪廻転生）。したがって、究極の救済の原理はその輪廻の流れから抜け出すこと（解脱）が眼目となる。

　その救済の概要は、宇宙の最高神であるブラフマンと真実の自己（アートマン）が一体となって、輪廻から抜け出すことである。その方法を見つけだすために、古来から数多くの人々が出家して、山林で厳しい修行を繰り返していた。

◆仏教

◇ゴータマ・ブッダ

　仏教の創始者は、釈迦族の王族出身であるゴータマ・ブッダである。彼はこの世界で人が生きていくことは、一切が苦であることを見つめ、それを前提に据えて人がどう生きていくべきかを人々に説いて回った。

　釈迦の死後教団は発展していったが、釈迦自身は何の著書も記さなかったために、その教えをまとめる必要が生じた。それが経典である。やがて、教団の中でも従来の出家者中心の救済から、民衆を中心とした救済に重きを置くかで論争が生じた。

◇上座部仏教と大乗仏教

　前者は今日のスリランカやタイ、ミャンマー等を中心にした上座部仏教（南方仏教）として、後者は竜樹（ナーガールジュナ）を理論的始祖とする大乗仏教（北方仏教）として分派発展していった。どちらもインド国内から、世界宗教としての広がりをもつようになった。インドから中央アジア、中国、朝鮮半島を経てわが国に伝えられたのが、大乗仏教の系譜である。

　なお、インド本土ではイスラム教の侵入（13世紀頃）を受けると、偶像破壊の見地から仏教が徹底的な弾圧にさらされ、ほとんど信仰されなくなり、代わってバラモン教から発展したヒンドゥー教が支配的な教えとなる。

先生の黒板

〔諸子百家〕
陰陽家、儒家、墨家（墨子）、法家、名家、道家

（2）中国の思想

中国思想の一番華やかで活発な時期は、周の封建秩序が崩れ始めた**春秋時代から戦国時代（紀元前7世紀〜前3世紀）**にかけてである。諸侯は動乱の世を生き抜くために富国強兵策をとり、思想家や政治家を広く世に求めた。これに呼応してさまざまな思想家が現れて自由に思想を展開し、治世の方策を打ち出して行った（**諸子百家**）。その中でも、極めて対照的な考え方でありながら、後世に大きな影響を与えたのが儒家と道家の思想である。

◆儒家思想（儒教）

◇孔子の仁と礼

儒教の開祖は孔子である。後の孟子と合わせて孔孟の教えとも称される。孔子は治者が仁と礼を身につけることによって、まず自分の身を修める事ができるようになって家庭が斉い、家庭を斉えることができてはじめて国を治め、天下を平らかにすることができると主張した（**徳治主義**）。

◇孟子の仁義

孔子の死後、儒教は孟子によってさらに発展し、仁義に基づいて民衆の幸福を図る王道を理想の政治とした。もし治者がそれを忘れば、暴君となり治者の地位から追放され、代わって徳のある者が治者の地位に就くことを認めたのである（**易姓革命**）。

儒家のこのような思想は漢の武帝の採用することになったが、以後王朝の交替期には**易姓革命**の考え方が新王朝成立の正統性を擁護する根拠となった。

◆道家思想

◇老子と荘子

道家の開祖は老子と伝えられている。荘子と合わせて老荘思想とも称する。老子によれば、道徳や文化も人間が作為したものであると考える。作為にはどうしても無理が生じる。そこで宇宙の根本原理に立ち返って、国家や支配者の束縛を離れた素朴で自然な人間の姿に本来のありかたを求めた。一言でいえば、**無為無欲**、自然に従って生きることを勧める教えである。

◆四諦八正道

仏教の用語で、四諦は苦諦（苦という真理）、集諦（苦の原因という真理）、滅諦（苦の滅という真理）、道諦（苦の滅を実現する道という真理）。八正道は正見、正思惟、正語、正業、正命、正精進、正念および正定の8種の徳をいう。つまり、苦を消滅させる方法が八正道なのである。

◆荀子の性悪説

孟子の性善説とは異なり、人間の性を悪と認め、後天的努力（学問を修めること）によって善へと向かうべきだとした。

[知っ得]

◇**道教**　道家と似たような言葉で道教という宗教があるが、これは神仙信仰のような民間信仰を基にして、仏教や道家の影響も受けながら形成されていったもので、道家とは区別されている。

★★★フォローアップ★★★ （　　）に適語を入れよ。

問　（　　　）は治者が仁と礼を身につけることによって、天下を治めることができるとする徳治主義を主張した。

◇**解答**　孔子

西洋思想

①キリスト教とギリシア思想が西洋の二大思想であることを理解し、近代西洋思想の
　思想家と思想内容についても覚えておこう。
②ギリシア思想と市民革命期以降の思想からの出題が目立つ。

集中レッスン

（1）キリスト教

　キリスト教は、民族的宗教であるユダヤ教を母胎として成立した宗教であり、ギリシア思想とともに西洋思想の二大源流となっている。しかし、イエス自身を神そのものとして崇めることを説いた訳ではない。

　キリスト教を確立したのは、ユダヤ教の律法学者としても著名であったパウロである。彼によって、キリスト教としての独自の教義と民族宗教としてのユダヤ教の枠を超えた普遍性を持つに至ったのである。

（2）ギリシア思想

　ギリシア思想全体を貫く特徴は、変化する諸現象の根底には、常に変わらない真理があり、それを捉えようとする態度に示されている。ソクラテス・プラトン・アリストテレスらのギリシア哲学の巨人たちは、自己の無知を自覚してかかる無知から知への運動、普遍の真理を探究する過程をさして「愛知」（フィ

◆ギリシア哲学の3巨人

ソクラテス　　◇汝自身を知れ
　彼はアポロンの託宣を通じて、最も知恵のある者とされたが、これを自分だけが「自分は何も知らない」ということを自覚しているからだと考え、問答法を通じて「汝自身を知れ」と人々に問いかけた。
プラトン　　　◇徳は知である
　彼は師のソクラテスから受け継いだとされる「徳は知である」という言葉に見られるように、イデア（形相）こそものの本質であり、永久不変の真理であるとした。
アリストテレス　◇イデア論批判
　彼は師のプラトンのイデア論を引き継ぎながらも、イデアが個物から離れて実在すると考えたことを批判し、この現実の世界こそ、真に存在する世界だと主張した。

ロソフィア）と称し、今日の哲学（フィロソフィ）という術語を生み出した。

　このようなギリシアの特徴は、オリエントの専制帝国と異なり、限定された範囲ではあったが、個人意識を前提にした民主政治を採用したことにある。ギリシア思想がアレクサンドロス大王の出現による変容を受けながらも、その後征服者であるローマ帝国まで長く影響力を保ちえたのは、かかる文化的背景があったからである。

（3）経験論と合理論

　ルネサンス・宗教改革という潮流は、既存の価値観に動揺をきたした。そのような状況の中で、自然現象の中に一定の法則を求める自然科学の実証的で合理的な方法や態度を、学問研究の仕方や自我の確立に生かしたのがベーコンとデカルトであった。

◆ベーコンの経験論

　彼は人間が経験を通してのみ知識を得ることができると主張し、学問研究の仕方を理論づけた（経験論）。普遍的な法則にたどり着くためには、少しでも偏見を取り除く必要がある。そこで、観察によって得られた個々の特殊な経験的な事実から、それらに共通する事項を見つけだして、普遍的法則を求める帰

納法を主張したのである。

◆デカルトの合理論

彼は、法則が真理として承認されるのは人間の理性のみが認識できることを主張した（合理論）。そこで、彼は理性を正しく用いる方法として演繹法を考えた。彼は方法的懐疑を推し進めて、ついに達し得たのは、疑わしいと思っている私があるということだった。このことを彼は「われ思う、ゆえにわれあり」と表現し、思考そのものの私、純粋な理性としての自己を発見した。つまり、彼は自らの理性をあらゆる認識の根底にとらえて、この理性に忠実であろうとすることによって、近代的な自我を確立したのである。

（4）市民革命期以降の思想

市民革命期において、従来権威に対して無批判に服従していた人々を解放し、人間自らの理性によって自由に考え行動できるようにする思想が台頭した。社会契約説、ドイツ理想主義、功利主義がその代表的な思想である。

◆社会契約説

社会契約説は個々の自然権を有する個人が市民社会を構成し、国家の基礎づけを行う理論である。ホッブズ、ロック、ルソーが代表的思想家である。

◇市民革命期以後の思想家

ホッブズ、ロック、ルソー	社会契約説	個人・市民生活・国家
カント、ヘーゲル	ドイツ理想主義	市民社会の成長・信頼
ベンサム、J.S.ミル	功利主義	道徳・立法の原理

アリストテレス	「人間は社会的動物である」
ベーコン	「知は力なり」
パスカル	「人間は考える葦である」
ホッブズ	「万人の万人に対する闘争」
ベンサム	「最大多数の最大幸福」

◆ドイツ理想主義

三十年戦争（1618〜48）はドイツ国内を荒廃させ、イギリス・フランスと比べて市民社会の形成が遅れていた。しかし、18世紀後半から専制君主が国内の近代化を図るため、積極的に啓蒙思想や学問が受け入れられるようになった。ドイツの近代市民社会が成長していく中で、人間の理性に対する信頼を根底に据えて思想を構築したのがドイツ理想主義（観念論）という学派であり、カントとヘーゲルが代表的な学者である。

◆功利主義

産業革命の進展とともに、貧富の差が拡大し、個人が自由に利益を追求することによって社会全体に利益がもたらされるという、それまでの楽天的な考え方が動揺するようになってきた。そこで、個人と社会全体の調和をもたらすための道徳や立法の原理を求める必要から生み出されたのが、功利主義である。ベンサムとJ.S.ミルが代表的な学者である。

 〔近代政治思想〕
マキアヴェリ、ボーダン、モンテスキュー、ホッブズ、ロック、ルソー

★★★フォローアップ★★★ （　）に適語を入れよ。
問　（　）は純粋な理性としての自己を発見したことを「われ思う、ゆえにわれあり」と表現した。

◇解答　デカルト

現代の思想

①人間性の喪失（人間疎外）に対して、どのように現代思想が対処するのか、社会主義・プラグマティズム・実存主義各々の思想内容について、理解を深めていきたい。
②ガンディー、シュバイツァー、ラッセルの思想にも目を通しておきたい。

現代思想3つの潮流と思想家・要素を把握する

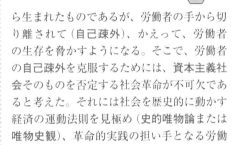

◆人間性の疎外と回復

　近代思想の特徴は、人間を世界の中心に置き、その理性を信頼の基礎としながら理論を構築し、思想を形成してきた。特に近代の科学技術が人間理性の合理的な認識に基づいて成立し、人々の生活に多大の便宜を与えてきたので、理性への信頼は揺るがないものと思われた。

　しかし、近代思想がもたらした**機械文明**と**大衆化現象**は、社会機構の複雑化・巨大化にともなって、人間性を疎外するようになったのである。そこで、疎外されている人間性をいかに回復するかが現代思想における共通の課題となった。

（1）社会主義

　社会主義を大づかみにいえば、生産手段の私有をなくして公有とし、階級の対立を除去して、人間の完全な自由と実質的平等を実現する理想の社会をめざす思想や運動である。しかし、その理想についての理論的基礎づけやその実現の方法には、論者によって違いがある。

◆マルクス

　彼は**資本主義社会の非人間性**について、商品生産が支配的となった社会のなかで、労働力も商品化されることによって生じると考えた。つまり、企業の生産物は労働者の労働から生まれたものであるが、労働者の手から切り離されて（**自己疎外**）、かえって、労働者の生存を脅かすようになる。そこで、労働者の自己疎外を克服するためには、**資本主義社会そのものを否定する社会革命**が不可欠であると考えた。それには社会を歴史的に動かす経済の運動法則を見極め（**史的唯物論または唯物史観**）、革命的実践の担い手となる労働者の自覚と団結が必要であると考えた。

◆ベルンシュタイン

　彼は議会活動を通して自らの政権を樹立することで、**社会主義**を実現しようとした。欧米諸国で普通選挙制が採用されると、労働者階級にも参政権が与えられて、自分たちの代表者を議会に送り出すことができるようになる。そうなると、もはや社会革命の必要がなくなり、議会政治の下での社会主義政権の樹立が可能となるからである。彼の提唱した社会主義は社会民主主義と呼ばれ、マルクス主義とは絶縁した関係をとった。

◆レーニン

　彼は資本主義が高度に発展して巨大な独占資本を生み出し、後進地域を植民地化する**帝国主義**の時代には、民主的改良を図る余地はなく、国民大多数の権利を守るために、プロレタリアートによる革命と革命後のプロレタリアート独裁が必要であると主張した（マルクス・レーニン主義）。

(2) プラグマティズム

科学技術の進歩がもたらした人間生活の矛盾は、近代的合理主義の人間観にあるのではなく、むしろ人間の生き方や考え方が十分合理化されていないからであるとするのがジェームズ、デューイが代表するプラグマティズムの立場である。

では、人間性を回復するために、合理化をいかに推し進めるのであろうか。プラグマティズムは日常生活における経験や行動を通して、それと結び付いた知識をたえず獲得することによって可能になると考えるのである。

(3) 実存主義

実存主義の「実存」とは、「いま、ここ」に生きている「このわたし」（自己自身）を意味している。現代は個性を喪失してしまった状況ととらえ、その原因が近代の合理主義的人間観にあると見て、真の主体性を確立することが人間性の回復をもたらすという立場を実存主義思想と名付けている。

◆キルケゴール

彼は自己のキリスト者としての宗教的実存を説いて、神の前に一人立つ単独者が自己本来の姿であることを示した。

◆ニーチェ

彼はキリスト教道徳に代わる新しい価値を創造し、それによって現代の人間の退廃を克服しようとした。

〔ポストモダン〕
実存哲学、分析哲学、構造構成主義、ポスト構造主義

ガンディー	「不殺生」の実践とその思想
シュバイツァー	「生命への畏敬」
ラッセル	創造的衝動による幸福への道

◆ヤスパース

彼は、まず人間が限界状況に直面し、挫折を通して自己の有限性を知らせてくれる超越者の存在を感じ取り、その超越的なものを通じて本来の自己に対することができるとした。

◆ハイデガー

彼は、人間は有限なものであり死にのぞむ存在として、常に根本的に不安にさらされていると考えた。

何よりも死にのぞむ存在であることを覚悟して生きることが、自らの良心的な生き方を決断させることになる。それは存在からの呼びかけ（良心の声）に応答して生きることであり、そこに本来的な自己の存在が明らかになっていくとした。

◆サルトル

彼は人間の住む現実の世界は偶然によって支配されており、人間とはこのようなものであると、あらかじめ定められてはいないと考えた。

したがって、人間はまったく自由であるが、自由であることは、自己のありかたのすべてを自己の責任において選択することであり、同時に、すべての他の人に対しても責任を負うことである。つまり、自己のありかたを選択することによって、本来の自己に出会うことになるとした。

★★★フォローアップ★★★ （　）に漢字2字で適語を入れよ。
問　現代思想の課題は、近代思想がもたらした人間（　）から人間性を回復することである。

◇解答　疎外

発達課題と防衛機制

①発達課題では、ハヴィガーストとエリクソンを中心に覚えよう。合わせて、青年期の特徴を表す言葉について、だれがどう言ったのかを覚えよう。
②代表的な防衛機制の名称と具体例を結びつけられるようにしよう。

(1) 発達課題

　発達課題とは、人間が健全で幸福な発達を遂げるために各発達段階で達成しておかなければならない課題であり、次の発達段階に円滑に移行するために、それぞれの発達段階で習得しておくべき課題とされる。また、各段階には健全と相反する危機が存在し、健全な傾向をのばし、危機的な傾向を小さくしなければならない。

　教育心理学者のハヴィガーストが最初に提唱し、その後エリクソンなど様々な心理学者がそれぞれの発達課題を提言しているが、一般に、発達課題は次のような意義と特徴を持っているとされる。

◇意義と特徴

　第一に自己と社会に対する健全な適応にとって必須の学習であること。第二に本質的には一定の期間内で学習されなくてはならないこと。その後も存在し続ける課題もあるが、その意義は弱化していく。第三に発達課題は、子どもから高齢者に至るまでの各年齢段階にあることである。

(2) 防衛機制

　防衛機制とは、切迫した状況の時に自我が崩壊することを防ぎ、自分自身を維持しようとする心の仕組みをいう。欲求不満などによって適応が出来ない状態に陥った時に、不安が

◆ハヴィガーストの発達課題

　個人が健全な発達を遂げるために、発達のそれぞれの時期で果たさなければならない課題を乳幼児期、児童期、青年期、壮年初期、中年期、老年期の6段階に分けて設定した。

◆エリクソンの発達課題

　人生を乳児期、児童前期、遊戯期、学齢期、青年期、前成人期、成人期、成熟期・老年期8段階に区分して、それぞれに発達課題と心理社会的危機、重要な対人関係、心理社会的様式が設定されている。

◆青年期の特徴

　青年期は、14、15歳から24、25歳頃までの性的成熟に伴う急激な身体的変化が現れ、心理的には内省的傾向、自我意識の高まりがみられる時期である。不安・いらだち・反抗など精神の動揺が著しい時期でもある。思春期と呼ばれる前半では身体的・性的に成熟し、後半では自我意識・社会的意識が発達する。

　ルソーは青年期を「第二の誕生」、ゲーテは「疾風怒濤の時代」、レヴィンは「マージナル・マン」（境界人・周辺人）と呼んでいる。また、エリクソンによれば、青年期の発達課題はアイデンティティ（自我同一性）の確立とされている。

動機となって行われる自我の再適応のメカニズムである。代表的なものとして、①抑圧、②合理化、③同一視（同一化、摂取）、④投影（投射）、⑤反動形成、⑥逃避、⑦置き換え（転移）、⑧補償（代償）、⑨退行などといったものがある。その内容を次頁にまとめた。

①抑圧

　自分自身の中で、自分自身が受け入れられない考え方や感情、記憶を否定し、なかったこととしたり、無理に忘れようとしたりすること。

②合理化

　何かと理由をつけて、自分自身の正当化をしたり、他のものに責任転嫁をしたりすること。

③同一視（同一化、摂取）

　他人が持っている優れた能力や実績などを、自分のものであるかのように感じたりすること。優れている他人と同じような行動をすることも含まれる。いわゆる有名スポーツ選手やアイドルなどの熱狂的なファンなどが代表例である。また、自分の恐怖の対象となっている人（特に親）のまねをする場合には、特に攻撃者との同一視という。優れた人物や攻撃者と同じという満足感によって、不安や恐怖から逃れようとする心の仕組みである。

④投影（投射）

　自分自身が抑圧している考え方や感情を、他人が持っているように感じること。自分が嫌っている人には、その人も自分を嫌っていると思い込みやすいものである。

⑤反動形成

　自分の抑圧した考えや感情と正反対のことをする心の動き。自分が嫌っている人でも、尊敬の対象にしようとすることがその例といえる。

⑥逃避

　葛藤を引き起こすような状況から逃げ出すことで、不安や緊張、恐怖をなくし、自分自身を守ろうとすること。嫌いな人と会わないようにすることがその例である。また、現実とは違う空想や白日夢の世界に浸って現実から逃げ出すことも、逃避の一種である。

⑦置き換え（転移）

　実際に不安や恐怖、怒りを感じる対象ではなく、代理となるものに、その不安や恐怖、怒りを感じたり、ぶつけたりすること。会社の上司に対する怒りを、部下に対して発散することがその例である。

⑧補償（代償）

　例えば、他人より学科の勉強ができないという劣等感を、スポーツで頑張って、他人より優れることで補おうとする心の仕組み。

⑨昇華

　現実の社会で認められない欲求や衝動を、芸術やスポーツといった誰にでも認められる高次の価値を実現することで発散する心の仕組み。

⑨退行

　欲求不満によって生じた緊張を、自分の成長を後戻りすることで解消しようとする心の仕組み。子どもに弟や妹ができたとき、母親にかまってもらいたくて、今まで一人でできたことができなくなってしまうことなどの例。

これも！

◆モラトリアム

　本来は支払いの猶予を意味する経済用語であったが、エリクソンにより大人になるために必要で、社会的にも認められた猶予期間を意味するようになった。

先生の黒板　〔フロイトの精神分析〕

（エゴ、リビドー、イド、スーパーエゴ）

★★★フォローアップ★★★　（　　）に適語を入れよ。

問　負け惜しみによる自己満足や、やせがまんをする防衛機制を（　　　）という。

◇解答　合理化

環境問題

①環境問題では、主要な国内法による規制と国際的な取決めをしっかり把握しておこう。
　特に、温室効果ガスの削減を定めた京都議定書は重要なテーマである。
②公害対策から地球環境問題への対処へと変化したことを理解しておこう。

（1）世界の環境政策

◆ラムサール条約

日本語での正式名称は「特に水鳥の生息地として国際的に重要な湿地に関する条約」

　湿地の保存に関する国際条約で、水鳥を食物連鎖の頂点とする湿地の生態系を守る目的で、1971年に採択され、1975年に発効した。1980年以降、定期的に締約国会議が開催されている。ラムサール条約の名称は、この条約が採択された地であるイランの都市にちなむ略称・通称である。

◆ワシントン条約

日本語での正式名称は、「絶滅のおそれのある野生動植物の種の国際取引に関する条約」

　希少な野生動植物の国際的な取引を規制する条約である。ワシントン条約の名称は、この条約が1973年に採択された都市にちなむ略称・通称である。

◆国連人間環境会議

1972年、スウェーデンのストックホルムで開催された環境問題について世界初の大規模な政府間会合

　通称「ストックホルム会議」とも呼ばれる。会議のキャッチフレーズは、「かけがえのない地球」。113か国が参加し、「人間環境宣言」及び「環境国際行動計画」が採択された。こ

◆モントリオール議定書

正式名称は「オゾン層を破壊する物質に関するモントリオール議定書」

　1987年に採択され、1989年に発効した。ウィーン条約に基づき、オゾン層を破壊するおそれのある物質を特定して、その物質の生産、消費及び貿易を規制することを目的としている。条約の内容は、成層圏オゾン層破壊の原因とされるフロン等の環境中の放出をなくするための削減スケジュールなどの規制措置を定めている。

　この議定書の発効により、特定フロン、ハロン、四塩化炭素その他の代替フロン、などが1996年以降全廃となり、ハイドロクロロフルオロカーボン（HCFC）なども順次全廃となった。

れを実行するため、国連に環境問題を専門的に扱う国連環境計画（UNEP）がケニアのナイロビに設立されることになった。

◆国連環境開発会議

国連人間環境会議の20周年を契機に、1992年にブラジルのリオデジャネイロで開催された首脳レベルでの国際会議

　地球サミットとも呼ばれているこの会議には国家だけでなく、NGOや地方公共団体、企業からも多数が参加した。人類共通の課題である地球環境の保全と持続可能な開発の実現のための具体的な方策について話し合われた。

　この会議で、持続可能な開発に向けた地球規模での新たなパートナーシップの構築に向けた「環境と開発に関するリオデジャネイロ

宣言（リオ宣言）」やこの宣言の諸原則を実施するための「アジェンダ21」そして「森林原則声明」が合意された。また、協議が続けられていた「気候変動枠組条約」と「生物多様性条約」が採択された。

◆パリ協定

2015年にパリで開催された国連気候変動枠組条約締約国会議で採択された協定

世界共通の長期目標として、世界的な平均気温上昇を産業革命以前に比べて2℃より十分低く保つとともに、1.5℃に抑える努力を追求することが掲げられた。

◆持続可能な開発目標（SDGs）

持続可能な開発のための2030アジェンダに記載された国際目標

2015年9月の国連サミットで加盟国の全会一致で採択された「持続可能な開発のための2030アジェンダ」に記載された、2030年までに持続可能でよりよい世界を目指すための国際目標。

17のゴール・169のターゲットから構成され、地球上の「誰一人取り残さない（leave no one behind）」ことを誓っている。

倫理・社会

（2）日本の環境政策

日本の環境政策の出発点は、国における施策よりも地域住民の生活に密着した問題として、各地方自治体が率先して対策を行い、公害規制のための条例を制定してきた。

◇公害対策への取組み

国においては、1950年代から1960年代にかけての水俣病等四大公害病の発生と各種公害に対する対策として始まった。1967年の公害対策基本法を皮切りに、「大気汚染防止法」等の環境汚染に対応した個別の立法がなされてきた。

また、自然保護のための基本理念を明確に

し、自然保護の政策を強化するため、1972年に自然環境保全法が制定された。

◇地球環境問題に

1993年には、地球環境問題に対処するためには、これまでの公害対策基本法や自然環境保全法の枠組みでは不十分になったので、環境政策の基盤となる環境基本法が制定された。しかし、この法律は環境保全についての新たな理念や試みは提示されているものの、具体的な措置は示されていなかった。

◇環境破壊防止へ

そこで、各種の大規模公共事業などによる環境破壊を未然に防ぐために、1997年に環境影響評価法（環境アセスメント法）が制定された。

先生の黒板

〔温室効果ガス〕
二酸化炭素、メタン、一酸化二窒素、ハイドロフルオロカーボン類、パーフルオロカーボン類、六フッ化硫黄

◆四大公害裁判

イタイイタイ病訴訟、新潟水俣病訴訟、四日市公害訴訟、水俣病訴訟

★★★フォローアップ★★★　次の文中（　　）に入る適語を答えよ。
問　大規模公共事業による環境破壊を未然に防ぐために、1997年に（　　）が成立した。

◇解答　環境影響評価法（環境アセスメント法）

社会保障

① 社会保障の４本の柱である社会保険、公的扶助、社会福祉、公衆衛生を理解しよう。
② 少子高齢化が進展することで、今後、公的医療保険や年金保険などの社会保険制度にどのような問題点が生じるのか考えておこう。

（1）福祉国家と社会保障制度

◇生存権の保障

日本国憲法25条1項に基づき、国民は「健康で文化的な最低限度の生活を営む権利を有する」として生存権を保障している。これは元来、個人生活の領域である病気やけが、失業、老後の生活不安等を社会が保障するという制度である。そして２項では、生存権実現のための制度的基盤を国家が整備すべきことを定めている。つまり、福祉国家の理念を明確に宣言した規定である。

◇救貧事業から人権へ

歴史的に遡れば、当初はエリザベス救貧法に見られるように国の救貧事業から始まり、労働者層を中心とする社会主義運動の高まり、それに対する国家の弾圧と社会保険法の制定（ビスマルクの社会主義者鎮圧法と社会保険３法が代表例）の過程から、徐々に救貧事業から本来人間として備わった基本的人権とし

て生成されてきた権利である。

したがって、基本的人権としての歴史は浅く、20世紀になって初めて、国家の基本法である憲法によって制定された権利である（1919年、ドイツのワイマール憲法で初めて制定された）。

しかし、この権利実現のためには、最終的には国民が掛け金を積み立てたり、税を負担しなくてはならない。そこで、新たな制度が法律で定められるまでは、たんに憲法で宣言的に保障したにすぎないと考えられたのである（プログラム規定説）。つまり、国家の努力目標にすぎなかった。

◇ベヴァリッジ報告

その後、第二次世界大戦中のイギリスにおけるベヴァリッジ報告を経て、従来の勤労者層中心の社会保険制度から、広く国民一般を対象とした保障制度に移行して、大戦後は世界中に社会権の実現を図る社会保障制度が広がっていったのである。特に北欧を中心とする地域は、先進的で高度な社会保障制度が実現されたのである。

（2）社会保障の４本柱

◆社会保険

◇5つの制度

これには、医療保険・年金保険・雇用保険・介護保険・労働者災害補償保険（労災保険）がある。国民が生活する上での疾病、高齢、失業、労働災害、介護などのリスクに備えて、事前に強制加入の保険に入っておくことによっ

て、リスクが生じたときに、現金または現物給付により生活を保障する相互扶助の仕組みである。

■覚えよう！　社会保険の種類■	
医療保険	年金保険
雇用保険	介護保険
労災保険	

◇全国民対象に

日本においては、全国民を対象とする公的医療保険と公的年金制度は、国民皆保険・国民皆年金として、1961年に施行された。その後社会保障制度の拡充が進み1972年には、老人医療費の無料化が全国的な制度として実現し、1974年からは年金の物価スライド制が導入された。さらに、年金については、1986年、全国民共通に給付される基礎年金（国民年金）が創設され、厚生年金などの被用者年金は上乗せの2階部分として、報酬比例年金を給付する制度に再編成された。つまり、基礎年金の費用は、国民全体で公平に負担するようになった。

◇現役世代の負担増

しかし、1990年代に入り、少子高齢社会の進展が顕著になると、公的医療保険と公的年金の支出額が年ごとに膨大な額となって、現役世代の負担と国家財政の負担は重くなるばかりであった。さらに、2000年には高齢者の介護サービスや介護支援を保障するための介護保険制度が施行され、よりいっそう負担が高まっていった。

そこで、世代間の公平と財政負担の抑制という観点から、政府は厚生年金については順次受給年齢の引き上げを行った。公的医療保険についても、患者の窓口負担（自己負担）分を増やしてきたが、2008年度からは、従来の医療保険制度から切り離した後期高齢者医療制度（長寿医療制度）を創設したのである。

先生の黒板 〔社会福祉六法〕

生活保護法、児童福祉法、母子及び父子並びに寡婦福祉法、老人福祉法、身体障害者福祉法、知的障害者福祉法

これも！

◆バリアフリー

障害者を含む高齢者等の社会的弱者が社会生活に参加する上で、生活の支障となる物理的な障害や精神的な障壁を取り除くための施策。

◆ノーマライゼーション

障害者や高齢者など社会的に不利を受けやすい人々（弱者）が、社会の中で他の人々と同じように生活し、活動することが社会の本来あるべき姿であるという理念。

◆公的扶助

国などの公的機関が主体となって、税を財源にして、貧困者に最低限の生活を保障するために行う経済的援助である。生活保護法に基づいて、

①生活扶助　②教育扶助　③住宅扶助
④医療扶助　⑤介護扶助　⑥出産扶助
⑦生業扶助　⑧葬祭扶助

の8種類が給付される。

◆社会福祉

障害者・児童・母子家庭・老人等の社会的弱者を生存・自立できるように介護・援助するものである。これには身体障害者の各種施設、母子生活支援施設、老人ホーム、養護学校等がある。

◆公衆衛生

国民一般の生活環境を良好に保ち、感染症を防止するために、国が制度・施設の基盤を整備するものである。これには上下水道の整備、保健所・学校で行われる集団検診や予防接種、各種保養施設等がある。

> 知っ得　◇由来　社会保障という言葉は、米国において1935年に制定された連邦社会保障法に由来する。

★★★フォローアップ★★★　（　　　）に適語を入れよ。
問　社会保障制度には、社会保険・公的扶助・社会福祉・（　　　）の4本の柱がある。

◇解答　公衆衛生

個人情報の保護

①情報分野では、コンピュータを中心にした情報ツールの利用と情報セキュリティ、個人情報保護法の出題率が高い。
②ウイルスなどのインターネット上の脅威について理解しておこう。

集中レッスン

(1) 個人情報保護法

　情報化社会の進展とともに、事業者が保有する膨大な個人情報を容易に処理することが可能となり、個人情報の取扱いは、今後ますます拡大していくと予想される。だが、個人情報は、その性質上、いったん誤った取扱いをされると、個人に取り返しのつかない被害を及ぼすおそれがある。

　そこで、誰もが安心してIT社会の便益を享受し、個人の権利利益を守るための制度的基盤として、個人情報の保護に関する法律（個人情報保護法）が制定されたのである（2003年成立、2005年全面施行、2021年改正）。

◆定義

> （第2条1項の概要）
> 　個人情報とは、生存する個人の情報であって、個人識別符号が含まれるもの及び、氏名、生年月日等の特定の個人を識別できる情報を指す。これには、他の情報と容易に照合することができることによって、特定の個人を識別することができる情報も含まれる。

　特定の個人を識別できれば、防犯カメラに記録された映像も個人情報となる。
　また、個人識別符号とは、身体の一部の特徴を用いて特定の個人を識別することができるものや、マイナンバー、旅券番号等をいう。

◆個人情報取扱事業者の対象

> （法第16条2項）
> 　個人情報取扱事業者とは、個人情報データベース等を事業の用に供する者で、国の機関、地方公共団体、独立行政法人等、地方独立行政法人以外の者を指す。

　したがって、事業者には営利法人のみならず非営利法人、法人だけではなく個人事業主も対象となるが、一般の個人については対象とならない。

◇個人情報取扱事業者の主な義務

　個人情報保護法第4章第1節に個人情報取扱事業者の義務が規定されている。

> ①利用目的の特定（第17条）
> ②利用目的による制限（第18条）
> ③適正な取得（第20条）
> ④取得に際しての利用目的の通知（第21条）
> ⑤苦情の処理（第40条）

　個人データについては、

> ・データ内容の正確性の確保（第22条）
> ・安全管理措置や従業者・委託先の監督（第23条・第24条・第25条）
> ・第三者提供の制限（第27条）

が定められている。
　保有個人データについては、

> ・事項の公表等（第32条）
> ・開示（第33条）、訂正等（第34条）
> ・利用停止等（第35条）

が規定されている。

事項の公表、開示、訂正、利用停止の規定により、本人から求められた措置の全部または一部について、その措置をとらない旨を通知する場合またはその措置と異なる措置をとる旨を通知する場合は、本人に対し、その理由を説明するよう努めなければならない（第36条）。

◇適用除外

（第57条の概要）

　個人情報取扱事業者が、マスコミ・著述業関係、宗教団体や政治団体であり、それぞれ報道、著述、学術研究、宗教活動、政治活動の目的で個人情報を利用する場合は、個人情報取扱事業者の義務の適用を受けない。

これは、主務大臣の報告徴収等を通じて、

◆行政機関個人情報保護法

　個人情報が行政文書に記録されているもので、行政機関の職員が職務上作成し、または取得した個人情報であって、当該行政機関の職員が組織的に利用するものとして、当該行政機関が保有しているものを対象としている。

〔インターネット上の脅威〕
ウイルス、スパイウェア、トロイの木馬、バックドア、ルートキット、フィッシング、DDoS攻撃

政治活動の自由や宗教活動の自由、表現の自由等の国民の重大な基本的人権を制約するおそれがあるので、設けられた規定である。

◆認定個人情報保護団体

（第47条の概要）

　個人情報に関する苦情処理や適正な取扱いの確保に関する業務等を行おうとする法人（権利能力なき社団も含む）は、個人情報保護委員会の認定を受けて認定個人情報保護団体となることができる。

(2) 情報セキュリティ

　コンピュータやネットワークが一般社会に浸透し、情報を扱う利便性は向上してきた。しかし、利便性の向上は、同時にセキュリティの低下も招きやすい。サービスの利便性を享受するには、自分の身は自分で守るとともに、他人にも迷惑をかけないように努めなければならない。

　国際基準としては情報セキュリティマネジメントシステム（ISMS）がある。組織の情報資産について、機密性・完全性・可用性をバランスよく維持し改善することが、情報セキュリティマネジメントシステムの基本コンセプトである。ISMSの構築の仕方と認定の基準は、国際規格（ISO/IEC）や日本産業規格（JIS）に規定されている。

【知っ得】◇緊急連絡網等　学校における緊急連絡網等の個人情報の取扱いについては、本人または保護者の同意が得られれば、作成・配布することができる。

★★★フォローアップ★★★　（　　）に適語を入れよ。
問　行政機関の職員が職務上作成し、または取得した個人情報であって、職員が組織的に利用するものとして行政機関が保有しているものについては、（　　　　　）が適用される。

◇解答　行政機関個人情報保護法

＜練習問題＞

練習問題1

中国における人物と思想の組合せとして正しいものは、次のうちどれか。

（1）孔子 ― 無為自然
（2）孟子 ― 性悪説
（3）荀子 ― 性善説
（4）王陽明 ― 性即理
（5）墨子 ― 兼愛非攻

練習問題2

現代思想について説明した文章の（A）～（C）に該当する思想の組合せとして、正しいものはどれか。

　科学技術が発達してもたらされた人間性の喪失は、近代的合理主義の人間観にあるのではなく、むしろ人間の生き方や考え方が十分合理化されていないからであるとするのが（A）の思想であり、日常生活における経験や行動を通して、それと結び付いた知識をたえず獲得することによって可能になると考えている。また、人間生活の矛盾は、近代的合理主義の人間観にあるのではないという視点では同じであるが、生産手段の私有をなくして公有とし、階級の対立を除去して、人間の完全な自由と実質的平等を実現する理想の社会を目指そうとするのが（B）の思想である。

　以上の考え方に対して、近代合理主義の人間観そのものに目を向け、個人として真の主体性を確立することこそ人間性の回復をもたらすとするのが（C）の思想である。

	（A）	（B）	（C）
（1）	プラグマティズム	社会主義	実存主義
（2）	プラグマティズム	実存主義	社会主義
（3）	実存主義	社会主義	プラグマティズム
（4）	実存主義	プラグマティズム	社会主義
（5）	社会主義	実存主義	プラグマティズム

練習問題1　　　　　　[解答]（5）
（1）孔子の教えの根本義は「仁」であり、仁が様々な場面において貫徹されることにより、道徳が保たれると説いた。無為自然を説くのは道家の思想である。
（2）孟子は人の性は善であり、どのような聖人も小人もその性は一様であると主張した（性善説）。性悪説は荀子が説いたもの。
（3）荀子は人間の本性は欲望的存在にすぎないが、後天的努力（学問を修めること）により善を知り、礼儀を正すことができると説いた（性悪説）。性善説は孟子が説いたものである。
（4）王陽明は天地に通じる理は自己の中にある判断力（良知）にあり、知と行を切り離すべきではないと主張した（知行合一）。
（5）兼愛非攻（すべての人に平等な愛と非戦）を説いたのは、墨子。

練習問題2　　　　　　[解答]（1）
　（A）は日常生活における経験や行動を通して、課題を解決していくことを意味しているのでプラグマティズムの思想である。
　（B）は生産手段の公有化と階級対立の除去から社会主義の思想であると判断できる。
　（C）は近代合理主義の人間観そのものに向けられ、個人としての主体性を確立するという言葉から実存主義の思想と判断することができる。
　以上から、正解は（1）の組合せである。

練習問題3

日本の社会保障制度を説明したA〜Dの記述のうち、正しいもののみの組合せを挙げているのはどれか。

A　社会保険には、医療保険・年金保険・雇用保険・介護保険・労働者災害補償保険の5種類がある。

B　公的な年金制度については、国民皆年金が徹底しており、給付を受けられないという人は法律上存在しない。

C　介護保険の被保険者ではない生活保護世帯に属する者が要介護状態になった場合、介護保険の保険給付を受けることができる。

D　高齢者医療制度については、2008年（平成20年）4月から後期高齢者医療制度（原則として75歳以上の人が対象）が実施された。

（1）A・D　　　（2）A・B・D　　　（3）A・C・D
（4）B・C・D　　（5）A・B・C・D

練習問題4

個人情報の保護に関する法律（個人情報保護法）に関する次の記述のうち、保護の対象となっているものはいくつあるか。

A　亡くなった人の氏名と財産状況に関する記載がなされている場合

B　公知のものであっても、本名とは別の氏名で財産状況に関する記載がなされている場合

C　外国に住む外国人の財産状況に関する情報の場合

D　財産状況に関する記載はあるが、氏名以外特定の個人を識別できる情報がなく、同姓同名の可能性もある場合

E　未成年者の財産状況に関する情報の場合

（1）1つ　　（2）2つ　　（3）3つ　　（4）4つ　　（5）5つ

練習問題5

西洋における思想家と言葉の結びつきとして正しいものは、次のうちどれか。

（1）カント ―「万人の万人に対する闘争」
（2）ベーコン ―「人間は考える葦である」
（3）ソクラテス ―「人間は社会的動物である」
（4）プラトン ―「見えざる手」
（5）ベンサム ―「最大多数の最大幸福」

練習問題3　　　　　　　［解答］（1）
A　正しい。
B　誤り。公的年金は一定期間保険料を支払わなければ、原則として受給資格がないため、給付を受けられない人も存在する。
C　誤り。要介護または要支援と認定された生活困窮者のうち、介護保険の被保険者ではない者については、生活保護の介護扶助から全額支給されるため、介護保険の保険給付を受けることはできない。
D　正しい。後期高齢者医療制度（長寿医療制度）は75歳以上の人、または65歳から74歳の人で、一定の障害の状態にあることにつき広域連合の認定を受けた人が対象。
以上から、正しいもののみの組合せは（1）である。

練習問題4　　　　　　　［解答］（4）
A　対象にならない。故人の場合には「生存する個人」に関する情報とはいえない。
B　対象になる。本名でなくても、芸名・ペンネーム等が公知のものであれば、個人を特定できる。
C　対象になる。個人情報である以上、外国に居住する外国人であっても、個人情報保護法の対象となる。
D　対象になる。氏名があれば、社会通念上、特定の個人を識別できるものと考えられる。
E　対象になる。未成年者であっても、個人情報保護法の対象となる。
以上から、保護の対象となる個数は4つとなり、（4）が正解となる。

練習問題5　　　　　　　［解答］（5）
（1）「万人の万人に対する闘争」は、ホッブズの言葉。カントで有名なのは「コペルニクス的転回」。
（2）「人間は考える葦である」は、パスカルの言葉。ベーコンの言葉で有名なのは「知は力なり」。
（3）「人間は社会的動物である」は、アリストテレスの言葉。ソクラテスは、問答法を通じて「汝自身を知れ」と人々に問いかけた。

練習問題6

次の防衛機制の具体例A～Dとその名称の組合せとして最も妥当なのはどれか。

A　自分が尊敬する人になったつもりで、その人の動作や声音をまねするようになる。

B　自分の経営する会社が倒産したので、自分の情熱を学問や芸術に置きかえる。

C　自分の嫌いな人ではあるが、会社の上司なので尊敬しようとする。

D　自分の嫌いな人に対して、相手も自分が嫌いだと思い込む。

	A	B	C	D
（1）	同一視	補償	昇華	置き換え
（2）	同一視	昇華	反動形成	投影
（3）	同一視	反動形成	昇華	合理化
（4）	投影	合理化	同一視	昇華
（5）	投影	補償	合理化	同一視

練習問題7

次の文中（A）～（D）に入る適語の組合せとして正しいものはどれか。

　国際的な環境保全に関する取り決めを概観すると、成長の限界が認識され、1972年の国連人間環境会議で（A）が採択された。その20年後、（B）で国連環境開発会議が開催された。そこでは、21世紀の地球環境保全のための原則と行動計画などが採択されて、（C）という理念が世界の共通認識となった。そして、2002年には（D）で、持続可能な開発に関する世界首脳会議が開催された。

（1）A リオ宣言　　　　　　B ヨハネスブルグ
　　　C「かけがえのない地球」　D バーゼル

（2）A 人間環境宣言　　　　B リオデジャネイロ
　　　C「持続可能な開発」　　D ヨハネスブルグ

（3）A リオ宣言　　　　　　B 京都
　　　C「かけがえのない地球」　D ヨハネスブルグ

（4）A 人間環境宣言　　　　B ヨハネスブルグ
　　　C「持続可能な開発」　　D ナイロビ

（5）A リオ宣言　　　　　　B リオデジャネイロ
　　　C「かけがえのない地球」　D ナイロビ

（4）「見えざる手」は、アダム・スミスの言葉である。プラトンはソクラテスから受け継いだとされる「徳は知である」という言葉に見られるように、主知主義を代表する哲学者である。

（5）「最大多数の最大幸福」は、イギリス功利主義のベンサムの言葉。

練習問題6　　　　　　　［解答］（2）

A　同一視の説明である。同一化や摂取ともいう。自分以外のものに自分の姿を重ねることによって、自分にできないことを達成しようとする仕組みである。

B　昇華の説明である。現実の社会で認められない欲求を、学問や芸術といったより高い価値を実現することで、欲求を解消しようとする仕組みである。

C　反動形成の説明である。抑圧されたものと正反対のものを意識に持とうとする仕組みである。

D　投影の説明である。投射ともいう。自分自身が抑圧している考え方や感情を、他人が持っているように感じる仕組みである。

　以上から、組合せとして正しいのは（2）である。

練習問題7　　　　　　　［解答］（2）

　Aは人間環境宣言、Bはリオデジャネイロ、Cは「持続可能な開発」、Dはヨハネスブルグが入る。

A　1972年、ストックホルムで開催された国連人間環境会議で、「人間環境宣言」が採択された。その会議のスローガンが、「かけがえのない地球」である。

B　国連人間環境会議から20年後の1992年、リオデジャネイロで国連環境開発会議が開催された。

C　国連環境開発会議では、「持続可能な開発」という理念が世界の共通認識となった。

D　2002年に南アフリカのヨハネスブルグにおいて、持続可能な開発に関する世界首脳会議が開催された。

日本史

日本史

◇日本史頻出問題上位

①古代の政治
②自由民権運動
③江戸幕府の政策
④鎌倉・室町時代の社会情勢
⑤平安～鎌倉時代の出来事
⑥明治から昭和初期の外交
⑦キリスト教の歴史
⑧江戸幕府の統制
⑨各時代の争乱
⑩明治維新直後の政策

古代の政治

飛鳥時代から平安時代にかけて、中国を模範として律令による中央集権体制の整備が進められるが、諸勢力の台頭や土地制度の変容などにより、律令体制に揺らぎが生じる。その主な動きを理解しておきたい。

◆聖徳太子

大和政権で推古天皇の摂政を務めた聖徳太子は、大臣・蘇我馬子の協力を得て、冠位十二階の制を定め（603年）、憲法十七条を制定する（604年）など改革を行った（憲法十七条は、法律というよりは、官吏としての道徳上の心がまえを説くものであった）。

外交でも

遣隋使

聖徳太子は途絶えていた中国との外交方針を転換、隋と国交を開いた。小野妹子を遣隋使として中国に派遣（607年）して、中国と対等な立場で外交を行おうとした。

◆大化の改新から大宝律令

645年、中大兄皇子と中臣鎌足は、唐を模範とした中央集権体制を構築しようとし、権勢をふるっていた蘇我蝦夷・入鹿父子を滅ぼし（乙巳の変）、年号を大化として都を難波に移した。翌年、孝徳天皇のもと公地公民制や戸籍・計帳の作成、班田収授法の実施などを定めた改新の詔が発せられた。この一連の改革を大化の改新という。

中大兄皇子は白村江の戦い（663年）の後、九州の防備を固め、近江の大津宮に遷都、668年に即位して天智天皇となり、国政の改

【班田収授法】
土地と農民を国家の支配下におき、税源を確保する仕組み。6歳以上の人民に口分田を与え、死後、返還させた。

革に努めた。以後、天武天皇や持統天皇などにより律令体制の整備が進められ、701年、藤原不比等や刑部親王らにより大宝律令が完成した。

◆8世紀に行われた開墾奨励

貧窮による農民の浮浪・逃亡や人口増加による口分田の不足などを受け、開墾を奨励する政策として、百万町歩の開墾計画（722年）、三世一身法（723年）が出され、聖武天皇の時代には墾田永年私財法（743年）が定められた。しかし、これらの施策により、貴族や寺院などの土地所有が拡大していくことになった。

【三世一身法】
新たに灌漑施設を設けて開墾した場合は3代、既存の灌漑施設を利用した場合は1代に限り土地の保有を認める。
【墾田永年私財法】
開墾した土地を永久に保有することを認める。

◆桓武天皇

桓武天皇は仏教勢力などの影響から離れるため、都を長岡京へ移し、さらに794年、平安京に遷都した。以後、およそ400年を平安時代という。

地方改革では

桓武天皇は地方の改革にも注力し、坂上田村麻呂を征夷大将軍に任命して蝦夷征伐に向かわせた。また国司交代時の手続きを厳格化し、勘解由使を置き、国府の守備には健児をあたらせた。

◆藤原氏の台頭

8世紀初め、藤原（中臣）鎌足の子・不比等は皇室との接近により勢力を固め、その4

子は長屋王の変（729年）の後、不比等の娘を聖武天皇の皇后に立てた。

その後も藤原氏は勢力を拡大し、9世紀に承和の変、応天門の変で他氏を排した北家の良房は摂政に、良房の養子の基経は関白に就き、北家の勢力が強力なものとなった。その後、基経の子孫が摂政・関白に就くのが通例となる。

◆遣唐使の廃止

8世紀に入ると、朝廷は幾度となく遣唐使を派遣した。当時の未熟な造船技術や航海技術では、唐への渡航は大きな危険を伴うものであったが、遣唐使によって伝えられる大陸の文化は日本に大きな影響を与えるものであった。しかし、唐の衰退などを受け、894年、菅原道真の提言により遣唐使は廃止された。

◆農民の負担

律令制のもとでは、農民には、租（稲）、調・庸（布・糸など）、雑徭（労役）が課せられ、負担は重いものであった。また、衛士や防人などの兵役もあった。

〔遣隋使〕高向玄理、南淵請安、旻
〔蝦夷支配〕斉明天皇・阿倍比羅夫、桓武天皇・坂上田村麻呂、出羽国、多賀城、胆沢城、志波城
〔国史編纂〕「古事記」・稗田阿礼・太安万侶、「日本書紀」・舎人親王
〔三大格式〕弘仁格式、貞観格式、延喜格式
〔醍醐天皇・村上天皇〕10世紀前半、延喜・天暦の治、天皇親政

◇8世紀ごろの東アジア
渤海・新羅とも交流があった

◇著名な遣唐使：犬上御田鍬（いぬがみのみたすき）、吉備真備、玄昉、阿倍仲麻呂、藤原清河（阿倍、藤原とも帰国できず唐で生涯を終えた）

◆白村江の戦い

唐と新羅に滅ぼされた百済救援のため、阿倍比羅夫率いる日本軍が朝鮮半島に出兵（663年）したが敗北した。

◆平城京遷都

710年、元明天皇は平城京に遷都し、唐の都・長安を模して大規模な都を造営した。以後、約80年を奈良時代という。

◆道鏡

8世紀、称徳天皇（孝謙上皇）に信任され、権勢をふるった僧。宇佐八幡宮の神託を受けたとし、皇位に就こうとするが和気清麻呂らにより阻止された。

◆嵯峨天皇

9世紀、蔵人頭（天皇の秘書的な役割を担う）や検非違使（警察・訴訟業務を担う）など、当時の実情に合う新たな官職を設置。また弘仁式を編纂して律令を補足・修正した。

★★★フォローアップ★★★　次の空欄にあてはまる語句を述べよ。
(1) 聖徳太子は小野妹子を（　　　）として中国に遣わした。
(2) 中大兄皇子と中臣鎌足が進めた国政改革を（　　　）と呼ぶ。
(3) （　　　）は、開墾した土地の永久保有を認めるものである。

◇解答　(1) 遣隋使　(2) 大化の改新　(3) 墾田永年私財法

仏教の歴史

仏教は政治や社会と密接に結びつきながら発展してきた。時代によりその状況は異なるが、国家とのつながりが強かった奈良時代、最澄と空海が新たな教えを広めた平安時代、新仏教が生まれ幅広い階層で支持を得た鎌倉時代は必須である。

（1）奈良時代

◆聖武天皇と鎮護国家思想

奈良時代、疫病の流行や政界の動乱など社会の混乱にみまわれた聖武天皇は仏教によって国家の安定を図ろうとし（鎮護国家思想）、国分寺建立の詔（741年）により、諸国に国分寺と国分尼寺を建てた。また大仏造立の詔（743年）を出し、東大寺に大仏を造営させた（開眼供養は752年の孝謙天皇のとき）。聖武天皇の時代には、唐の影響を受けた国際的な天平文化が栄え、仏教芸術も大きく発展した。

また聖武天皇の皇后である光明皇后も仏教を信仰し、悲田院・施薬院を設けるなど社会事業を行った。

（2）平安時代

◆最澄と空海

奈良時代末期には仏教は政治と癒着するようになり、これに対し桓武天皇は遷都などにより仏教勢力から離れようとした。さらに仏教側でも改革を図る者が現れるが、代表的なのが最澄と空海である。

9世紀、遣唐使に同行した最澄は、帰国後、天台宗を開き、比叡山に延暦寺を建てた。同じく唐で学んだ空海は、帰国して真言宗を開き、高野山に金剛峯寺を建立。天台宗や真言宗は、祈祷を重んじ、呪文や儀式を備えた密教の要素を含むものであり、現世利益を求める平安時代の貴族から支持を受けた。

◆浄土信仰

日本では1052年から末法の時代に入り、仏の教えが衰え乱世になると考えられていた（末法思想）。平安時代中期以降、災厄の多い世情に社会不安が高まり、阿弥陀仏を信仰し極楽浄土への往生を願う浄土教が流行。人々は来世での幸福を望む浄土教に救いを求めた。

（3）鎌倉時代

◆鎌倉新仏教

鎌倉時代に入ると、祈祷や学問を中心とする従来の仏教に変化が起こり、浄土真宗や日蓮宗、禅宗など武士や庶民に受け入れられる新たな教えが現れた。

禅宗は特に武士の間で広まり、なかでも臨済宗は幕府との結びつきも強かった。一方、日蓮宗は他宗に対して攻撃的で、また国難の予想などにより、しばしば幕府から迫害を受けた。

これに対して、旧仏教側にも変革の動きが起こり、社会事業に貢献する僧もみられた。

◇鎌倉時代の新仏教

宗派		開祖	特徴
浄土宗		法然	専修念仏（ひたすら念仏を唱えれば往生できる）
浄土真宗（一向宗）		親鸞	悪人正機説（煩悩の深い人間こそ、阿弥陀仏が救う対象である）
時宗		一遍	踊念仏
日蓮宗		日蓮	法華経こそ正しい教えであり、題目（南無妙法蓮華経）を唱えることで救われる
禅宗	臨済宗	栄西	坐禅・公案
	曹洞宗	道元	只管打坐（ひたすら坐禅すること）

(4) 室町時代

◆鎌倉仏教の発展

鎌倉時代に生まれた新仏教が各地に普及し、信徒を増やしていった。なかでも臨済宗は幕府の保護を受け、京都五山・鎌倉五山を中心に繁栄した。京都の商工業者に受け入れられた日蓮宗は一向宗（浄土真宗）と対立、これを攻撃して京都で自治を行った。しかし1536年、延暦寺から焼き討ちを受け、京都から追放された（天文法華の乱）。また一向宗は、本願寺の僧・蓮如が布教に努め、平易な文章「御文」で教えを説き「講」によって門徒を組織。一向宗は一大勢力となるも、各地の支配層と対立し、しばしば一向一揆を起こした。

◇各時代の主なポイント	
奈良時代	鎮護国家思想
平安時代	現世利益、極楽往生、国家や貴族の支持
鎌倉時代	新仏教が武士や庶民に普及
室町時代	鎌倉仏教の発展・勢力増大
安土桃山時代	織田信長による弾圧
江戸時代	幕府による統制
明治時代	神道重視、廃仏毀釈

◆仏教伝来と争い

仏教は6世紀半ば頃、欽明天皇の時代に百済から伝えられたといわれる。仏教の受容に積極的な蘇我稲目と、これに反対する物部尾輿との間に対立が生じた。

◆本地垂迹説

仏教の普及にともない、8世紀には旧来の日本の神々への信仰と融合する神仏習合の動

◆鑑真

奈良時代、5回にわたる渡航の失敗と失明の事故がありながら、753年に唐から渡来して戒律を伝え、唐招提寺の租となった。

きが出てきた。こうしたなかで、日本の神々はインドの仏が姿を変えたものだとする「本地垂迹説」や、逆に仏は日本の神々が姿を変えたものだとする「反本地垂迹説」が現れた。

◆僧兵

寺院に置かれた兵。平安時代、寺院は自衛のために武装するようになるが、僧兵はしばしば朝廷などに強訴（威圧して要求を押し通そうとすること）を行い、戦乱に加わることもあった。

◆江戸時代の仏教政策

キリスト教の禁教を徹底するため、寺請制度を設置して宗門改めを行った。また諸宗寺院法度を出して僧侶を統制した。

◆廃仏毀釈

明治政府は神仏習合を禁じる神仏分離令（1868年）を出し、神道の国教化を図った。これにより各地で仏教の排斥運動が起きた。

〔飛鳥文化〕斑鳩寺、法隆寺、鞍作鳥
〔白鳳文化〕薬師寺、興福寺仏頭
〔天平文化〕東大寺法華堂、唐招提寺金堂・講堂、薬師寺吉祥天像
〔行基〕奈良時代、各地で布教と社会事業
〔平安末期の仏教美術〕
　藤原頼通・平等院鳳凰堂
　奥州藤原氏・中尊寺金色堂

★★★フォローアップ★★★　次のうち、適切な記述を選べ。
(1) 親鸞は、法華経こそ正しい教えであると説き、日蓮宗を開いた。
(2) 浄土宗を開いた法然は、ひたすら念仏を唱えることで救われると説いた。
(3) 一遍は、煩悩の多い人間こそが救いの対象であると唱えた。
(4) 栄西は、踊念仏によって各地で布教を行った。
(5) 空海は、ただひたすら坐禅に打ち込む「只管打坐」を説いた。

◇解答　(2)

鎌倉時代〜室町時代

12世紀末に源頼朝により最初の武家政権が開かれ、貴族による支配から、武家による支配体制へと移行していく。鎌倉時代を中心に、幕府体制の特徴や主なできごとについて理解していきたい。

（1）鎌倉幕府の成立

◆源頼朝と武家政権

12世紀後半、源平の争乱のなかで源頼朝は鎌倉を拠点に勢力を固め、後白河法皇から東国の支配権を得た。

さらに1185年、壇の浦での平氏滅亡後、諸国に守護を、荘園・公領に地頭を置く権利を認められた。

のちに奥州2国を支配下においた頼朝は、1192年には征夷大将軍に任ぜられ、武家政権である鎌倉幕府を開いた。

鎌倉幕府の支配機構は、中央の職制として侍所（御家人の統制）、政所（一般の政務）、問注所（訴訟の事務）などが置かれた。

地方の守護と地頭には御家人が任命された。守護は、治安維持や地方行政官の役割、地頭は、年貢の徴収・納入や土地管理にあたった。

◇御恩と奉公

鎌倉時代には初めての封建制度が成立し、将軍と御家人は、土地を媒介とした主従関係で結ばれた。所領の所有を保障したり、新たに所領を与えたりする将軍の「御恩」に対して、御家人は軍役を務め、特に戦時には命がけで戦い「奉公」をした。

> **知っ得** ◇いざ　鎌倉幕府に危機が起きたら御家人は真っ先に駆けつけるという意味で、「いざ鎌倉」という言葉がある。

◇執権政治の流れ

1199年	頼朝死去　2代将軍頼家
1203年	北条時政初代執権　3代将軍実朝
1213年	2代目執権　義時（和田合戦）
1219年	実朝暗殺（源氏断絶）
1221年	義時追討の院宣（後鳥羽上皇）承久の乱→六波羅探題設置
1225年	評定衆設置　3代目執権　泰時
1232年	御成敗式目制定
1249年	引付衆設置　5代目執権　時頼
1268年	8代目執権　時宗
↓	元寇
1333年	16代執権守時（鎌倉幕府滅亡）

◆北条氏と執権政治

頼朝の死後、頼家、実朝の時代になると、御家人の主導権争いが続いたが、中から北条氏が台頭。13世紀初め、北条時政が執権として幕政を掌握した。

3代執権泰時の時代には、評定衆を設けて合議制を採用したり、裁判の基準となる武家最初の法典である御成敗式目(貞永式目：1232年) を制定するなど執権政治が確立された。

◆元寇

8代執権時宗は、元のフビライ・ハンからの服属要請を拒否したため、元軍に2度の襲来を受けた（1274年・文永の役、1281年・弘安の役）。

いずれも暴風雨などもあり元軍は退いたが、この戦いで幕府は新たな領土を得たわけではなく、必死で戦った御家人に対して十分な恩賞を与えられず、御家人の窮乏につながった。

◆鎌倉幕府の滅亡

14世紀、北条氏の専制に対する不満が高まるなか、後醍醐天皇を中心に討幕の動きが

高まり、楠木正成らが挙兵。足利尊氏、新田義貞も倒幕側として幕府と戦い、鎌倉幕府は滅亡した（1333年）。

(2) 室町幕府の成立

◆南北朝の動乱

後醍醐天皇は天皇を中心とする新たな政治（建武の新政）を行おうとしたが、その政策は武士からの反発も大きく、幕府の再建をめざしていた足利尊氏は京都を制圧して光明天皇を立てた（1336年）。

これに対し、京都から吉野に追われた後醍醐天皇も皇位の正当性を主張、南朝（吉野）と北朝（京都）の対立が始まった。動乱は長く続いたが、1392年に足利義満が南北朝を統一し、室町幕府を確立した。

◆勘合貿易

15世紀初め、足利義満は倭寇の禁止を求めてきた明との国交を開き、日明貿易を開始した。貿易は朝貢の形式がとられ、勘合と呼ばれる割符を用いたことから勘合貿易と呼ばれた。

◆北山文化と東山文化

室町時代には禅宗の影響を受けた文化が発展し、足利義満の時代には金閣を代表とする北山文化が栄えた。また、足利義政の時代

には銀閣を代表とする東山文化が栄え、建築では書院造や枯山水などの様式がみられた。茶道や花道の基礎が形成されたのもこの頃である。

◆六波羅探題

承久の乱（1221年）の後、朝廷の監視や西国の統制のために置かれた役職。

◆異国警固番役

文永の役の後、元軍の襲来に備えて整備した役職。御家人に九州北部の沿岸を警備させた。

◆鎮西探題

元寇の後、設置された。九州の御家人の統率や、政務・裁判などにあたった。

◆管領

室町幕府で設置された官職。将軍の補佐として幕政の中心となった。

◆守護大名

室町時代、守護の権限は拡大され、その国全体を支配するようになった。この時代の守護を鎌倉時代と区別して守護大名と呼ぶ。

◆倭寇

日本人を中心とする海賊。13〜16世紀に朝鮮や中国大陸沿岸で略奪などを行い、被害を与えた。豊臣秀吉の時代に禁圧された。

〔南北朝人物〕（南朝）楠木正成・新田義貞・北畠親房、（北朝）足利尊氏
〔義満の守護討伐〕土岐康行の乱、明徳の乱・山名氏清、応永の乱・大内義弘

〔寧波の乱〕細川氏・大内氏の衝突、大内氏が貿易を独占
〔日朝貿易〕木綿の輸入、応永の外寇、三浦の乱
〔室町時代の一揆〕正長の徳政一揆、播磨の土一揆、嘉吉の徳政一揆

★★★フォローアップ★★★　次の空欄にあてはまる語句を述べよ。
(1) (　　　　) は征夷大将軍に任じられ、鎌倉幕府を開いた。
(2) 北条泰時は裁判の基準となる (　　　　) を定めた。
(3) (　　　　) は元に服属を求められたが拒否し、元軍の襲来を受けた。
(4) 後醍醐天皇は天皇中心の新たな政治を行おうとした。これを (　　　　) という。

◇**解答**　(1) 源頼朝　(2) 御成敗式目（貞永式目）　(3) 北条時宗　(4) 建武の新政

戦国時代～安土桃山時代

15世紀後半から16世紀は群雄割拠の戦国時代であるとともに、ヨーロッパから新たな文化が流入し始めた時代であった。動乱の時代から信長・秀吉の天下統一までを、キリスト教との関係にも注意しながら確認しておきたい。

 集中レッスン

(1) 戦国時代

◆戦国大名の割拠

応仁の乱（1467～77年）を前後して、各地で戦国大名の争いが起こった。戦国大名は、服属させた地侍らを家臣とすると、彼らの土地の収穫高を通貨に換算（貫高）、地位と収入を保障する代わりに貫高に見合う軍役（貫高制）を課して軍事力を増強した。また、富国強兵のため、領国支配の基本法となる分国法（家法）を制定することもあった。

◆鉄砲伝来と南蛮貿易

1543年、ポルトガル人が種子島に漂着し、このとき鉄砲が日本に伝わった。以後、ポルトガルとの間に貿易が始まり、スペインとも貿易が行われるようになった。南蛮貿易では主に鉄砲や火薬、中国の生糸と日本の銀が交換された。鉄砲は戦国大名たちの戦法を大きく変えるものとなった。

◆キリスト教の布教

南蛮貿易と同時にキリスト教の布教も行われ、1549年にはイエズス会のフランシスコ・ザビエルが来日した。大名の中には信徒となる者もあらわれ、大友義鎮・有馬晴信・大村純忠は1582年、4人の少年をローマ教皇のもとに派遣（天正遣欧使節）した。

※ミニメモ：鉄砲、キリスト教が伝来した16世紀の西ヨーロッパは、スペイン、ポルトガルが大航海時代、イタリアはルネサンス時代、ドイツはルターの宗教改革のときだった。

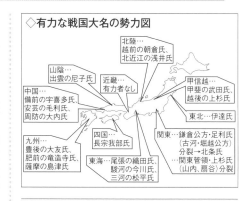

◇有力な戦国大名の勢力図

- 北陸…越前の朝倉氏、北近江の浅井氏
- 山陰…出雲の尼子氏
- 近畿…有力者なし
- 中国…備前の宇喜多氏、安芸の毛利氏、周防の大内氏
- 甲信越…甲斐の武田氏、越後の上杉氏
- 東北…伊達氏
- 九州…豊後の大友氏、肥前の竜造寺氏、薩摩の島津氏
- 四国…長宗我部氏
- 関東…鎌倉公方・足利氏（古河・堀越公方）分裂→北条氏…関東管領・上杉氏（山内、扇谷）分裂
- 東海…尾張の織田氏、駿河の今川氏、三河の松平氏

(2) 織田信長

天下統一を目指した尾張の織田信長は、優れた軍事力で今川氏ら諸大名を屈服させ、1573年には将軍足利義昭を追放して室町幕府を滅ぼした。一方で信長は、新たな政治・経済の体制として関所を廃止、商人の自由な活動を認める楽市楽座令をだし、商工業の発達を奨励した。しかし、統一事業の途上で、明智光秀の謀反にあい自害した（本能寺の変）。

◇信長の主な動き

1560年	桶狭間の戦い（今川義元を破る）
1568年	足利義昭を将軍に立てる
1570年	姉川の戦い（浅井・朝倉連合軍を破る）
1571年	延暦寺の焼き打ち
1573年	将軍義昭を追放
1575年	長篠の合戦（武田勝頼を破る）
1576年	安土城造営
1582年	本能寺の変

◆**信長と一向一揆**

　信長は、石山本願寺を中心とする一向宗（浄土真宗）の一向一揆に悩まされたが、伊勢長島、越前の一向一揆を鎮圧後、1580年には石山本願寺を屈服させた。信長はキリスト教を保護したが、これには一向宗の勢力を抑える狙いもあった。

（3）豊臣秀吉の天下統一

　豊臣秀吉は明智光秀を討ち、信長の後継者としての地位を固め、朝廷から関白、次いで太政大臣の地位を得た。さらに九州や東北までを支配下におさめ、天下統一を果たした。

◆**秀吉のキリスト教政策と貿易政策**

　秀吉は当初、キリスト教を容認していたが、大名のキリスト教入信を許可制にするなど統制を強め、さらにバテレン追放令を出して宣教師を国外に追放した。その一方で海賊取締令を出して海上の支配を強化し、南方貿易を奨励するなどしたため、キリシタン統制は不徹底となった。

先生の黒板

〔分国法〕今川仮名目録（今川氏）
　　　　　甲州法度（武田氏）
〔天正遣欧使節〕
　伊東マンショ、千々石ミゲル、中浦ジュリアン、原マルチノ
〔細川ガラシャ〕細川忠興の妻、キリシタン
〔ルイス・フロイス〕
　ポルトガル人宣教師、イエズス会
〔秀吉の朝鮮出兵〕
　文禄の役、慶長の役、李舜臣

◇秀吉の主な動き

1582年	山崎の合戦（明智光秀を討つ）
1583年	賤ヶ岳の戦い（柴田勝家を破る）
1584年	小牧・長久手の戦い（織田信雄・徳川家康と交戦、和睦）
1585年	四国平定、関白に任じられる
1586年	太政大臣の地位と豊臣の姓を得る
1587年	九州平定
1590年	東北平定

◇**三日天下**

知っ得　明智光秀が本能寺の変で天下をとってから豊臣秀吉に討たれるまでの期間がごく短いことから、「三日天下」という言葉がある。

◆**川中島の合戦**

　16世紀半ばの戦国時代末期、越後の上杉謙信と甲斐の武田信玄は、しばしば川中島で交戦した。

◆**太閤検地**

　秀吉は全国で統一基準を用いた検地を行い、土地の収穫高を表す基準を従来の貫高から石高に改めた。

◆**刀狩令**

　兵農分離の一環として1588年、秀吉が行った政策。農民の一揆を防ぎ、農業に専念させるため、農民から武器を没収した。

◆**五奉行と五大老**

　秀吉政権の末期、石田三成ら信任の厚い家臣を任じ政務にあたらせる五奉行と、徳川家康ら有力大名から選任し重要政務を合議させる五大老が置かれた。

★★★フォローアップ★★★　次の空欄にあてはまる語句を述べよ。
(1)（　　　　）に漂着したポルトガル人から鉄砲が伝わった。
(2) 一向宗の勢力は（　　　　）の支配に反発し、一向一揆を起こした。
(3) 豊臣秀吉は、（　　　　）を出して宣教師を国外追放とした。

◇**解答**　(1)種子島　(2)織田信長　(3)バテレン追放令

日本史

江戸時代の政治

江戸時代は、一定の平和と秩序が保たれ、産業の発達や経済の発展が進む一方で飢饉も多発、幕政にも変革が求められていく。幕府体制、綱吉・白石の政策、後半期の改革について確認したい。

◆大名・朝廷の統制

幕府の支配体制は家康から2代将軍秀忠、3代将軍家光の頃までにおおむね整備され、大名・朝廷を統制する仕組みも確立した。

①大名への統制→1635年、武家諸法度が制定され、大名は参勤交代を義務付けられた。

②朝廷に対して→1615年、禁中並公家諸法度を制定した。さらに、公家から選任した武家伝奏に幕府と朝廷の取り次ぎ役をさせた。

③西国の大名や朝廷の監視→京都所司代があたった。

◆キリスト教の禁教

信徒の団結や布教がスペインやポルトガルの侵略を招くおそれから、幕府はキリスト教を禁じるため、1612年には直轄地に、翌年は全国に禁教令を出して強制的に信者を改宗させた。さらに島原の乱（1637年）の後、信者の多い九州北部などでは踏絵を行わせるなど、キリスト教の禁圧を徹底した。

◆鎖国

初期には貿易が奨励され、幕府の許可を得た朱印船による貿易が盛んになった。

しかし、2代将軍秀忠のとき、キリスト教禁止と貿易利益独占のため制限が加えられるようになり、1616年に貿易地は長崎と平戸、後に長崎のみに限定された。交流が認められる国もオランダ、中国、朝鮮のみとなり、17世紀半ば頃から鎖国の状態になった。

◆綱吉の政治…元禄時代

5代将軍綱吉は学問に熱心で、朱子学を「正学」すなわち幕府の学問とし、湯島聖堂を建て学問を奨励した。また、仏教にも傾倒し寺社を造営したほか、後継者に恵まれなかったことから生類憐みの令（1685年）を発したりもした。

経済面では、財政悪化の対策として勘定吟味役・荻原重秀の貨幣改鋳の案を受け入れた。これは貨幣の質を下げるもので、財政難には効果もあったが、物価を騰貴させ民衆の生活を苦しめた。

◆正徳の治

6代将軍家宣・7代将軍家継のもと、政治改革にあたったのが新井白石である。財政面で白石は物価騰貴を抑えるため、正徳小判を鋳造して貨幣改革を行ったが、逆に経済に混乱を招く結果となった。また長崎貿易での金銀流出を防ぐため、海舶互市新例（1715年）を出して貿易額を制限した。

◆享保・寛政・天保の改革

江戸時代の後半には、右ページの表に掲げた3つの大きな幕政改革が行われた。

「享保の改革」は、家康時代への復古をかかげて「財政の再建」「江戸の都市政策」を中心に改革が行われた。

「寛政の改革」は、田沼意次時代の政策を改め、飢饉で危機におちいった財政基盤を復旧し、幕府の権威を再建しようとした。

また、「天保の改革」は、農村の再建や物価騰貴に対する厳しい統制などで改革をめざしたが、実を結ばず幕府権力の衰退を示した。

◆田沼意次の政策

9代将軍家重、10代将軍家治の時代、側用

人を経て老中に就いた田沼意次は経済活動の活性化による財政再建をねらい、株仲間を奨励して運上や冥加などによる税収の増加を図った。また、印旛沼など干拓工事（失敗）による新田開発も積極的に行った。しかし、こうした政策による賄賂の蔓延もあり、藩主からの批判も受けた。

◆大坂冬の陣・夏の陣

方広寺の鐘銘を口実に、徳川家康が豊臣秀頼を攻め、豊臣家を滅ぼした（1614〜15年）。

◆慶長遣欧使節

1613年、伊達政宗はメキシコとの通商を目的に支倉常長をスペインに派遣したが、通商は成立しなかった。

◆慶安の御触書

1649年に制定され、年貢の徴収を確実にするため、農民の生活を細かく規定した。

> 【知っ得】◇米将軍　将軍吉宗は、米価の安定や米の増産などに努めたことから「米将軍」という異称をもつ。

◇享保の改革（1716〜45年）
実施→8代将軍吉宗
・上げ米：大名に石高1万石につき100石を献上させる代わりに、参勤交代の江戸在府期間を半減。
・定免法：年貢率を固定。
・相対済し令：金銀貸借の争いを当事者同士で解決させる。
・公事方御定書：幕府の基本法典。刑罰や裁判の基準。
・足高の制：旗本の人材登用策。在職期間中のみ役高に不足分だけ禄高を上げる。
・目安箱：庶民の要望を受付け。小石川養生所などを設ける。
・新田開発

◇寛政の改革（1787〜93年）
実施→老中・松平定信（11代将軍家斉の時代）
・囲米：飢饉に備えて米を貯蔵させる。
・旧里帰農令：農民の帰村を奨励。
・人足寄場：無宿人を収容して職業訓練。
・棄捐令：旗本・御家人救済に、札差からの借金を帳消しにさせる。
・七分積金：町費を節減し、7割を積み立てさせ、災害時の貧民救済にあてる。
・寛政異学の禁：湯島聖堂学問所での朱子学以外の学問を禁止する。

◇天保の改革（1841〜43年）
実施→老中・水野忠邦（12代将軍家慶の時代）
・倹約令：ぜいたくを禁じ、風俗を取り締まる。
・人返しの法：都市に流入した農民を強制的に帰農させる。
・株仲間の解散：物価高騰の解消をねらう（誤った判断で逆効果に）。
・上知令：江戸・大坂周辺の地を直轄地に（大名や旗本の反対により実施されず）。

先生の黒板

〔大名〕親藩・譜代・外様
〔御三家〕紀伊・水戸・尾張
〔高山右近〕キリシタン大名、禁教令でマニラに追放
〔青木昆陽〕蘭学者、吉宗に登用、甘藷の栽培を奨励
〔江戸時代の飢饉〕享保の大飢饉、天明の大飢饉、天保の大飢饉
〔藩政改革〕薩摩藩・島津斉彬、萩（長州）藩・村田清風、佐賀藩・鍋島直正

★★★フォローアップ★★★　次の空欄にあてはまる語句を述べよ。
(1)（　　　　）は目安箱を設けて庶民の意見を取り入れた。
(2) 松平定信は（　　　　）を設けて無宿人に職業訓練を行った。
(3)（　　　　）は人返しの法を定め、農民を帰農させた。

◇解答　(1) 徳川吉宗　(2) 人足寄場　(3) 水野忠邦

各時代の争乱

古代より日本では幾度となく争乱・動乱が起こり、新たな勢力の台頭や社会の変化へとつながっていった。江戸時代までに生じた主な争乱・動乱について、概要と社会に与えた影響を理解しておこう。

(1) 古代

◆壬申の乱→皇位継承争い

　7世紀、天智天皇の死後、大海人皇子（天皇の弟）と大友皇子（天皇の子）の間で皇位継承争いが起きた（672年）。古代最大の内乱となったこの戦いに勝利した大海人皇子は飛鳥浄御原宮で即位して天武天皇となり、八色の姓を制定して新たな身分秩序を整えるなど、中央集権体制の強化を進めた。

(2) 平安時代

◆承平・天慶の乱（平将門の乱・藤原純友の乱）→武士の成長

　平安時代中期（10世紀頃）から、地方を中心に武士が台頭するようになった。939年、下総を拠点とする平将門は反乱を起こし、関東の大半を支配下におさめ新皇を称するが、平貞盛や藤原秀郷により平定された。また同じ頃に藤原純友は瀬戸内海の海賊を率いて兵を挙げ、伊予の国府や太宰府を攻略したが、源経基により鎮圧された。

　この2つの乱を合わせて承平・天慶の乱という。この乱により地方の武士の力が朝廷や貴族に認識され、警備や治安維持に用いられるようになった。

◆前九年の役・後三年の役→陸奥の豪族平定

　平安時代末期、東北地方で反乱を起こした陸奥の豪族安倍氏に対し、陸奥守の源頼義は子の義家とともに戦い、出羽の豪族清原氏の支援を受けて安倍氏を滅ぼした（前九年の役・1051〜62年）。その後、清原氏に内紛が生じると、これに陸奥守・義家が介入、藤原（清原）清衡について敵対勢力を倒した（後三年の役・1083〜87年）。これらの戦いにより義家は東国での源氏の勢力を固め、平泉では奥州藤原氏が繁栄していくことになった。

◆保元・平治の乱→平清盛の権勢

　12世紀半ば、鳥羽法皇の死後、崇徳上皇と後白河天皇の間で実権争いが起こり、後白河天皇が藤原通憲（信西）、平清盛、源義朝らを勢力に引き入れて崇徳上皇を破った（保元の乱、1156年）。

　この乱の後、通憲・清盛と対立した藤原信頼が源義朝とともに挙兵するが、信頼・義朝は敗れ、以後、清盛の勢力は強大なものになった（平治の乱、1159年）。

◆治承・寿永の乱（源平合戦）→平氏滅亡

　安徳天皇の外戚として権勢をふるう平清盛に対し、以仁王が決起を呼び掛け、源頼政とともに挙兵（1180年）。頼朝や義仲など源氏一門が立ち上がり、地方の武士団や寺社勢力も平氏討伐に加わって全国的な争乱となった。平氏は一時、福原京へと遷都するが再び京都に戻り敵対勢力に対抗しようとしたが敗れて都落ち、壇の浦で滅ぼされた（1185年）。

(3) 鎌倉時代

◆承久の乱→幕府の支配力の強化

　源頼朝の死後、実権を握った北条氏に、後鳥羽上皇は朝廷の勢力回復を試み、2代執権北条義時追討の挙兵（1221年）を行うが、幕府

側が圧勝。3上皇の配流（後鳥羽上皇は隠岐に）と仲恭天皇の廃位が行われた。この乱の後、六波羅探題をおくなどして朝廷への干渉が強まった。幕府の勢力は畿内や西国にも及ぶようになり、執権政治発展の時期を迎えた。

(4) 室町時代

◆応仁の乱→戦国時代の口火

将軍足利義政の後継問題と、管領家の畠山・斯波両氏の家督争いが絡み、応仁の乱（1467

◆藤原広嗣の乱

奈良時代、聖武天皇の朝廷では橘諸兄、玄昉や吉備真備が権勢をふるったが、疫病が多発。これに対し藤原宇合（うまかい・式家）の子、広嗣は政敵の玄昉と吉備真備を批判し、九州で反乱を起こした（740年）。しかし、広嗣は敗れ藤原式家は衰退。朝廷も動揺が鎮まらず、聖武天皇は遷都を重ねた。

◆応天門の変

平安時代、応天門炎上をめぐり、大納言伴善男が政敵に放火の罪を着せようとしたが、放火は善男の子によるものとの声に善男父子が失脚する（866年）。この事件を通じ、藤原氏の摂関政治の基盤が確立された。

◆鹿ヶ谷の陰謀

平氏の専横への反発が強まるなか、1177年、後白河法皇の近臣・藤原成親と僧・俊寛らが平氏打倒を企てるが失敗に終わる。これにより清盛は後白河法皇を幽閉し、多くの貴族を処罰した。

〜77年）が起きた。守護大名は、細川勝元率いる東軍（義視側）と山名持豊率いる西軍（義尚・義政側）に分かれて争い、京都を中心に各地に争乱が広がった。この乱により、将軍の権威は失墜し、戦国時代が幕を開けることとなった。

(5) 江戸時代

◆島原・天草一揆→禁教政策強化へ

九州の島原・天草で、苛政と禁教に対してキリスト教徒を中心とする農民一揆が起きた（1637〜38年）。天草四郎時貞を首領に大規模な一揆となったが幕府がこれを鎮圧。この乱の後、幕府の禁教政策が強化された。

◆大塩平八郎の乱→幕政改革に挙兵

江戸時代後期、天保の飢饉による民衆の困窮に、大坂町奉行所の元与力・大塩平八郎は奉行所に貧民救済を求めたが聞き入れられず、自身の蔵書を売って救民にあてた。1837年、幕政改革を訴えて門弟や農民を動員して挙兵したが、あえなく鎮圧された。元役人による反乱は、社会に大きな影響を与え、大塩の弟子を称する生田万が柏崎の陣屋を襲撃する（生田万の乱）など余波が続いた。

〔磐井の乱〕
6世紀初め、筑紫国造、大和朝廷への反乱
〔承和の変〕
842年、伴健岑・橘逸勢失脚、藤原良房
〔安和の変〕
969年、源高明失脚、藤原氏による他氏排斥
〔平忠常の乱〕
11世紀前半、源頼信、源氏東国進出

★★★フォローアップ★★★　次のうち、適切な記述を選べ。
(1) 壬申の乱で勝利した大友皇子は即位して天武天皇となった。
(2) 瀬戸内で起きた平将門の乱は、平貞盛や藤原秀郷により平定された。
(3) 後白河天皇は承久の乱に敗れて隠岐に流された。
(4) 将軍の後継問題と畠山・斯波家の家督争いから応仁の乱が起き、各地に争乱が広まった。
(5) 禁教と苛政に苦しんだ島原・天草の農民は大塩平八郎を中心に一揆を起こした。

◇解答　(4)

明治期の日本

江戸幕府から政権を移行した明治政府は、政治、経済、軍事など多岐にわたる改革を行い、天皇を中心とする新たな国家体制の構築を進める。日本を近代国家とするためには、国内の諸制度の整備はもちろん、対外的地位の向上も急務であった。

◆版籍奉還と廃藩置県

　明治政府は1869年、薩摩・長州・土佐・肥前の4藩主から版（領地）と籍（領民）を天皇に返還させ、次いで全藩主にもこれを命じた。これを版籍奉還といい、旧藩主は知藩事に任命された。さらに政府は、1871年、薩摩・長州・土佐の3藩から御親兵を集めて武力を固め、廃藩置県を断行。藩を廃止して府県を置き、知藩事にかわり、府知事・県令を任命する。こうして全国を政府の支配下に置き、中央集権体制を整備した。

◆地租改正

　政府は安定した財源を確保するため、土地・租税制度の改革を図った。まず1871年、徳川家光時代1643年以来の田畑勝手作の禁を解き、1872年に田畑永代売買の禁令（同じく1643年に制定）を解いて地券を交付して土地の所有権を認めた。1873年に地租改正条例を公布し、約7年の歳月をかけて地租改正が行われた。

> ◇地租改正の主な内容
> ・課税基準を収穫高から地価に変更する　・物納から金納に変更する　・土地所有者が納税
> ・税率は地価の3%（1877年から2.5%）

◆条約改正

　幕末の1858年、アメリカ、オランダ、イギリス、フランス、ロシアと結んだ条約（安政の五カ国条約）は、日本に関税自主権がなく、治外法権を認める不平等条約で、条約改正は明治政府にとって重要な課題であった。

　1871年、岩倉具視を大使として欧米諸国へ大規模な使節団が派遣されたが条約改正は果たせず、各国の政治や産業を視察して回った。以後も交渉が続けられ、陸奥宗光により日英通商航海条約（1894年）、小村寿太郎により日米通商航海条約（1911年）が締結され、

◇条約改正交渉の流れ

年代	交渉担当者	主な交渉内容	成否
1876～79年	寺島宗則	関税自主権回復	失敗
■アメリカとは交渉が成立するも、イギリス・ドイツが反対して無効			
1879～87年	井上馨	治外法権撤廃、関税率引き上げ	失敗
■外国人判事の任用を条件とするなどに国内からの反対があり、また井上の欧化政策への批判もあって交渉は中止			
1888～89年	大隈重信	治外法権撤廃、関税率引き上げ	失敗
■米・独・露と調印も、大審院に外国人判事の任用を認めていたことが発覚。大隈は右翼団体の青年に襲われ交渉を中止			
1889～91年	青木周蔵	治外法権撤廃、関税自主権回復	失敗
■ロシア皇太子が来日中に滋賀県の巡査に切りつけられた大津事件で、青木が外相を辞任			
1892～94年	陸奥宗光	治外法権撤廃、関税率引き上げ	成功
■青木周蔵を駐英公使とし、イギリスと交渉を開始、調印に成功			
1911年	小村寿太郎	関税自主権回復	成功
■条約改正が達成される			

条約改正が果たされた。改正には日清・日露戦争の勝利も大きく影響した。

◆自由民権運動と国会開設

板垣退助らが1874年、民撰議院設立の建白書を提出したのを発端に自由民権運動が起こり、愛国公党や立志社、愛国社などの政治結社が生まれた。政府は讒謗律(ざんぼうりつ)・新聞紙条例を制定し(1875年)、厳しく弾圧。自由民権運動では藩閥政治を批判し、国会の開設や憲法の制定、地租軽減、条約改正などが要求された。

国会については、政府内で早期の国会開設を訴える大隈重信とこれに反対する伊藤博文が対立。政府は開拓使官有物払下げ事件(1881年)への世論の批判を機に大隈を政府から追放して、1890年の国会開設を約束した(明治十四年の政変)。国会開設の公約を受け、自由党や立憲改進党などの政党が結成される一方、薩長派の政権が確立し、立憲君主制への道が始まった。

◆徴兵令

1872年の徴兵告諭により、1873年、「国民皆兵」を原則として、士族・平民の区別なく満20歳以上の男子を徴兵対象とする徴兵令が公布された。兵制の創設は大村益次郎が構想し、山県有朋が中心となって実現されたものである。実際には免除規定も多かった。

◆征韓論

明治初期、西郷隆盛や板垣退助は鎖国政策をとる朝鮮に対し、武力を用いてでも開国を迫ろうと主張したが、欧米視察から帰国した大久保利通や木戸孝允らは反対。征韓派は下野し、士族の反乱や自由民権運動の中心となった。

◆松方財政

1881年に大蔵卿に就任した松方正義は、政府財政の立て直しに増税や紙幣の整理を行い、翌年には日本銀行を設立、銀本位の貨幣制度が整えられた。

しかし、その政策は厳しい緊縮政策であったため、農民には生活の困窮から急進的な自由民権運動に走る者も現れ、社会の動揺は大きくなった。

◆大日本帝国憲法

憲法制定には、ドイツ流の憲法理論を学んだ伊藤博文を中心に準備が進められた。草案は枢密院での審議を経て1889年、「天皇大権」や「統帥権の独立」を特徴とする大日本帝国憲法が発布された。

◇政党の特色

政党	中心人物	特徴
自由党	板垣退助	フランス風急進的自由主義
立憲改進党	大隈重信	イギリス風漸進主義的議会政治
立憲帝政党	福地源一郎	政府系・保守的

先生の黒板

〔四民平等〕華族、士族、平民
〔秩禄処分〕家禄・賞典禄の廃止
〔藩閥政府〕薩摩、長州、土佐、肥前
〔士族の反乱〕佐賀の乱・江藤新平、神風連の乱、秋月の乱、萩の乱、西南戦争・西郷隆盛
〔中江兆民〕民約訳解(ルソー『社会契約論』の漢訳)、東洋のルソー
〔三大事件建白運動〕井上馨の条約改正失敗、地租軽減・言論と集会の自由・外交の回復を求める自由民権運動

★★★フォローアップ★★★　次の空欄にあてはまる語句を述べよ。
(1) 明治政府は藩主から領地と領民を天皇に返還させた。これを(　　　　)という。
(2) (　　　)条例が公布され、地価を基準に土地所有者が納税する税制度が確立した。
(3) 1911年、(　　　)は関税自主権の回復に成功した。

◇解答　(1) 版籍奉還　(2) 地租改正　(3) 小村寿太郎

日本史

19世紀末〜20世紀前半の日本の情勢

この時代、海外では欧米列強が植民地獲得競争を繰り広げていた。日本もまた日清戦争、日露戦争、第一次世界大戦を経て列強と対等の地位に並ぶまでになり、中国へ勢力を拡大させていく。当時の日本の内外の状況について主な動きを押さえておきたい。

◆日清戦争

朝鮮の内政改革をめぐり日本と清は対立、甲午農民戦争（東学党の乱）をきっかけとして日清戦争（1894〜95年）へと発展した。1880年代にかけて起きた壬午事変、甲申事変を経て、清国の軍事力に依存し始めた朝鮮に経済進出を図る日本と清との対立は深まっていた。

日本はこの戦争に勝利し、日本全権の伊藤博文・陸奥宗光と清全権の李鴻章により下関条約が結ばれた。条約では清が朝鮮の独立を認め、日本は遼東半島などを獲得したが、満州に利害関係のあるロシアを刺激。フランス、ドイツを巻き込んだ三国干渉を受け、これを清に返還した。

◆日露戦争

清国では日清戦争後、列強による中国進出（中国分割）が行われた。これに抵抗した義和団の外国人排斥運動（義和団事件）の高まりが、1900年、列強と清国の戦い（北清事変）となった。

この戦争の最中に、ロシアが満州に進出すると、日本は韓国の権益をおびやかされることに警戒感を強め、同じくロシアを警戒するイギリスと1902年に日英同盟を結んだ。

国内では内村鑑三らの非戦論や反戦論を唱える声もあるなか、1904年、日露戦争が始まった。日本は、ロシアの満州占領に反対するイギリス、アメリカの支持を受けて優勢に立ち、日本海海戦でバルチック艦隊に勝利して軍事

◇朝鮮半島情勢	
1876年	日朝修好条規…朝鮮開国。
1882年	壬午事変（壬午軍乱）…親日策をとる王妃・閔妃勢力に対し、親清派の大院君が反乱。
1884年	甲申事変…金玉均らが朝鮮の改革をめざし、日本の援助を受けクーデターを起こすが、清の介入により失敗。日本と清は天津条約（1885年）により、朝鮮からの撤兵と、朝鮮出兵時の通告を定めた。
1894年	甲午農民戦争（東学党の乱）…朝鮮で起きた減税と排日の農民反乱。朝鮮政府は鎮圧のため清に出兵を要請、これに対抗して日本も出兵する。

的勝敗を決めた。

戦争の終結は、アメリカのセオドア・ルーズヴェルト大統領の仲介により、日本全権・小村寿太郎とロシア全権・ウィッテの間でポーツマス条約が結ばれた。しかし、この条約で日本が賠償金を得られなかったことから、民衆の不満が爆発し、日比谷焼打ち事件が起きた。戦争では日本側の犠牲も大きく、財政的にも国民は大きな負担を強いられていた。

◆第一次世界大戦

ヨーロッパを舞台にして始まった第一次世界大戦（1914〜18年）で、日本は日英同盟を理由にドイツに宣戦。中国でのドイツの拠点・青島などを攻撃した。さらに1915年には中国に対して21カ条の要求を突きつけ、山東省でのドイツ権益の引継ぎなどを求めるなど、中国での勢力拡大をめざした。

一方、ロシアでは、レーニンによるロシア革命（1917年）が起き、ソヴィエト政権が成立。日本は社会主義の波及を恐れてシベリア

に出兵した（1918年）。

◆ワシントン会議

　1921年から22年にかけて、アメリカの呼びかけで海軍の軍縮や太平洋・極東問題を話し合うワシントン会議が開かれた。これには、建艦競争によるアメリカ国内の財政負担軽減と東アジアでの日本の膨張を抑えるねらいがあった。日本からは加藤友三郎や幣原喜重郎らが出席、次のような条約を締結した。

四カ国条約	英・米・日・仏	太平洋での領土保全。この条約で日英同盟は破棄。
九カ国条約	英・米・日・仏・伊・中・蘭・ベルギー・ポルトガル	中国の領土保全・門戸開放・機会均等など。
海軍軍縮条約	英・米・日・仏・伊	主力艦の保有量の制限。

◆協調外交

　第一次世界大戦後はワシントン会議に代表されるような協調的な国際秩序が生まれ、日本も協調外交の姿勢をとった。とくに1924年に発足した加藤高明内閣の幣原喜重郎外相のもとでは「幣原外交」とも呼ばれる顕著な協調路線がとられた。

◆ロンドン海軍軍縮会議と統帥権干犯問題

　イギリスの呼びかけで、ワシントン会議で除外された補助艦の保有制限などを審議するロンドン海軍軍縮会議（1930年）が開かれた。

浜口雄幸内閣は海軍の反対を押し切って条約に調印したが、野党や右翼から統帥権の干犯であると批判が上がり、浜口首相は右翼青年の狙撃を受けて負傷、翌年死亡した。

◆普通選挙法と治安維持法

　1925年、加藤高明内閣は、満25歳以上の男子に選挙権を認める普通選挙法を成立させた。一方で、ソ連との国交樹立などによる共産主義の進出を防ぐために、同時に治安維持法を制定した。

◆田中義一の強硬外交

　田中義一首相は従来の協調外交を転換して中国に対し強硬路線をとり、日本人居留民の保護を口実に山東出兵（1927～28年）を行った。第2次の出兵では、関東軍による満州某重大事件の処理をめぐり田中首相は退陣をした。

◆五・一五事件

　軍部や右翼の急速な国家改造運動が活発になるなか、1932年に海軍の青年将校が中心となって、犬養毅首相を殺害した事件。

◆二・二六事件

　1936年、国家改造・軍政府樹立をめざした陸軍の皇道派青年将校が高橋是清蔵相や斎藤実内大臣らを殺害したクーデター事件。

先生の黒板

〔日露戦争時の反戦論〕
　内村鑑三、幸徳秋水、堺利彦、与謝野晶子
〔原敬〕政党内閣、平民宰相
〔大正デモクラシー〕吉野作造・民本主義、美

濃部達吉・天皇機関説
〔大正時代の社会運動〕
　第1回メーデー、新婦人協会、日本農民組合、全国水平社、日本共産党
〔満州事変〕
　柳条湖事件、満州国、リットン調査団

★★★フォローアップ★★★　次の空欄にあてはまる語句を述べよ。

(1) 日露戦争の講和条約で賠償金が得られなかったことから（　　　　）が起きた。

(2) 第一次世界大戦で日本は中国に（　　　　）を突きつけた。

(3) 加藤高明内閣は、（　　　　）の成立と同時に治安維持法を成立させた。

◇解答　(1) 日比谷焼打ち事件　(2) 21カ条の要求　(3) 普通選挙法

＜練習問題＞

練習問題1

次の記述のうち、妥当なものはどれか。

（1）持統天皇の摂政であった聖徳太子は蘇我入鹿の協力を得て、憲法十七条の制定などの改革を行った。

（2）中大兄皇子と中臣鎌足は大宝律令を制定して律令体制を整備した。

（3）桓武天皇は三世一身法を制定して開墾した土地の永久私有を認めた。

（4）醍醐天皇は仏教勢力の影響から離れるため平安京へと遷都した。また坂上田村麻呂を蝦夷討伐に派遣した。

（5）遣唐使は唐の衰退や渡航の危険性などから、菅原道真の建議により廃止された。

練習問題2

次の空欄にあてはまる語句の組合せはどれか。

　奈良時代には、（　A　）が仏教の鎮護国家思想により国家の安定を図ろうとするなど、仏教は政治と結びついて発展した。

　平安時代初期、最澄は（　B　）を、空海は（　C　）を開いた。二人の教えは加持祈祷による現世利益を求める貴族から支持を受けた。

　鎌倉時代には専修念仏を唱える（　D　）の（　E　）など新しい仏教が生まれ、各地の武士や庶民に広まった。

	A	B	C	D	E
（1）	聖武天皇	天台宗	真言宗	法然	浄土宗
（2）	聖武天皇	天台宗	真言宗	親鸞	浄土教
（3）	聖武天皇	真言宗	天台宗	親鸞	時宗
（4）	元明天皇	天台宗	真言宗	日蓮	浄土宗
（5）	元明天皇	臨済宗	曹洞宗	親鸞	日蓮宗

練習問題3

次のうち、妥当な記述はどれか。

（1）源頼朝は諸国に守護を、荘園に地頭を置き、武家の法典として御成敗式目を制定した。

（2）朝廷の勢力回復を図る後鳥羽上皇は、六波羅探題を拠点として承久の乱を起こした。

練習問題1　　　　　［解答］（5）
（1）持統天皇ではなく推古天皇、蘇我入鹿ではなく蘇我馬子である。
（2）大宝律令は701年、藤原不比等や刑部親王らにより完成された。中大兄皇子や中臣鎌足の時代ではない。
（3）開墾した土地の永久私有を認めたのは聖武天皇の墾田永年私財法である。また三世一身法と桓武天皇に直接的な関係はない。
（4）醍醐天皇ではなく桓武天皇である。
（5）適切である。

練習問題2　　　　　［解答］（1）
　Aは聖武天皇、Bは天台宗、Cは真言宗、Dは法然、Eは浄土宗である。

練習問題3　　　　　［解答］（3）
（1）前半の記述は妥当だが、御成敗式目を制定したのは北条泰時。
（2）六波羅探題は承久の乱の後、朝廷の監視のために設置されたものである。
（3）適切である。

（3）二度にわたる元軍の襲来で御家人は十分な恩賞が与えられず、窮乏につながった。

（4）北朝の後醍醐天皇は南北朝を統一し、建武の新政と呼ばれる政治を行った。

（5）室町幕府を開いた足利尊氏は有力守護の勢力抑制を図り、大内氏などを滅ぼした。

練習問題4

A〜Dを年代順に並べたものとして適切なものはどれか。

A 後白河天皇と崇徳上皇との実権争いで後白河天皇側について活躍した平清盛は、次いで藤原信頼、源義朝に勝利した。

B 天智天皇の死後、天皇の弟である大海人皇子と天皇の子である大友皇子の間で皇位継承争いが起こり、大海人皇子が勝利した。

C 将軍家の後継問題と畠山・斯波家の家督争いから、東軍（細川勝元派）と西軍（山名持豊派）による11年にわたる争乱が起きた。

D 源頼義・義家は出羽の豪族清原氏の支援で陸奥の豪族安倍氏を倒した。さらに義家は清原氏の内紛に介入し、藤原清衡についてこれを平定した。

（1）A－B－C－D

（2）A－C－D－B

（3）B－A－D－C

（4）B－C－D－A

（5）B－D－A－C

練習問題5

次のうち、享保の改革の政策として正しいものはどれか。

（1）公事方御定書を制定して、刑罰や裁判の基準を示した。

（2）旗本や御家人の救済のため、札差からの借金を帳消しにする棄捐令を設けた。

（3）人返しの法を設けて都市に流入した農民を強制的に帰農させた。

（4）金銀の流出防止のため、海舶互市新例により貿易額を制限した。

（5）荻原重秀の貨幣改鋳案を受け、貨幣の質を低下させた。

（4）後醍醐天皇は建武の新政を行ったが、武士からの反発が大きく南北朝の動乱につながった。後醍醐天皇は南朝である。また南北朝を統一したのは足利義満。

（5）足利尊氏ではなく足利義満である。

練習問題4　　　　　[解答]（5）

Aは保元の乱（1156年）と平治の乱（1159年）、Bは壬申の乱（672年）、Cは応仁の乱（1467〜77年）、Dは前九年の役（1051〜62年）と後三年の役（1083〜87年）である。

練習問題5　　　　　[解答]（1）

（1）は享保の改革、（2）は寛政の改革、（3）は天保の改革、（4）は新井白石の政策、（5）は徳川綱吉の政策である。

次のうち、妥当な記述はどれか。
（1）織田信長は川中島の合戦で武田勝頼を破るなど、対抗勢力を次々と排除した。
（2）織田信長は楽市楽座令など商工業を奨励する一方で、刀狩令など兵農分離を進めた。
（3）豊臣秀吉は土地の収穫高を示す基準を石高に改め全国で統一的な基準による検地を行った。
（4）一向宗の勢力に悩まされた豊臣秀吉はキリスト教を禁止し、海外との貿易も禁じた。
（5）キリシタン大名の高山右近は伊東マンショら4人の少年をローマ教皇のもとに派遣した。

練習問題7

次のうち、誤った記述はどれか。
（1）征韓論を主張して下野した西郷隆盛は西南戦争で反乱士族の首領となった。
（2）前島密はイギリスで郵便制度を調査し、帰国後、郵便事業の確立に尽力した。
（3）板垣退助らは民撰議院設立の建白書を提出して国会の開設を求めた。
（4）大隈重信らはイギリス風の穏健な議会政治を求めて自由党を設立した。
（5）青木周蔵は外相として条約改正にあたったが、大津事件により辞任した。

練習問題8

次のうち、妥当な記述はどれか。
（1）日清戦争ではアメリカの仲介で、日本全権・小村寿太郎と清全権・李鴻章により下関条約が結ばれた。
（2）日露戦争では日本はロシアに劣勢を強いられ、日本海海戦でバルチック艦隊に敗れた。
（3）第一次世界大戦が勃発すると、日英同盟を結んでいた日本はフランスに宣戦し、青島などを攻撃した。
（4）第一次世界大戦後、ヴェルサイユ条約への不満から海軍の青年将校らが五・一五事件を起こした。
（5）加藤高明内閣は、普通選挙法を成立させるとともに治安維持法を制定した。

練習問題6　　　　　　［解答］（3）
（1）川中島の合戦は上杉謙信と武田信玄の争いである。織田信長は長篠の合戦で武田勝頼に勝利した。
（2）刀狩令を出したのは秀吉である。
（3）適切である。
（4）一向宗の勢力に悩まされたのは信長で、信長はキリスト教を保護した。秀吉は当初、キリスト教を容認していたが、やがてキリスト教の取り締まりを強化した。しかし貿易は奨励した。
（5）高山右近はキリシタン大名だが、伊東マンショら天正遣欧使節を派遣したのは大友義鎮、有馬晴信、大村純忠である。

練習問題7　　　　　　［解答］（4）
　（4）の「自由党」は「立憲改進党」である。自由党は板垣退助を中心とする政党で、フランス風の急進的自由主義を唱えた。（4）以外は適切な記述である。

練習問題8　　　　　　［解答］（5）
（1）日本の全権は伊藤博文と陸奥宗光で、小村寿太郎は日露戦争の講和で全権を務めた。またアメリカが講和を仲介したのは日露戦争の際である。
（2）日本はバルチック艦隊に勝利した。
（3）フランスではなくドイツである。
（4）ヴェルサイユ条約が結ばれたのは1919年、五・一五事件が起きたのは1932年で直接的な関係はない。
（5）適切である。

世界史

◇世界史頻出問題上位

①中国王朝
②各国の宗教改革
③中国の歴史
④18〜19世紀のアメリカ
⑤16〜17世紀のヨーロッパ情勢
⑥20世紀初頭の国際関係
⑦ヨーロッパの絶対王政
⑧1900年代の中国
⑨キリスト教の歴史
⑩古代文明

世界史

古代世界と各地の文明

古代文明については、オリエントで発展したエジプト文明やメソポタミア文明、アジアに生まれたインダス文明や黄河文明に関する知識は必須である。インカ帝国などアメリカ大陸の文明や地中海沿岸の古代ギリシアも押さえておこう。

◆エジプト文明

　エジプトでは紀元前3000年頃に統一国家が建設された。ファラオと呼ばれる王は現人神とされ、絶対的な権力の下、神権政治を行った。紀元前4世紀までに、約30の王朝が交替しており、古王国、中王国（前22世紀に成立）、新王国（前16世紀に成立）に分けられる。

　十進法や太陽暦が用いられ、文字ではヒエログリフと呼ばれる象形文字の神聖文字が有名である。代表的な建造物にはピラミッドがあり、特に古王国のクフ王がギザに築いたものが最大である。独特の死後の世界観からミイラがつくられ、死者を葬る際にはパピルスに書かれた「死者の書」と呼ばれる文書が副葬された。

◆メソポタミア文明

　紀元前3000年頃から、現在のイラクにあたるチグリス川・ユーフラテス川の流域で都市国家が建設される。天文学や暦法、数学などが発達し、六十進法が用いられた。また太陰暦が使用され、閏年が設けられた。建造物と

[知っ得]
◇ナイルはエジプトにナイル川の定期的な氾濫はエジプトに肥沃な土壌をもたらし、エジプト文明の礎となったことから、「エジプトはナイルのたまもの」といわれる。

してはれんが造りの城壁をめぐらした壮大な神殿があり、また、楔形文字が刻まれた粘土板も出土されている。この地には絶えず諸民族が侵入し、王朝の興亡が激しかった。前18世紀頃、古バビロニア王国のハンムラビ王により、「目には目を、歯には歯を」の復讐原理によるハンムラビ法典が制定された。

◆インダス文明

　インドのインダス川流域では早くから灌漑が行われていたが、紀元前2500年頃から都市文明が栄えるようになり、中流域のハラッパや下流域のモヘンジョ・ダロに都市が建設された。これらの都市は排水溝や公共浴場などの施設を持ち、整然とした計画に基づいて建設されていたことが窺える。彩文土器、銅器、青銅器、鉄器、象形文字を刻んだ印章などが出土している。

◆黄河文明と殷

　中国の黄河流域では紀元前4000年頃から粟や黍の農耕が始まるとともに、彩文土器が作られるようになった。この文明の初期の文化を彩陶文化（仰韶文化）と呼び、代表的な遺跡に半坡遺跡がある。また後には黒陶文化（竜山文化）が栄えた。

◇オリエントと地中海沿岸の古代文明と国家の流れ概略

	B.C.	3000	2000	1000	500
エジプト文明			古王国　　中王国	新王国	
メソポタミア文明		シュメール国家 アッカド王国その他	バビロニア第一王朝　メソポタミア統一	＜小アジア＞ヒッタイト王国 ＜南メソポタミア＞カッシート王国 ＜北メソポタミア他＞ミタンニ王国	東地中海民族　アラム人・フェニキア人・ヘブライ人 アッシリア　古代オリエント統一 アケメネス朝ペルシア　4王国
エーゲ文明			クレタ文明 ミケーネ文明		

流域には複数の都市国家が成立したが、紀元前16世紀に殷が統一王朝を樹立して、王を最高の司祭者とする祭政一致の神権政治を行った。文字は占いの記録のために亀の甲羅や牛の骨などに刻んだものを起源とすることから甲骨文字と呼ばれる。

◆インカ帝国

13世紀頃から南米アンデス山脈の周囲で繁栄、15世紀末に最盛期を迎えた。皇帝は太陽神の子とされ、絶対的な権力を有していた。巨石を隙間なく積み重ねる建築技術や首都から全国に広がる道路網があったが、文字の使用はなく、キープと呼ばれる縄の結び目による計数法が用いられていた。また鉄器の使用はなく、金・銀・青銅器を用い、馬や牛、ラクダなどの大型の家畜もいなかった。代表的な遺跡にマチュピチュがある。1533年、ピサロが率いるスペイン軍に征服された。

◆ヘブライ（イスラエル）人

古代パレスチナに定住したヘブライ人の一部は、紀元前15世紀頃エジプトに移住したが新王国の圧政に苦しめられた。紀元前13世紀、

先生の黒板

〔エーゲ文明〕クレタ文明・クレタ島・クノッソス宮殿、ミケーネ文明・ミケーネ・ティリンス
〔アテネ〕陶片追放、ペルシア戦争、デロス同盟、民会
〔マケドニア〕フィリッポス2世・ギリシア征服、アレクサンドロス・東方遠征
〔アステカ文明〕メキシコ・象形文字・彩文土器

◇古代オリエントの世界

[知っ得] ◇車なし　大型家畜、鉄器、車の使用がないのは、アメリカ大陸の文明に共通した特徴。

モーセに率いられてエジプトを脱出（出エジプト）、紀元前11世紀半ば頃パレスチナに王国を建てた。ダヴィデ王とソロモン王の時代に繁栄を迎えるが、紀元前10世紀に南北に分裂。北のイスラエルはアッシリアに、南のユダは新バビロニアに滅ぼされ、住民がバビロンに連行される「バビロン捕囚」など苦難に遭った。

◆ギリシアのポリス

紀元前8世紀頃から、ギリシア人によるアテネやスパルタなどの都市国家・ポリスが多数成立した。ポリス間の戦争も頻発したが、言語や宗教などは共通しており、デルフォイのアポロン神殿の神託やオリンピアの祭典などを通して同じ民族としての意識を持ち、自らをヘレネス、異民族をバルバロイと呼び区別した。

◆マヤ文明

紀元前後、中米のユカタン半島からグアテマラでマヤ文明が起こり、4世紀から9世紀にかけて栄えた。ピラミッドの建設、二十進法による表記、精密な暦法の発達などを特徴とする。

★★★フォローアップ★★★　次の空欄にあてはまる語句を述べよ。
(1) メソポタミア文明では六十進法や（　　）暦が用いられた。
(2) （　　）文明では象形文字を刻んだ印章が発掘されている。
(3) インカ帝国では（　　）と呼ばれる縄の結び目を用いた計数法が用いられた。

◇解答　(1) 太陰　(2) インダス　(3) キープ

キリスト教の歴史

キリスト教はヨーロッパの歴史と密接につながりながら発展してきた。ここでは、信仰を公認したローマ帝国との関わり、イスラム勢力への対抗から始まった十字軍、社会に大きな変動をもたらした宗教改革などについて確認しておきたい。

◆ローマ帝国とキリスト教

◇布教と迫害→キリストの一番弟子であったペテロや、キリストの死後に入信したパウロらは布教に努め、3世紀頃までにローマ帝国内で広く普及した。しかし、ネロ帝をはじめ、ローマ皇帝からは度々迫害を受けた。

◇公認と普及→あらゆる階層で信仰が広まり、信者が増大したことを受けて、コンスタンティヌス帝はキリスト教を公認するミラノ勅令（313年）を発した。392年には、テオドシウス帝が国教とし、他の宗教を厳禁した。

帝政末期のローマ帝国内ではキリスト教の普及とともに、西のローマ教会と東のコンスタンティノープル教会（ギリシア正教会）をはじめとする「五本山」と呼ばれる教会が重要な役割を果たすようになった。

◆ローマ教会とカールの戴冠

テオドシウス帝によるローマ帝国の東西分割（395年）後、ゲルマン民族の移動で西ローマ帝国が滅亡（476年）すると、ローマ教会は東方の教会と距離を置くようになった。さらにビザンツ帝国（東ローマ帝国）のレオン3世が発した聖像禁止令（726年）をきっかけにギリシア正教会との対立を深めた。ローマ教会はビザンツ皇帝からの自立を図り、800年、フランク王国のカール大帝にローマ皇帝の帝冠を授け、フランク王国との結びつきを強めた。

◆十字軍

ローマ教皇ウルバヌス2世はクレルモン公会議（1095年）で、イスラム教徒のセルジューク朝から聖地イェルサレムを奪回するため十字軍の派遣を呼びかけた。翌年、第1回十字軍が出発し、聖地イェルサレムの占領に成功した。その後数回にわたり十字軍の遠征が行われたが聖地の奪回は果たせず、回を経るとともにその性質も変容していった。十字軍遠征の成果が上がらなかったことは教皇の権力の衰退につながった。

◆宗教改革

◇ルターの宗教改革→教皇レオ10世が開始した贖宥状（免罪符）の販売に対し、ドイツのルターはこれを批判して、1517年に「95か条の論題」を発表、宗教改革の発端となっ

◇ローマ教会とギリシア正教会の対立関係

西ヨーロッパ	東ヨーロッパ
フランク王国（皇帝）	ビザンツ帝国（皇帝）
権威↑　　↓保護	任命権↓
ローマ教会（教皇）　対立	コンスタンティノープル教会
＜ローマ教会＞	＜ギリシア正教会＞

◇キリスト教の歴史と関連の強い都市

ドイツ
ヴェネチア
フランス
イタリア
ビザンツ帝国
グラナダ
ローマ
イェルサレム
コンスタンティノープル

た。ルターは、聖書を信仰のよりどころとして、これをドイツ語に翻訳した。

◇**カルヴァンの宗教改革**→ジュネーヴで宗教改革を行ったフランス人のカルヴァンは、救済はあらかじめ神によって定められているとする「予定説」を唱えた。カルヴァンは、職業に励むことが信仰につながるとし、勤勉の結果としての蓄財が肯定された。カルヴァン派は各地に広まり、その信徒はイングランドではピューリタン（清教徒）、フランスではユグノーと呼ばれた。

◇**イギリス国教会**→イギリスのヘンリ8世は王妃との離婚をめぐりローマ教会から分離、首長法（1534年）により、国王を首長とするイギリス国教会を創始した。1559年、エリザベス1世の統一法により国教会の体制が定められた。

〔アウグスティヌス〕古代キリスト教・教父・『神の国』
〔ニケーア公会議〕325年、コンスタンティヌス帝、アタナシウス派正統、三位一体説
〔ユスティニアヌス帝〕6世紀、ビザンツ帝国、聖ソフィア聖堂
〔フィリップ4世〕14世紀、アナーニ事件、ボニファティウス8世、教皇のバビロン捕囚、アヴィニョン
〔中世の神学〕「哲学は神学の婢」、スコラ学、トマス・アクィナス、『神学大全』
〔反宗教改革〕カトリック、イエズス会、イグナティウス・ロヨラ、フランシスコ・ザビエル、アジア・南米で布教

◆**三十年戦争**

ドイツでは旧教徒と新教徒との間で対立が生じ、ボヘミア（ベーメン）の新教徒の反乱を発端に、1618年から宗教紛争が勃発した。周辺諸国を巻き込む大規模な戦争となり、旧教側にはスペイン、新教側にはデンマーク、スウェーデンが加勢。さらに旧教国のフランスも新教側に加担するなど、宗教対立というだけではなく、国家間の権力闘争ともなった。1648年、ウェストファリア条約により終結し、これによりドイツでは新教の信仰が承認されたが、国土は荒廃し、分裂状態が決定的となった。

[知っ得]
◇B.C.　紀元前の「B.C.」はBefore Christの意味。イエス・キリストの生まれた年が紀元元年とされる。

◆**第4回十字軍**

このときは聖地回復の目的ではなく、ヴェネチア商人の要求を受け、商売敵のコンスタンティノープルを攻撃、これを占領してラテン帝国を建てた。

◆**レコンキスタ（国土回復運動）**

1492年にスペイン王国がイスラム勢力の拠点であるグラナダを陥落し、イベリア半島からイスラム勢力を排除した。

◆**ツヴィングリの宗教改革**

ツヴィングリはチューリヒで1523年、宗教改革を開始し、カルヴァンの先駆けとなった。

★★★フォローアップ★★★　次の中から適切な記述を選べ。
(1) キリスト教はユスティニアヌス帝によりローマ帝国の国教とされた。
(2) ビザンツ帝国のレオン3世は、フランク王国のカール大帝にローマ帝国の帝冠を授けた。
(3) イギリスのエリザベス1世はローマ教皇と対立し、国王を首長とする国教会を創始した。
(4) カルヴァンは『キリスト教綱要』を発表し、予定説を唱えた。
(5) 大規模な宗教紛争となった三十年戦争は、アウグスブルクの宗教和議により終結した。

◇**解答**　(4)

中国の歴史

中国では、律令体制を築いた隋と唐、皇帝独裁を強化した明、異民族による統一王朝である元と清など王朝が度々交替している。歴代の政治体制や対外政策など、その特徴を混同せず確実に押さえておきたい。

◆隋（581〜618年）

隋では、国の基本法となる律令を制定し、土地制度には均田制を置いた。また、官吏登用制度には科挙を採用した。制度の整備で中央集権体制の強化を図ったが、2代皇帝の煬帝の時代には、大運河の建設や度重なる対外遠征などで国力が疲弊し滅亡した。

◇隋時代メモ

◆唐（618〜907年）

李淵によって建国された唐は都を長安に置き、均田制や律令制、科挙など隋の制度を継承・整備するとともに、中央官制として三省六部を設けた。2代皇帝太宗は唐の繁栄期を築き、その治世は貞観の治と呼ばれた。しかし、玄宗の時代に楊貴妃の一族を重用したことから政治が乱れ、安史の乱（755〜763年）

◇唐時代メモ

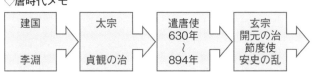

が起こり、国家が衰退。大土地所有が進展して均田制が崩壊、税制も租庸調制から両税法に改めるなど、国家体制は大きく変容した。

◆明（1368〜1644年）

朱元璋（洪武帝）によって建国された明は、宰相や中書省を廃して六部などを皇帝に直属させ、独裁体制を固めた。また土地台帳である魚鱗図冊や戸籍・租税台帳である賦役黄冊をつくり財源の確保を図った。税制では、16世紀半ば頃からは、地税と力役を銀で一括納入する一条鞭法がとられるようになった。

都は当初南京に置かれたが、永楽帝により北京に遷都された。永楽帝は積極的な対外政策をとり、宦官・鄭和に南海大遠征を命じた。

◆清（1616〜1912年）

ヌルハチが女真族を統一し、金を建国（1616年）。2代ホンタイジが国号を清に改め（1636年）、3代順治帝が北京を都として中国支配を開始、4代康熙帝の時代に中国支配を完成させた。清では、中央の要職の定員を漢人と満州人と同数にするなど、漢人に対する融和策もとられたが、辮髪の強制や文字の獄と呼ばれる思想統制なども行われた。税制は当初、明の一条鞭法を受け継いだが18世紀初頭に、人頭税を地税に組み込んで納める地丁銀制が行われるようになった。

◇清国までの中国王朝の流れ
殷（前16世紀〜前11世紀）→周（前11世紀〜前8世紀〜衰退）→春秋時代（前770〜前403年）→戦国時代（前403〜前221年）→秦（前221〜前206年）→前漢（前202〜後8年）→新（8〜23年）→後漢（25〜220年）→三国時代（魏・蜀・呉：220〜280年）→晋（265〜316年）⇒

◇主要な中国王朝のポイント

	都	主な皇帝	主な反乱	社会・文化面のトピックス
秦	咸陽	始皇帝	陳勝・呉広の乱	貨幣・度量衡・文字の統一
前漢	長安	劉邦(高祖)、武帝	呉楚七国の乱	儒学が官学となる
後漢	洛陽	光武帝	黄巾の乱	大秦国(ローマ帝国)から使者来訪
隋	大興城(長安)	煬帝		日本より遣隋使来訪
唐	長安	李淵(高祖)、太宗、玄宗	安史の乱、黄巣の乱	東アジアの中心的存在として繁栄
宋	開封	趙匡胤(太祖)		江南開発進展により農業生産力が向上、商業や経済の発達
	臨安			
元	大都	フビライ(世祖)	紅巾の乱(白蓮教徒の乱)	東西交流・人物往来の活発化
明	南京	朱元璋(太祖・洪武帝)、永楽帝	李自成の乱	貨幣として銀が流通
清	北京	ヌルハチ(太祖)、康熙帝、雍正帝、乾隆帝	三藩の乱、太平天国の乱	王朝末期には列強の進出を受ける

◆秦(前221〜前206年)

秦の始皇帝は郡県制を実施して中央集権体制の基盤をつくった。また法家の思想を採用し、焚書・坑儒を行った。

◆漢(前漢:前202〜後8年)

劉邦により建国、武帝の時代に最盛期を迎える。当初、郡国制を敷き急激な中央集権化を回避するも、後に集権体制を強化。官吏登用制度に郷挙里選を採用した。

◆宋(北宋:960〜1127年)

趙匡胤が建国。文治主義、対外消極策がとられた。科挙の最終試験を皇帝自らが行う殿試を始める。女真族の金に都・開封を奪われ、臨安を都に南宋として再建された。

◆元(1271〜1368年)

モンゴル人第一主義をとり、モンゴル人と西域の異民族である色目人を重用。漢人を冷遇した。交鈔の乱発でインフレに見舞われた。

先生の黒板

〔匈奴〕秦・万里の長城、冒頓単于・漢の高祖を破り、屈辱的な講和を結ばせる

〔漢の歴史書〕司馬遷・『史記』、班固・『漢書』

〔三国時代〕魏・曹操・九品中正法、呉・孫権、蜀・劉備

〔律令〕律・刑法、令・行政法

〔靖康の変〕金が上皇・皇帝を捕らえる、北宋滅亡

〔元の異民族支配〕色目人・漢人・南人

〔清とロシアの条約〕康熙帝・ネルチンスク条約、雍正帝・キャフタ条約

〔知っ得〕◇四面楚歌　漢を建てた劉邦は、楚の項羽と争った。「四面楚歌」という言葉はこの二人の「垓下の戦い」から生まれたものである。

★★★フォローアップ★★★　次の空欄にあてはまる語句を述べよ。

(1) 秦では(　　　)の思想を採用した。

(2) 唐では前王朝に引き続き、官吏登用制度として(　　　)を採用した。

(3) 明の(　　　)は対外積極策をとり、鄭和を南海に派遣した。

(4)(　　　)では中央の官職の定員を満州人と漢人同数とするなど一定の融和策がとられた。

◇解答　(1) 法家　(2) 科挙　(3) 永楽帝　(4) 清

→五胡十六国(華北:304〜439年)→南北朝時代(北朝:439〜581年)、
→東晋(江南:317〜420年)→　　　　　(南朝:420〜589年)→隋(581〜618年)→唐
(618〜907年)→五代十国(907〜960年)→宋(北宋:960〜1127年)→南宋(1127〜1279年)→
元(1271〜1368年)→明(1368〜1644年)→清(1616〜1912年)→

中国の近代

18世紀末頃から清朝の支配が衰退し始めた中国では、イギリスなど列強の進出が進み、国内では民衆反乱や改革・革命運動が展開されていく。こうした動きを押さえながら中国の近代について理解していきたい。

集中レッスン

◆アヘン戦争（1840〜42年）

ヨーロッパ諸国がアジアに進出するなか、イギリスは18世紀後半に中国との貿易を独占するようになったが、これで大量の銀が本国から流出した。そこで18世紀末から打開策として中国の茶を本国に、本国の綿製品をインドに、インドのアヘンを中国に送る三角貿易を始め、利潤を得るようになった。

◇三角貿易の構図

英国

綿製品　茶

インド　アヘン　中国

一方、中国ではアヘン吸引が広まり、アヘンの密貿易も増加、銀の大量流出にも悩まされるようになった。そこで清朝は林則徐にアヘンの取り締まりにあたらせ、林則徐によりアヘンの没収・廃棄など強硬策がとられた。

これに対しイギリスはアヘン戦争を起こして勝利を収め、南京条約により香港の割譲、上海・広州などの5港の開港、公行廃止などを認めさせた。また翌年、イギリスに治外法権や最恵国待遇を与える不平等条約が結ばれた。

◆太平天国の乱（1851〜64年）

アヘン戦争の後、清では社会が混乱し、民衆の生活は困窮した。こうしたなか、洪秀全に率いられた太平天国が「滅満興漢」をスローガンに反乱を起こした。太平天国は辮髪や纏足の禁止、男女平等、租税の軽減などを訴え、民衆の支持を受けた。この反乱は曾国藩の湘軍や李鴻章の淮軍など、郷勇と呼ばれる各地の義勇軍やイギリス人ゴードンの常勝軍などにより鎮圧されたが、清朝の衰弱ぶりを表す一端となった。

◆列強諸国の中国利権

日清戦争（1894〜95年）で清が敗れると、各国は中国での勢力拡大を図り、ドイツは膠州湾を、ロシアは遼東半島南部を、イギリスは威海衛・九竜半島、フランスは広州湾を租借した。

◇中国からの租借地

ドイツ	ロシア	イギリス	フランス
膠州湾	遼東半島南部	威海衛・九竜半島	広州湾

◇中国・東アジアへの列強進出

◆辛亥革命（1911年）

義和団事件（1900〜01年）で列強に敗れた清は、科挙の廃止や憲法制定の準備など改革を始めた。しかし、清朝打倒を目指す革命運動が盛んになり、孫文の結成した中国同盟会を中心に革命運動が展開され、1911年に武昌で軍隊が蜂起。革命軍は1912年、孫文を臨時大総統として中華民国の建国を宣言した。革命側と交渉にあたった清朝側の袁世凱は、皇帝を退位させる代わりに自身が臨時大総統の

◇列強の中国進出

1840〜42年	アヘン戦争	イギリスに敗れる
1842年	南京条約締結	香港割譲、上海など5港の開港、公行廃止、賠償金支払いなど
1851〜64年	太平天国の乱	洪秀全が上帝会を組織して建国
1856〜60年	アロー戦争	英仏が共同で出兵
1858年	天津条約	清は批准せず
1860年	北京条約	天津など11港の開港、九竜半島南部割譲など
1900〜01年	義和団事件	「扶清滅洋」を唱える排外運動
1901年	北京議定書	賠償金支払い、外国軍の北京駐屯など
1911年〜12年	辛亥革命〜中華民国建国	孫文を中心とする革命運動
1919年	五・四運動	ヴェルサイユ条約反対や排日を訴える

[知っ得]
◇香港は約150年後の1997年、イギリスから中国に返還された。

地位についた。これにより宣統帝溥儀が退位し、清朝の支配は幕を閉じた。

◆五・四運動（1919年）

第一次世界大戦後、パリ講和会議（1919年）で、ドイツの利権の返還や「二十一カ条の要求」（1915年に日本が、山東のドイツ権益の引き継ぎなどを求めて中国に出した要求）が撤廃されなかったことに対し中国では不満が高まった。5月4日に北京大学の学生らが行ったデモを発端に、ヴェルサイユ条約反対や排日を訴える運動が広まった。この運動の高まりには、中国政府も条約調印を拒否せざるをえなかった。

◆アロー戦争

1856年、イギリス籍の船舶アロー号で乗組員の中国人が清に逮捕される事件が起こり、またこの際にイギリス国旗が侮辱を受けたとしてイギリスはフランスと共同で中国に出兵。広州を占領した後、天津条約を結んだが清側はこれを武力で批准しなかったため、英仏両軍はさらに進軍して北京を占領、清は屈服して北京条約を結んだ。

◆同治の中興

19世紀後半、中国の伝統を維持しつつ、西洋の科学技術を取り入れて（中体西用）、富国強兵と経済発展により体制を立て直そうとする洋務運動が起こり、曾国藩らが中心的役割を担った。

◆義和団事件

「扶清滅洋」を唱える義和団の排外運動に乗じ、清は諸外国に宣戦布告。8ヵ国の連合軍に鎮圧され北京議定書を結ばされた。

先生の黒板

〔イギリス以外との不平等条約〕アメリカ・望厦条約、フランス・黄埔条約
〔戊戌の政変〕康有為・光緒帝・変法運動、西太后・保守派
〔アメリカの中国政策〕国務長官ジョン＝ヘイ・門戸開放・機会均等・領土保全
〔孫文の三民主義〕民族の独立・民権の伸張・民生の安定

★★★フォローアップ★★★　次の空欄にあてはまる語句を述べよ。
(1) イギリスは中国の（　　）を本国に、本国の（　　）をインドに、インドの（　　）を中国に送り、利益を得た。
(2) 南京条約により中国は（　　）の割譲を認めた。
(3) 洪秀全は上帝会を組織して（　　）を建国したが、義勇軍などに鎮圧された。

◇解答　(1) 茶、綿製品、アヘン　(2) 香港　(3) 太平天国

世界史

中世から近代までのヨーロッパ

中世から近代にかけて、ヨーロッパでは今日につながる国家社会が形成された。この時代に忘れてはならないのが「絶対王政」と「市民革命」であり、この動きがとくに顕著だったのがイギリスとフランスである。両国を中心に、各国の状況を確認したい。

◆イギリス

◇大憲章（マグナ・カルタ）

イギリスではもともと王権が強かったが、ジョン王はフランス内の多くの領土を失うなど失政を重ねたため、貴族たちは団結し、1215年、王に大憲章（マグナ・カルタ）を認めさせ、王権に制限を加えた。

◇絶対王政

15世紀半ばからランカスター家とヨーク家による王位争奪の内乱（ばら戦争・1455～85年）が起こり、これにより貴族が没落し、王権がさらに強まり、絶対王政へと進んでいった。しかし、地主階級のジェントリ（郷紳）の力が強く、地方の行政や議会などで影響力を持っていた。

なお絶対王政の国では官僚機構と常備軍を組織していることが特徴であるが、イギリスの場合はこれにあてはまらない。

◇ピューリタン革命と名誉革命

チャールズ1世の専制政治に対し、議会は1628年、権利請願を可決し、議会の承認のない課税や不法な逮捕を行わないことなどを求めた。しかし王の専制はやまず、クロムウェルらがピューリタン革命（1649年）を起こし、国王を処刑、共和制を樹立した。さらにジェームズ2世が再び絶対主義を進めようとしたため、議会は国王を追放して権利章典を制定した。これを名誉革命（1688～89年）という。大憲章、権利請願、権利章典はイギリスの立憲政治の柱となった。

◆フランス

◇絶対王政

フランスでは16世紀後半に開かれたブルボン朝で絶対王政が敷かれ、17世紀中頃、ルイ14世の時代に絶対王政の絶頂期を迎える。「太陽王」と呼ばれたルイ14世は、財務総監にコルベールを登用して重商主義政策を進めた。またヴェルサイユ宮殿をつくらせた。

◇フランス革命

ルイ14世の治世の後半から、フランスの財政は悪化し始め、18世紀後半に即位したルイ16世の時代には財政難は深刻なものになった。旧制度のひずみも大きく、ルイ16世が財政改

> ### ◆百年戦争
> イギリスとフランスは、毛織物産業の中心地であるフランドルをめぐって百年戦争（1339年～1453年）を起こした。戦争はフランス軍の優勢で終結し、この戦争の結果、フランスでは王権が強化された。

革に失敗し、また憲法制定を求める国民議会を弾圧、さらに蔵相ネッケルを罷免すると、1789年、パリ市民は不満を爆発させ、バスティーユ牢獄を襲撃。各地で暴動がおこり、革命へと発展していった。1792年、共和制が樹立され1793年に国王は処刑された。

`ジャンヌ・ダルクの活躍`

◆スペイン

スペインは16世紀、フェリペ2世のもとで全盛期を迎え、1571年にはレパントの海戦でオスマン帝国の海軍に勝利した。スペイン艦隊は「無敵艦隊」と呼ばれたが、1588年、イギリス海軍に敗れるなどして国力は衰退した。

◆ドイツ～プロイセン

　ドイツでは大諸侯の力が強く、皇帝もイタリアに注力してドイツの統治に不熱心であったため国家統一は進まず、分裂状態が続いていた。やがてプロイセンが台頭し始め、1701年にプロイセン王国となる。18世紀中頃に即位したフリードリヒ2世は啓蒙絶対君主として統治し、プロイセンを強国にした。

◆オーストリア

　18世紀、オーストリアの女帝マリア・テレジアは国力の強化に尽力する。その即位をめぐり、オーストリア継承戦争（1740～48年）が起こり、この戦争でフリードリヒ2世のプロイセンがシュレジエンを併合すると、マリア・テレジアはシュレジエン奪回を狙い、長年敵対していたフランスと同盟を結んだ。これを外交革命と呼ぶが、**七年戦争**（1756～63年）で再びプロイセンに敗れ、シュレジエン奪回は果たせなかった。

◆ロシア

　ロシアでは1613年にロマノフ朝が開かれ、17世紀後半に即位したピョートル1世は国力増強に努めるとともに領土拡大にも力をいれ、清とネルチンスク条約を結んで両国の国境を確定した。18世紀後半のエカチェリーナ2世は啓蒙絶対君主として改革を試みたが、プガチョフの農民反乱の後、かえって農奴制を強めた。

> **[知っ得]**
> ◇悲劇のマリー　ルイ16世の妃でフランス革命で処刑されたマリー・アントワネットは、オーストリアのマリア・テレジアの娘。

◆スペインとポルトガルの建国

　イベリア半島では12世紀にポルトガルが独立、15世紀にスペインが成立した。

◆重商主義

　絶対王政の国家では、国内の産業を保護・育成し、貿易により国力を増強しようとする重商主義が採用された。

◆フランスの身分制度

　第一身分は聖職者、第二身分は貴族、第三身分は平民で、第一身分と第二身分が特権階級とされた。

◆ナポレオン

　フランス革命を経て頭角を表したナポレオンは1804年に皇帝の座につき、各国と争ってヨーロッパの大部分を支配する。しかしロシア遠征（1812年）の失敗や諸国民戦争での敗戦などにより失脚した。

先生の黒板

〔オランダの独立〕ユトレヒト同盟・オラニエ公ウィレム・ネーデルラント連邦共和国
〔マザラン〕ルイ14世の宰相・フロンドの乱鎮圧
〔自然法思想〕17世紀頃
　グロティウス・海洋自由論
　ホッブズ・『リヴァイアサン』
　ロック・『統治論』

〔啓蒙思想〕18世紀
　モンテスキュー・『法の精神』
　ヴォルテール・『哲学書簡』
　ルソー・『社会契約論』
〔啓蒙絶対君主〕
　プロイセン・フリードリヒ2世
　オーストリア・ヨーゼフ2世
　ロシア・エカチェリーナ2世

★★★フォローアップ★★★　次の空欄にあてはまる語句を述べよ。
(1) フェリペ2世は、レパントの海戦で（　　　　）に勝利した。
(2) イギリスとフランスはフランドル地方をめぐり（　　　　）を起こした。
(3) （　　　　）革命で議会は権利章典を制定した。

◇**解答**　(1) オスマン帝国　(2) 百年戦争　(3) 名誉

世界史

アメリカの歴史

大航海時代以降ヨーロッパ諸国の植民地となっていたアメリカ大陸の中から、北アメリカ東部のイギリス植民地がアメリカ合衆国として独立。合衆国は南北分裂の危機を経て大きく発展し、当初の孤立主義から積極的な海外進出へと転換していった。

◆アメリカ独立戦争

アメリカのイギリス植民地では本国の課税政策などに対する不満が強く、1773年にはボストン茶会事件が起こる。こうした植民地側の不満は本国との武力衝突に発展し、1776年、フィラデルフィアで独立宣言が発表される。トマス・ジェファソンらの起草したこの宣言は、近代の民主政治に大きな影響を与えた。独立軍はワシントンの指揮の下、イギリスと戦い、フランスやスペインなどからの支援も受け、イギリスに勝利。イギリスはパリ条約（1783年）でアメリカ合衆国の独立を承認する。独立当時、合衆国は13の州から形成されていた。

◆合衆国憲法の制定

1787年、フィラデルフィアで憲法制定会議が開かれ、合衆国憲法が制定された。合衆国憲法では、各州の大幅な自治を認めつつ

[知っ得] ◇星の数ほど　アメリカの星条旗の星は現在の州の数を、横縞は独立時の州の数を表している。

も、外交や通商、国防などでは連邦政府が権限を有する連邦主義が採用された。連邦政府の初代大統領にはワシントンが就任した（1789年）。

◆モンロー宣言と孤立主義

合衆国の独立やフランス革命に刺激を受け、ラテンアメリカで、19世紀初頭から、ハイチやベネズエラ、メキシコなどに独立の動きがあらわれた。この動きに、ヨーロッパ側は干渉を試みるが、合衆国大統領のモンローは、ラテンアメリカ諸国の独立を支持し、1823年、アメリカ大陸とヨーロッパが相互に干渉しないことを唱えるモンロー宣言を発表。孤立主義を示すこの宣言は、長い間アメリカの外交政策の基本となった。

◆アメリカの領土拡大のあゆみ

1803年にフランスからルイジアナを買収、1848年にアメリカ＝メキシコ戦争の結果カリフォルニアを獲得した。アメリカの西方への領土拡大は、「明白な天命」という言葉によって肯定され、西部地域への開拓を進める西漸運動が起きた。

◇アメリカの歴史・こんなこともあった！

前1000年頃	オルメカ文明(メキシコ7湾岸) チャビン文化(北アンデス)→インカ帝国への流れ
4世紀～ 10世紀初頭	マヤ文明(中央アメリカ)
12世紀中頃～ 1521年	アステカ文明(メキシコ高原) →コルテスに滅ぼされる
13世紀～ 1533年	インカ帝国(アンデス高地) →ピサロに滅ぼされる (1492年：コロンブスの新大陸発見など) ↓ ＜ヨーロッパ諸国の植民地争奪へ＞

17世紀初頭～	フランスがルイジアナ獲得 ヴァージニア：イギリス最初の植民地 ＜ピューリタンの北アメリカ移住始まる＞ ↓ ニューアムステルダム建設(オランダ)
1664年	イギリスが奪いニューヨークに改名
18世紀初頭	イギリスがフランスから北アメリカ獲得
1763年	英仏植民地戦争でフランス敗北 ＜イギリスの植民地帝国確立＞ ↓ ＜北アメリカのイギリス本国への独立運動＞

◆南北戦争

大農場による綿花栽培を主産業とする南部と、資本主義の発達した北部との間で、奴隷制や貿易政策などをめぐって対立が深まり、1860年、奴隷制に反対する共和党のリンカンが大統領に当選すると、これに反発した南部は連邦から離脱してアメリカ連合国を建て、南北戦争（1861～65年）が勃発する。戦争はゲティスバーグの戦いの後、北軍が優位に立ち、北軍が勝利した。

◆奴隷貿易

アメリカ大陸のヨーロッパ植民地では労働力として奴隷が必要とされ、とくに17世紀にプランテーション農業が発展すると、奴隷の

> 知っ得 ◇女神が来た ニューヨークにある「自由の女神」は独立100周年の記念にフランスからアメリカに贈られた。

先生の黒板

〔アメリカ大陸の植民地〕
　スペイン・ポトシ銀山
　フランス・ルイジアナ
　イギリス・ヴァージニア
〔ラテンアメリカの独立〕ハイチ・黒人共和国、ベネズエラ・シモン＝ボリバル
〔アメリカの政党〕北部・共和党、南部・民主党
〔マッキンリー大統領〕ハワイ併合、米西戦争、門戸開放（中国）
〔ジョンソン大統領〕公民権法、「偉大な社会」、ベトナム戦争

◆アメリカの海外進出

キューバで起きたスペインからの独立運動をきっかけに、1898年、アメリカはスペインに宣戦布告し、米西戦争が起きる。この戦争に勝利したアメリカはキューバを独立させ、スペインからフィリピン、グアム、プエルトリコを獲得。さらに同年、ハワイを併合した。こうした海外進出の背景には、工業の発展や国内での開拓がしつくされたことなどがあり、アメリカでも帝国主義の傾向が強まっていく。

需要が高まった。そこで、ヨーロッパから武器・雑貨などをアフリカに、アフリカから黒人奴隷をアメリカ大陸に、アメリカ大陸から砂糖・綿花などをヨーロッパに送るという三角貿易が行われた。

◆アメリカ独立支援

植民地政策などでのイギリスとの対立や、啓蒙思想の普及などヨーロッパ諸国の支援が背景にある。

◆工業の発展

南北戦争の後、アメリカでは工業が著しい発展を遂げた。背景には豊富な資源のほか、移民の労働力などがある。

◆パナマ運河の建設

1903年、セオドア・ルーズヴェルト大統領はコロンビアからパナマを強制的に独立させパナマ運河を建設した。

◆世界恐慌

1929年から起きた世界恐慌では、フランクリン・ルーズヴェルト大統領がニューディール政策と呼ばれる一連の政策を行った。

★★★フォローアップ★★★　次の空欄にあてはまる語句を述べよ。
(1) アメリカ合衆国は独立当初、（　　）の州から形成されていた。
(2) 合衆国の初代大統領には（　　）が就任した。
(3) 19世紀前半、（　　）大統領は、ヨーロッパとアメリカ大陸の相互不干渉を唱える（　　）宣言を発表した。
(4) 南北戦争では（　　）率いる北軍が南軍に勝利した。

◇解答　(1) 13　(2) ワシントン　(3) モンロー　(4) リンカン

19世紀から20世紀前半の国際情勢

18世紀後半、イギリスにおこった産業革命は欧米諸国に波及し、各国で社会や経済が大きく変化する。やがて大量に生産される製品の消費地や資源の供給地を求め、各国は競って植民地を拡大。帝国主義の時代が幕を開け、国際的な摩擦も生じていった。

集中レッスン

リベリア・エチオピアを除く全域で

◆アフリカ分割

各国の植民政策により20世紀初頭には、リベリアとエチオピアを除きアフリカ全域が植民地化された。

◇イギリス

1875年にスエズ運河を買収、1882年にエジプトを保護下に置く。南ア（ブーア）戦争（1899～1902年）などで、アフリカ南部でも勢力を拡大。アフリカ縦断政策と、ケープタウン、カイロとカルカッタを結びつける3C政策をとった。

◇フランス

1830年にアルジェリアを占領、1881年にチュニジアを保護国化し、さらにサハラ砂漠を占領して、ジブチ、マダガスカルへの横断政策をとろうとした。縦断政策をとるイギリスと対立し、スーダンでファショダ事件（1898年）が起こるが、フランスが譲歩。ドイツへの対抗策から1904年、英仏協商を結び、エジプトとモロッコでの相互の優越権を認めた。ま

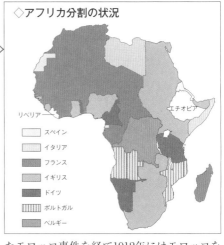

◇アフリカ分割の状況

リベリア　　　　　　　　　　エチオピア

	スペイン
	イタリア
	フランス
	イギリス
	ドイツ
	ポルトガル
	ベルギー

たモロッコ事件を経て1912年にはモロッコを保護国化した。

◇ドイツ

カメルーンやタンガニーカなどを獲得。モロッコをめぐりフランスと対立し、モロッコ事件（1905年・1911年）を起こすが、イギリスがフランスを支援したため、フランスのモロッコ保護権を承認する。

◇イタリア

ソマリランド、エリトリアを獲得。

◆極東情勢

ロシアの南下を警戒する日本とイギリスは日英同盟（1902年）を結び、アメリカもロシアへの警戒感から日本に好意的であった。米英の支援を背景に日本はロシアに強硬策をとり、日露戦争（1904～05年）が起こる。しかし戦後、アメリカとの関係が悪化した日本は日露協約

（1907年）を、イギリスも英露協商（同年）を結び、アメリカは孤立することとなった。

◆三国同盟・三国協商

- 三国同盟（1882年）
  ドイツ、オーストリア、イタリア
- 三国協商（露仏同盟（1891～1894年）、英仏協商（1904年）、英露協商（1907年））
  イギリス、フランス、ロシア

19世紀末から20世紀初頭にかけて、列強は協力関係を結び、三国同盟と三国協商という2つの大きな同盟・協商が結成された。

◆ **第一次世界大戦**

オーストリアの皇太子夫妻がサラエボでセルビア人に暗殺された (サラエボ事件) のをきっかけに第一次世界大戦 (1914〜18年) が勃発。各国は三国同盟・三国協商を中心に両派に分かれて争った。三国同盟に参加していたイタリアは、「未回収のイタリア」をめぐりオーストリアとの関係に対立が生じていたため、三国協商 (連合国) 側に立ち参戦した。戦争は長期化し、同盟側の敗戦に終わった。

この戦争の講和のため1919年、パリ講和会議が開かれ、連合国とドイツの間でヴェルサイユ条約が結ばれた。この条約は敗戦国ドイツに厳しい内容で、ドイツは植民地の喪失、多額の賠償金を課されるなど打撃を受けた。

これも！

◆ **イギリスのインド支配**

イギリスは1857年にセポイの乱が起きると

〔セシル・ローズ〕ケープ植民地・南ア (ブーア) 戦争・トランスヴァールとオレンジの征服
〔ラーマ5世〕タイ・近代化・勢力均衡策・独立の維持
〔ウィルソンの十四カ条〕パリ講和会議・国際連盟

これを鎮圧し、インド全土の植民地化を進め、1877年にはヴィクトリア女王を皇帝とするインド帝国を樹立した。

◆ **ドイツの3B政策**

ドイツはベルリン、ビザンティウム (イスタンブル)、バグダードを結びつけてバルカン半島から中東へ進出しようとする3B政策をとった。

◆ **オランダ領東インド**

オランダは19世紀末には現在のインドネシアを支配下に置き、その支配域はオランダ領東インドと呼ばれる。

◆ **フランス領インドシナ**

フランスは1887年にフランス領インドシナを成立させ、カンボジア、ベトナム、ラオスを支配した。

★★★フォローアップ★★★　次の空欄にあてはまる語句を述べよ。
(1) (　　　) 運河を買収したイギリスはエジプトを保護下に置き、3C政策をとった。
(2) ドイツはベルリン、ビザンティウム、(　　　) を結ぶ3B政策をとった。
(3) イギリス、フランス、ロシアが結んだのは三国 (　　　) である。
(4) イタリアは第一次世界大戦では三国 (　　　) 側に立って参戦した。

◇解答　(1) スエズ　(2) バグダード　(3) 協商　(4) 協商

世界史

世界の交流

ユーラシア大陸の東西は、古くから陸路や海路で結ばれ、交易や文化・宗教的な交流がなされてきた。さらに大航海時代にヨーロッパ諸国とアメリカ大陸がつながれたことは、以後の世界が大きく変わるきっかけとなった。

集中レッスン

＜ユーラシア大陸の東西交流＞

◆オアシスの道（絹の道）と海の道

「オアシスの道」はユーラシア大陸を横断する交易路で、漢の時代から中国の特産品の絹がヨーロッパに運ばれた。そのため、別名「絹の道」とも呼ばれる。

これに対し、「海の道」は地中海、アラビア海を通ってインドや東南アジア、中国へといたる交易路で、8世紀からイスラム商人が進出するようになった。

◆ヘレニズム文化

アレクサンドロスが東方遠征（紀元前334〜同324年）を行い、ギリシア・エジプトからインド西部にいたる大帝国を築くと、ギリシアの文化が各地に広まり、東方の文化と融合したヘレニズム文化が生まれた。この文化はインドや中国、日本にも影響を与えた。

◆製紙法

中国で発明された製紙法は後漢の時代、蔡倫によって改良される。やがて唐とアッバース朝の「タラス河畔の戦い」(751年)を通じて、製紙法は中国からイスラム世界に伝わり、さらに12世紀頃、ヨーロッパに伝わった。

◆火薬、羅針盤、印刷術

火薬、羅針盤、印刷術はルネサンスの三大発明とされているが、いずれも中国では宋代には発明・実用化されていた。火薬と羅針盤はイスラム世界を経てヨーロッパに伝わった。

＜大航海時代：背景と影響＞

十字軍を機に、ヨーロッパではアジアへの関心が高まった。しかし当時の東方貿易はイスラム商人に独占されており、イスラム商人を介さない貿易ルートが求められた。またこの時代には羅針盤の改良や造船技術の向上などから遠洋航海も可能になった。こうしたことを背景に、15世紀以降、スペインやポルトガルでは、新航路の開拓に注力し始めた。

新航路開拓とアメリカ大陸到達は、ヨーロッパの商業を大きく変容させるとともに、アメリカ大陸の文明を破壊するものともなった。

◆ポルトガルの航路開拓

ポルトガルはアフリカ南回りのインド航路開拓を奨励し、バルトロメウ・ディアスが南アフリカの喜望峰に到達（1488年）、さらにヴァスコ・ダ・ガマがインド航路を開拓し、インドのカリカットに到達した（1498年）。

◆アメリカ大陸到達

スペイン女王イサベルの支援を受けたコロンブスは、カリブ海のサンサルバドル島に到着した（1492年）が、コロンブスはこの地をインドであ

◇ユーラシア大陸の交易路

小アジア　地中海　アンティオキア　アレクサンドリア　イラン高原　サマルカンド　ゴビ砂漠　北京　洛陽　ヒマラヤ山脈　南シナ海　ベンガル湾　アラビア海　マラッカ海峡

―― オアシスの道（絹の道）
---- 海の道

ると考えていた。ま
た、ポルトガル人カ
ブラルは1500年、ブ
ラジルに漂着し、こ
の地をポルトガル領
とする。その後、ア
メリゴ・ヴェスプッ
チの探検により、ア
メリカ大陸がアジア
ではなく新大陸であ
ることが発見された。

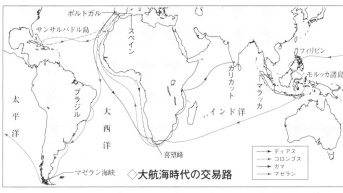

◇大航海時代の交易路

世界史

◆世界周航

　1519年にはスペインの支援によりマゼラン
が香辛料の産地であるモルッカ諸島へ向かう
西回りの航海に出発。マゼラン海峡、太平洋
へと進み、フィリピンに到達するものの先住
民との戦闘で死亡。部下たちは1522年にス
ペインに帰国、世界周航が成し遂げられた。

◆仏教の普及

　インドで生まれた仏教は、マウリヤ朝のア
ショーカ王の時代（紀元前3世紀半ば頃）にイ
ンドの周辺に伝わり、クシャーナ朝（1～3世
紀）の時代には中央アジアへ広まった。さら

に中国や朝鮮半島、日本に伝えられ、各地の
文化に大きな影響を与えた。

◆マニ教

　ゾロアスター教、仏教、キリスト教を融合
した宗教。3世紀にイランで開かれ、北アフ
リカや中央アジア、中国などに伝えられた。

◆十字軍の影響

　十字軍は東西交流を促進した。インドの砂
糖や木綿が西アジアを経てヨーロッパに伝わっ
たのもこの頃である。

◆香辛料

　ヨーロッパでは14世紀以来、肉食が普及し、
胡椒をはじめとするアジアの香辛料が珍重さ
れていた。

〔草原の道〕内陸アジア北部・遊牧騎馬民族
　　　　　　〔ガンダーラ美術〕クシャーナ朝・ギリシア風の仏教美術・仏像
〔マルコ・ポーロ〕イタリア商人・元を来訪・『東方見聞録（世界の記述）』
〔エンリケ〕ポルトガル、航海王子
〔イエズス会〕ザビエル・日本、マテオ・リッチ・中国
〔アメリカ大陸原産の農産物〕じゃがいも・とうもろこし・トマト

★★★フォローアップ★★★　次のうち、正しい記述を選べ。
(1) ヨーロッパの絹は、「オアシスの道」を通って中国に運ばれていた。
(2) 十字軍の遠征を通して、製紙法が中国から西方に伝わった。
(3) 中国では南米の香辛料が珍重されていた。
(4) 羅針盤と火薬はヨーロッパから中国に伝えられた。
(5) ポルトガル人カブラルはブラジルに漂着し、この地をポルトガル領とした。

◇解答　（5）

＜練習問題＞

練習問題１

次のうち、妥当な記述はどれか。

（１）インダス文明では、ハラッパやモヘンジョ・ダロに整然とした計画に基づく都市が建設された。

（２）黄河文明では、文字の使用はなく、キープという縄の結び目による計数法が用いられていた。

（３）インカ帝国では、初期には彩陶を用いる仰韶文化が生まれ、後に黒陶を用いる竜山文化が栄えた。

（４）エジプト文明の古バビロニア王国では復讐原理に基づくハンムラビ法典が定められた。

（５）メソポタミア文明のミイラや「死者の書」はこの文明の独特の宗教観を示すものである。

練習問題２

次のうち、妥当な記述はどれか。

（１）ローマのテオドシウス帝はミラノ勅令によりキリスト教を公認した。

（２）コンスタンティヌス帝はニケーアの公会議で、アリウス派を正統とした。

（３）レオン3世が発した聖像禁止令をめぐり、ギリシア正教会とローマ教会の対立が深まった。

（４）トリエント公会議でウルバヌス2世は聖地回復のための十字軍遠征を呼びかけた。

（５）第4回十字軍ではナポリ商人の要求によりコンスタンティノープルが占領された。

練習問題３

次のうち、妥当な記述はどれか。

（１）唐は洛陽を都とし、均田制など隋の制度を引き継いだ。税制は後に両税法から租庸調制に改めた。

（２）北宋は、鄭和の南海大遠征など対外積極策をとったが、契丹族の金により都・開封を奪われた。

（３）元は大都に都を置き、中央の役職にはモンゴル人を重用し、漢人を冷遇した。

（４）臨安を都とした明は皇帝の独裁を強化するとともに、財源確保のため魚鱗図冊や賦役黄冊を作成した。

練習問題１　　　　　　［解答］（1）

（１）適切である。

（２）インカ帝国に関する記述である。代表的な遺跡であるマチュピチュは標高約2400メートルの地にあり「空中都市」ともよばれる。

（３）黄河文明に関する記述である。後に殷が統一王朝を樹立した。殷王朝後期の遺跡として殷墟がある。

（４）メソポタミア文明に関する記述である。

（５）エジプト文明に関する記述である。

練習問題２　　　　　　［解答］（3）

（１）テオドシウス帝ではなくコンスタンティヌス帝である。

（２）ニケーア公会議で正統とされたのはアタナシウス派で、三位一体説を唱えるものである。アリウス派は異端とされた。

（３）適切である。

（４）トリエント公会議ではなくクレルモン公会議。トリエント公会議は16世紀に開かれたもので、宗教改革に対抗してカトリック教会の教義を明確化し、教会の改革を行った。

（５）ナポリではなくヴェネチア商人である。

練習問題３　　　　　　［解答］（3）

（１）唐の都は長安である。税制は当初、租庸調制であったが、後に両税法に改められた。

（２）北宋は対外的には消極策をとった。鄭和の遠征は明の永楽帝によるもの。また金は女真族の国である。

（３）適切である。

（４）都は当初、南京に置かれたが、永楽帝により北京に移された。

（５）焚書・坑儒は秦代に行われたもので、清で行われた思想統制は文字の獄などである。

（5）清は北京に都を置き、思想統制として焚書・坑儒を行った。

練習問題4

次のうち、妥当な記述はどれか。

（1）ペルシアで信仰されていたマニ教はユダヤ教やキリスト教に影響を与えた教えである。

（2）アレクサンドロスの東方遠征によりヘレニズム文化が波及し、中国ではガンダーラ美術が発達した。

（3）唐とアッバース朝が争ったタラス河畔の戦いを通じて、製紙法が中国からイスラム世界に伝わった。

（4）中国を原産とするじゃがいもやサトウキビは、イスラム商人を経てヨーロッパに伝わった。

（5）マルコ・ポーロはスペインの支援を受けてカリブ海のサンサルバドル島に到達した。

練習問題5

次のうち、妥当な記述はどれか。

（1）イギリスではジョン王の専制に対し、クロムウェルらがピューリタン革命を起こした。

（2）分裂状態のドイツから台頭したプロイセンは、18世紀初頭にプロイセン王国となった。

（3）フランスではルイ14世が財務総監にリシュリューを登用して重商主義政策を採用した。

（4）スペインのフェリペ2世はレパントの海戦でイギリス海軍に勝利した。

（5）オーストリアのマリア・テレジアは清朝とネルチンスク条約を結んだ。

練習問題6

次のうち、妥当な記述はどれか。

（1）独立戦争に勝利したアメリカは、ボストンで憲法制定会議を開き合衆国憲法を制定した。

（2）民主党のワシントンが大統領に当選すると南部諸州は連邦を離脱し、南北戦争が起きた。

（3）キューバの独立運動を機にアメリカはスペインと戦い、フィリピンやグアムを獲得した。

（4）ジョンソン大統領はパナマをスペインから独立させ、パナマ運河を建設した。

練習問題4　　　［解答］（3）
（1）マニ教ではなくゾロアスター教。マニ教はゾロアスター教、仏教、キリスト教を融合させたもの。
（2）中国ではなくクシャーナ朝時代の北西インド（現在のパキスタン）である。
（3）適切である。
（4）じゃがいもはアメリカ大陸原産で、大航海時代を経てヨーロッパに伝わった。サトウキビはインドが原産。
（5）マルコ・ポーロではなくコロンブス。マルコ・ポーロは元を来訪したイタリア商人。

練習問題5　　　［解答］（2）
（1）ジョン王ではなくチャールズ1世。
（2）適切である。19世紀後半にプロイセン王を皇帝とするドイツ帝国が建国された。
（3）リシュリューではなくコルベール。リシュリューはルイ13世の宰相である。
（4）フェリペ2世がレパントの海戦で勝利した相手はオスマン帝国である。
（5）ネルチンスク条約を結んだのはロシアのピョートル1世である。

練習問題6　　　［解答］（3）
（1）憲法制定会議が開かれたのはフィラデルフィアである。
（2）ワシントンではなくリンカン、政党は共和党である。
（3）適切。米西戦争についての記述である。
（4）パナマ運河を建設したのはセオドア・ルーズヴェルト大統領で、パナマをコロンビアから強制的に独立させた。
（5）セオドア・ルーズヴェルトではなく、フランクリン・ルーズヴェルトである。

世界史

（5）セオドア・ルーズヴェルト大統領は世界恐慌に対し、
　　 ニューディール政策を行った。

練習問題7

次のうち、妥当な記述のみを挙げているのはどれか。

A　日清戦争で日本が遼東半島を獲得すると、イギリス
　　はアメリカ、フランスとともに日本に干渉し、遼東
　　半島を返還させた。
B　ドイツとフランスはアフリカの植民地政策をめぐり
　　対立していたが、1904年、イギリスに対抗するため
　　独仏協商を結んだ。
C　日露戦争の後、日本はアメリカとの関係悪化からロ
　　シアと日露協約を、イギリスも英露協商を結び、ア
　　メリカは孤立した。
（1）A
（2）A、B
（3）B
（4）B、C
（5）C

練習問題8

次の空欄にあてはまる語句の組合せとして正しいものは
どれか。

　イギリスとの貿易でアヘンの蔓延と（　A　）の流出に
悩まされた清は、（　B　）にアヘンの取り締まりにあた
らせた。これに対しイギリスはアヘン戦争を起こして清
に勝利し、（　C　）条約で（　D　）の割譲などを認め
させた。

	A	B	C	D
（1）	銀	林則徐	南京	香港
（2）	銀	林則徐	北京	香港
（3）	銀	李鴻章	北京	マカオ
（4）	茶	林則徐	南京	マカオ
（5）	茶	洪秀全	北京	香港

練習問題7　　　　　　［解答］（5）
A　三国干渉（1895年）を行ったの
　 はロシア、フランス、ドイツである。
B　イギリスとフランスが対立して
　 いたが、ドイツへの対抗策として
　 英仏協商が結ばれた。
C　適切である。
　　19世紀末から20世紀初頭にか
　 けての国際関係を問う問題である。
　 この時期、植民地政策などをめぐ
　 り、国家間の関係は複雑なものに
　 なっているので注意が必要である。

練習問題8　　　　　　［解答］（1）
　Aは銀、Bは林則徐、Cは南京、D
は香港である。当時、清では特許商
人の組合である公行が貿易を独占、
開港されていたのも広州のみであり、
自由貿易を求めるイギリスは不満を
持っていた。南京条約により公行は
廃止され、広州のほか上海、寧波、
福州、厦門が開港されることになっ
た。なお、マカオは旧ポルトガル領
で1999年に中国に返還された。

地 理

◇**地理頻出問題上位**

①海岸の地形
②世界各国の産業
③我が国の分水界
④世界の農作物地域
⑤世界の鉱物資源産出国
⑥世界各国の民族・宗教・言語
⑦世界各国の農牧業
⑧気候と雨温図
⑨日本の河川
⑩世界の土壌

地
理

世界地図

① 世界地図が作成される条件を意識しながら、どの図法がいかなる条件を満たし、あるいは満たしていないのか理解しておこう。
② メルカトル図法の出題が多いので、この図法の特徴を理解しておきたい。

◆正角図法

各地点の角度の関係が正しく表されている図法である。主に海図として用いられる。視点を地球の中心に置き、地球に外接する円筒面に経線を投影した図法なので、経線・緯線が直交する直線で示され、2点を結ぶ直線は各緯線と一定の角度で交わる。

◇メルカトル図法

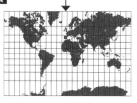

メルカトル図法の経線は等間隔であるが、緯線間隔は高緯度に向かって増大し、両極では無限大となって、距離と面積のひずみが大きくなる。海図に用いられる。

◆正方位図法

各地点の方位の関係が正しく表されている図法である。これには、図の中心からの方位だけが正しい図法と、任意の2点間の方位がその2点を結んだ直線として正しく示された図法がある。

◇正距方位図法

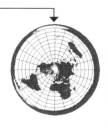

正距方位図法は緯線の間隔を等距離にし、中心からの方位と距離を正しく示したものであるが、周辺部の形や面積は大きくゆがむ。航空図に用いられる。

◇心射方位図法

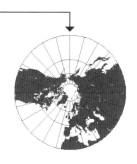

心射方位図法は、地球の中心に光源を置いて平面に投影する図法である。有効範囲が半球より狭く、しかも中心から離れるとひずみが大きくなるため、広い地域の投影には向いてない。しかし、地表の任意の2地点間を結ぶ最短距離の航路である大圏コースを直線で表すことができるため航法図には適している。

◆正積図法

各部分の面積の関係が正しく表されている図法である。各種の分布図や統計地図に用いられる。各経線と各緯線で囲まれた空間の面積が、地球上の実際の面積に比例しており、長さや周辺部の陸地の形は正確ではない。

◇ボンヌ図法

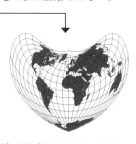

ボンヌ図法は視点を地球の中心に置いて、地球に外接する円錐面に経緯線を展開し、この面を経線に沿って切り開いた円錐図法を改良したものである。緯線は等間隔の同心円の弧となり、経線は中央経線だけが直線である。大陸図や地方図に用いられている。

◇曲線が最短コース

メルカトル図法で描かれた地図上では、2点間の最短コース（大圏航路）は直線ではなく、曲線になる。

また、2点間を航行する場合、磁石の方向を一定に保つ航法によって進んだ航路（等角航路）は直線であるが、この航路は最短距離ではない。

◇サンソン図法

サンソン図法は経線を正弦曲線、緯線を直線で表す。高緯度になるほど形がゆがむ。

◇モルワイデ図法

モルワイデ図法はサンソン図法を改良したもので、経線は楕円曲線、緯線は直線で表す。高緯度での形のゆがみが少ない。

◇グード図法

グード図法は高緯度をモルワイデ図法、低緯度をサンソン図法と結合したものである。

◆正距図法

各地点の距離の関係が正しく表されている図法である。地球が球面のため全地点からの距離を正しく表すことは不可能であるが、**正距円錐図法・正距円筒図法**では、部分的に正しく距離を表すことができる。

◆まとめ

正角図法	各地点の角度の関係が正しい
正方位図法	各地点の方位の関係が正しい
正積図法	各部分の面積の関係が正しい
正距図法	各地点の距離の関係が正しい

◇地形図の読み取り◇

等高線と記号によって、地形や植生などの分布、土地利用や集落・交通路など人工物の分布を読み取ることができる。

〔地形図〕国土地理院、二万五千分の一、三角測量、水準測量、等高線、断面図、地図記号、多面体図法、ユニバーサル横メルカトル図法

★★★フォローアップ★★★　（　）に適語を入れよ。

問　（　　　　　）図法の地図において、出発地と目的地との間に直線を引いて経線となす角度を測り、コンパスを見ながら常にその角度へ進めば、目的地に到着できる。

◇解答　メルカトル

121

世界の気候区分

① 気候区分については、気温・降水量と植生（植物分布）を組み合わせて13区分に分類している。
② 世界の主な気候区の特色・分布地域・代表都市について覚えておこう。

◆冷帯の気候

◇冷帯湿潤気候（Df）

気温の年較差は大きく夏は平均気温が10℃を超すが、冬は−3℃を下回り積雪は根雪となる。また、昼と夜の気温差が大きいのが特徴。タイガなどの針葉樹林帯が広がっている。

▲ロシアやカナダ南部、合衆国の五大湖付近などに分布

◇冷帯冬季少雨気候（Dw）

冷帯湿潤気候との区別は、夏は降水量があるが、冬は降水量（積雪）がきわめて少ないことが挙げられる。

▲シベリア東部、中国東北部に分布

◆熱帯の気候

◇熱帯雨林気候（Af）

1年中、高温多雨で、四季の変化がほとんどみられない。密林が広がっている。

▲赤道を中心に緯度5°〜10°の範囲に分布

◇サバナ気候（Aw）

雨季と乾季の区別が、はっきりしている。乾燥に強い樹木がまばらに生える草原、サバナ（サバンナ）が広く分布し、気候区の名前の由来になっている。

▲熱帯雨林気候の外側（緯度10°〜15°）地域に分布

◇熱帯モンスーン気候（Am）

雨季の雨量は熱帯雨林気候と変わらないが、モンスーンの影響による乾季があり多少乾燥する。植生は主に落葉広葉樹からなる。

▲インド南西部、インドシナ半島の一部などに分布

◆乾燥帯の気候

◇ステップ気候（BS）

ステップとよばれる丈の短い草原が広がる。年間を通して降水量は少なく雨季には少量の雨が降る。

▲サヘル（西アフリカ・サハラ砂漠周辺）、中央アジア、アメリカ西部、オーストラリア中央部に分布

◇砂漠気候（BW）

年間を通して降水量が少ないので、植物がほとんど育たない砂漠となるが、水源のある地域にはオアシスとして気温に応じた植物が群生する。

▲回帰線付近の大陸内部に分布

◆寒帯の気候

◇ツンドラ気候（ET）

1年のほとんどは氷雪に覆われているが、夏には永久凍土がとけ、蘚苔類（せんたいるい）や地衣類などの植物により、ごくわずかではあるが覆われる。夏でも寒いため、森林はみられない。

▲ユーラシア大陸・アメリカ大陸の北部、グリーンランド沿岸に分布

知っ得　◇南半球
冷帯気候がない。冷帯気候に該当する陸地がないからである。

◇氷雪気候（EF）

年間を通じて雪と氷に閉ざされている。そのため植物の自生はない。

▲南極大陸、北極諸島、グリーンランド内部に分布

◆温帯の気候

◇温帯湿潤気候（Cfa）

気温の年較差が大きく夏に高温・多雨となる。四季の変化が明瞭である。温帯混合林や温帯草原が広がっている。

▲緯度30°〜45°の大陸東岸に分布

◇西岸海洋性気候（Cfb）

1年を通して降水量、気温とも大きな変化がなく、比較的安定している。ブナ、ニレ、オークなどの落葉広葉樹や高地では針葉樹が生育している。

▲緯度40°〜60°の大陸西岸に分布

◇地中海性気候（Cs）

冬に一定の降雨があるが、夏は日ざしが強く乾燥する。乾燥に強いオリーブやブドウなどの果物、柑橘類などが栽培されている。

▲緯度30°〜45°の大陸西岸に分布

◇温帯夏雨気候（Cw）

夏は降水量が多く高温湿潤となるが、冬には乾燥した気候になる。シイ類、カシ類、クス類などの照葉樹林が生育している。

▲緯度20°〜30°の大陸東岸に分布

先生の黒板 〔気候区と土壌〕

熱帯：ラテライト、レグール土
冷帯〜寒帯：ポドゾル
温帯〜冷帯：チェルノーゼム
寒帯：ツンドラ土

これも！

◆主な気候区の雨温図

各気候区の特徴を、雨温図から読み取れるようにしておこう。

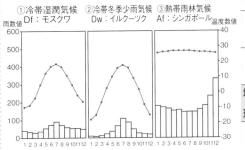

①冷帯湿潤気候 Df：モスクワ　②冷帯冬季少雨気候 Dw：イルクーツク　③熱帯雨林気候 Af：シンガポール

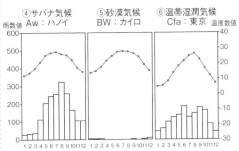

④サバナ気候 Aw：ハノイ　⑤砂漠気候 BW：カイロ　⑥温帯湿潤気候 Cfa：東京

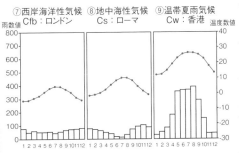

⑦西岸海洋性気候 Cfb：ロンドン　⑧地中海性気候 Cs：ローマ　⑨温帯夏雨気候 Cw：香港

◇ケッペンの気候区分：ドイツの気候学者ケッペンは、1923年に植物分布をもとに、「集中レッスン」に掲げた気候帯と気候区をまとめた。

★★★フォローアップ★★★　（　　　）に適語を入れよ。

問　温帯の（　　　）気候は、気温の年較差が少なく、降水量は一年を通して平均している。

◇解答　西岸海洋性

日本の地形と気候

①**日本の地形については、主要な河川・山地、平野の関連性を、さらに日本の気候の特色・分布・代表的都市も覚えておこう。**
②**日本の6地区の雨温図が読み取れるようにしておこう。**

（1）　日本の地形

◆山と山地・山脈

　日本は太平洋を囲む環太平洋造山帯の一部に属しており、火山活動によってできた山が多く、浅間山や雲仙岳、桜島など現在も活動中のものが多い。

　国土の約3分の2が山地で占められており、本州の中央部は「日本の屋根」と呼ばれ、標高3000m前後の高い山脈が連なっている。中でも飛騨山脈（北アルプス）、木曽山脈（中央アルプス）、赤石山脈（南アルプス）は、日本アルプスと呼ばれている。

◆平地（平野、盆地、台地）

　日本の平野は、川が運んできた土砂が堆積してできたものが多く、川沿いや河口に広がる。人が集まりやすい場所なので開発が進められ、さまざまな産業・交通・文化が発展している。また、山に囲まれた盆地や段丘や台地など起伏に富むものが多い。

◆河川

　日本の川は一般的に、山地から海岸までの距離が短く、平地が少ないため、急流部分が多い。梅雨や台風など季節によって水量の変化が大きいため、災害の原因ともなっている。

◆海岸線

　日本の海岸線は全体に複雑で入り組んでおり、半島や岬、湾や入り江が多い。特に太平洋側では、侵食されて深い湾や入り江となったリアス海岸と呼ばれる海岸地形が目立つ。三陸海岸や志摩半島が代表的である。天然の良港が多いが津波による被害も受けやすい。

（2）　日本の気候

　日本の気候は地形・海流・季節風などの影響を受けて、次のように大きく6つに分けられる。

①北海道の気候

　夏は涼しく過ごしやすいが、冬の寒さが厳しい。他の地域に比べ、1年を通じて降水量が少なく梅雨や台風の影響を受けないので、からっとした天気が多い。太平洋沿岸では親潮（千島海流）の影響で、春から夏にかけて海上で海霧と呼ばれる霧が発生する。

②太平洋側の気候

　夏は南東の季節風が吹いて雨が多く、高

◇日本の気候区

北海道の気候　①
日本海側の気候
瀬戸内の気候
中央高地の気候
太平洋側の気候
③
④
⑤
②
⑥南西諸島の気候

温多湿となり蒸し暑い。秋口には台風の影響を受けやすい。冬は冷たく乾いた北西の季節風が吹き、乾燥した晴れの天気が多い。

③日本海側の気候

冬は北西からの冷たい季節風が、日本海側を流れる対馬海流の湿った風を冷やすため雪が多く、山沿いでは豪雪地帯となる。夏は対馬海流が温かい空気を運ぶため、晴れた日が多く気温も高くなる。

④中央高地の気候

季節風の影響を受けにくいので、1年を通じて降水量が少ない。海と離れているため、夏と冬、昼と夜の気温差が大きい。

⑤瀬戸内の気候

季節風が夏は四国山地で、冬は中国山地にさえぎられるので、1年を通じて降水量は少なく、晴れの天気が多い。

⑥南西諸島の気候

沖縄から奄美諸島、小笠原諸島を含むこの地域は亜熱帯海洋性気候とも呼ばれ、温暖ではあるが1年を通して気温が高く、年間降雨量も多い。

◆沖積平野と洪積台地

沖積平野は、約1万年前から現在までの洪水などによって運搬された堆積物からなる平野の総称。これに対し、洪積台地は約170万年前から1万年前の堆積物をもつ台地の総称。

> ◇地形は似てるが
> 知っ得 フィヨルドとリアス式海岸は地形的には似ているが、フィヨルドは氷河の侵食によってつくられた海岸、リアス式は山地が沈降した海岸である。

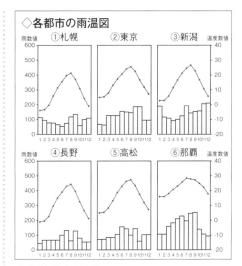

◇各都市の雨温図

①札幌 ②東京 ③新潟

④長野 ⑤高松 ⑥那覇

◆カルスト地形

石灰岩などの水で溶解しやすい岩石で構成された台地が雨水や地下水などによって侵食（溶食）されてできた地形。ドリーネと呼ばれるくぼ地と林立する石灰岩の石、鍾乳洞が特徴である。

◆中央構造線

関東から九州へ、西南日本を縦断する大断層系。この線を境に北側を西南日本内帯、南側を西南日本外帯と呼んで区別している。

◆フォッサマグナ

日本の主要な地溝帯の一つで、地質学においては東北日本と西南日本の境目とされる地帯。中央地溝帯とも呼ばれている。

先生の黒板 〔火山地形〕コニーデ、トロイデ、アスピーテ、ホマーテ、ベロニーテ、ペジオニーテ、マール、カルデラ

★★★フォローアップ★★★　（　　　）に適語を入れよ。
問　日本の太平洋側の海岸には、山地が沈んだり、侵食されて深い湾や入り江となった（　　　）海岸がある。

◇解答　リアス

世界の農業地域

①世界の農牧業は、自然環境と社会環境の影響を受けて、その地域の特色ある農牧業を形成してきたことを理解しておこう。
②農業地域を問う問題が目立つので、気候や土壌の特徴と結び付けて覚えておこう。

(1)　アジア式農業地域

　アジアのモンスーン地域で広く行われている稲作中心の農業地域である。経営規模の小さい米作中心の集約農業で、土地の作物生産性は高いが労働生産性は低い。自給的性格が強いが、ミャンマー・タイなどでは企業的農業として発達している。

　これに対し、畑作は水稲栽培に適さない地域で行われている。中国の華北・東北地方、インドのデカン高原、インド北西部からパキスタン北東部のパンジャブ地方などで盛んである。ア

◇アジア式農業地域の畑作地域と米作地域の分布図

華北高原
パンジャブ地方
デカン高原

□ アジア式稲作農業
■ アジア式畑作農業

ワ・トウモロコシ・コウリャンなどの自給作物、小麦・綿花・ダイズなどの商品作物が栽培されている。

(2)　ヨーロッパ式農業地域

　ヨーロッパ式農業は、産業革命後の農産物需要の増大と新大陸からの小麦輸入を契機に、旧来の三圃式農業から分化した農業方式である。

　商業的混合農業、自給的混合農業、酪農・園芸農業、地中海式農業からなる。いずれも耕種農業と家畜飼養が結合した有畜農業であり、土地利用は穀物類と飼料用作物との輪作を特色とする。自給的混合農業地域を除き

◇ヨーロッパ式農業地域

酪農・園芸農業
混合農業
地中海式農業

商品生産が盛んであり、一部を除いて一般に中規模経営の自作農を主体としている。労働生産性・土地生産性ともにアジア式農業に比べて高い。

(3)　新大陸式農業地域

　ヨーロッパから伝わった有畜農業から発達したもので、南北アメリカやオーストラリアなどの新大陸に見られる大農方式の農業である。アメリカ合衆国・カナダ・アルゼンチン・オーストラリアなどに発達する企業的穀物農業は典型的な粗放農業であるが、機械力を駆使するため高い収益をあげている。

◇アメリカ合衆国の農業地域

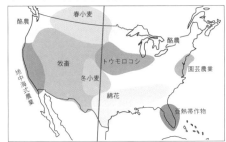

酪農
春小麦
地中海式農業
牧畜
トウモロコシ
冬小麦
綿花
酪農
園芸農業
亜熱帯作物

(4) プランテーション

プランテーションとは、大規模工場生産の方式を取り入れて、熱帯、亜熱帯地域の広大な農地に大量の資本を投入し、先住民や黒人奴隷などの安価な労働力を使って単一作物を大量に栽培する大規模農園のことである。

◆主要産物と分布

◇**東南アジア地域**→サトウキビ、天然ゴム、茶、ジュート、ココヤシ、バナナなど

◇**南北アメリカ地域**→サトウキビ、バナナ、コーヒー、綿花、パイナップルなど

◇**アフリカ地域**→カカオ、麻、綿花など

> [知っ得] ◇**アシェンダとは？** プランテーション農場の呼び方は、地域により異なる。東南アジア地域ではエステート、ブラジルではファゼンダ、アルゼンチンではエスタンシア、アルゼンチン以外の旧スペイン領ではアシェンダと呼ばれている。

 〔世界の主要農産物〕

米、小麦、トウモロコシ、ダイズ、サトウキビ、テンサイ、茶、コーヒー、綿花、カカオ、天然ゴム

◆世界の牧畜業

牧畜の形式は民族や地域によって異なるが、遊牧・移牧・企業的放牧・酪農の4つに区分することができる。

①遊牧

自然の牧草を探して放牧し、そこの草が尽きると他へ移動する粗放的な牧畜。熱帯から寒帯にかけての旧大陸の広大な地域に分布する。

②移牧

夏は山地、冬は山麓に牧場を移動する牧畜である。地中海沿岸に多くみられる。

③企業的放牧

畜産の販売を目的として大草原で羊・牛などを大規模に飼う牧畜である。南北アメリカ、オーストラリア、南アフリカなどにみられる。

④酪農

主として乳牛を飼い、牛乳や乳製品を作る商業的な牧畜業である。ヨーロッパのバルト海・北海沿岸地域、北アメリカの五大湖沿岸、オーストラリア南東部・ニュージーランドなどが盛んである。

◇**プランテーション農業の主要地域（地図中のP）**

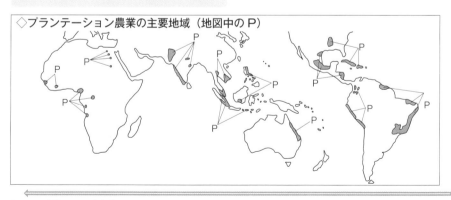

★★★フォローアップ★★★ （　　　）に適語を入れよ。

(1) 西岸海洋性気候に属する地域で広く行われている農業は、（　　　）農業である。

(2) モンスーン地域に属する地域では、米作中心の（　　　）式農業が営まれている。

◇**解答**　(1) 混合　(2) アジア

世界の工業地域　（1）

① 世界の主な工業地域は、北半球の温帯から冷帯地域に集中している。ここでは、欧米を中心に、その地域の特色を理解しよう。
② 先端技術産業が盛んな地域はよく出題されているので覚えておこう。

（1）　ヨーロッパの工業地域

　イギリス・ドイツ・フランスなどのヨーロッパの工業地域は、動力源である炭田地域に発達してきたものが大部分である。産業革命が最も早く興った地域で、近代工業の先駆をなしてきた。しかし、近年は資源の枯渇により、内陸型から臨海型立地へ転換し、古い内陸の工業地域は先端技術産業へと姿を変えてきている。

◆イギリスの工業地域

　イギリスは世界で最初の産業革命を行った国で、工業地域は石炭と鉄鉱石の産地に発達している。主な工業地域は以下のとおり。

◇スコットランド
グラスゴーが中心都市

　造船・鉄鋼業が盛んな工業地域で、港町のエディンバラとグラスゴー間の地域は、現在シリコングレンと呼ばれている情報技術産業の集積地となっている。

◇北東イングランド
ニューカッスル、ミドルズブラが中心都市

　鉄鋼業が盛んな2つの地域から成る。ミドルズブラにはエコフィスク油田とつながるパイプラインがあるため、石油精製も盛んである。

◇ランカシャー
マンチェスター、リヴァプールが中心都市

　前者は綿織物・機械工業、後者は化学・鉄鋼・金属が盛んな工業地域。

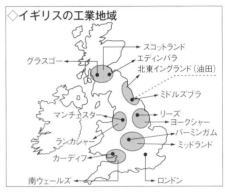

◇イギリスの工業地域

◇ヨークシャー
リーズ、シェフィールドが中心都市

　前者は羊毛工業、後者は鉄鋼業、特に刃物の生産が盛んな工業地域。

◇ミッドランド
バーミンガムが中心都市

　鉄鋼業が盛んな工業地帯。他に、自動車工業のコヴェントリ、陶磁器のストークといった都市がある。

◇南ウェールズ
良港のカーディフが中心都市

　輸入鉄鋼、南ウェールズ炭田に立地した鉄鋼・機械工業が盛んである。

◆ドイツの工業地域

　ルール工業地帯は、ヨーロッパ最大の工業地帯である。ルール炭田の石炭とライン川の水運を立地条件として、刃物で有名なゾーリンゲン、河川交通の要所であるデュースブルク、交通の要所であり、石炭や鉄鋼業が盛んであったドルトムント、エッセンなどの諸都市がある。

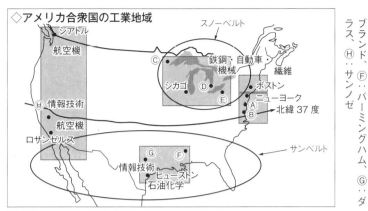

◆スノーベルト‥五大湖周辺からメガロポリスに至る都市一帯。

◆サンベルト‥アメリカ合衆国南部、ほぼ北緯37度以南の温暖な地域。

※Ⓐ‥フィラデルフィア、Ⓑ‥ボルチモア、Ⓒ‥メサビ、Ⓓ‥デトロイト、Ⓔ‥クリーブランド、Ⓕ‥バーミングハム、Ⓖ‥ダラス、Ⓗ‥サンノゼ

(2) アメリカ合衆国の工業地域

◇ニューイングランド工業地域

合衆国最古の工業地域。主要工業は高級繊維・先端技術である。

主要都市は繊維・精密機械が盛んなボストンである。

◇中部大西洋沿岸工業地域

五大湖とニューヨークを結ぶ運河で他地域と接続している。

主要工業都市は鉄鋼・機械工業が盛んなフィラデルフィア、鉄鋼・造船のボルチモア、衣料・食品・印刷業などのニューヨークがある。

◇五大湖沿岸工業地帯

メサビの鉄鉱石、アパラチア炭田を有し、五大湖の水運を利用することで発展してきた。合衆国最大の工業地帯であり、主要工業は鉄鋼・機械工業である。

主要都市は、デトロイト（自動車工業）、シカゴ（農業機械・食品工業）、クリーブランド（鉄鋼・機械工業）、ピッツバーグ（鉄鋼）、ミルウォーキー（ビール）など。

◇南部工業地域

古くは綿花や油田に立地した産業が中心であったが、現在はテキサス州・ダラスを中心としたシリコンプレーン、フロリダ州を中心としたエレクトロニクスベルトなどの情報技術産業の集積地である。

主要都市は　バーミングハム（鉄鋼・機械工業）、ヒューストン（石油化学・宇宙産業）オークリッジ（原子力工業）など。

◇太平洋岸工業地域

軍需産業から発展した大規模地域開発と結び付いている。主要工業は航空機・先端技術などであり、カリフォルニア州サンノゼを中心としたシリコンバレーは、情報技術産業の集積地となっている。

主要都市は、ロサンゼルス（石油化学・航空機・映画産業）、シアトル（製材・パルプ・アルミニウム・航空機）など。

〔欧州の工業地域〕

トリノ、ミラノ、アムステルダム、ロッテルダム、ユーロポート、ブリュッセル、ジュネーブ、ストックホルム

★★★フォローアップ★★★　（　　）に適語を入れよ。

(1) ヨーロッパ最大の工業地帯は、（　　　　）工業地帯である。

(2) アメリカ合衆国最大の工業地帯は、（　　　　）工業地帯である。

◇解答　(1) ルール　(2) 五大湖沿岸

地理

世界の工業地域　（2）

①ここでは、欧米以外、特にアジアにおける工業地域について、その特色を押さえておこう。

②日本の工業地帯・地域の生産額の順位と主要工業について覚えておこう。

(1)　アジアの工業地域

アジアは日本を除けば、近代工業化が遅れ、世界の後進地域であった。しかし、第二次世界大戦後、欧米の植民地から独立すると、アジア諸国の工業化も進められた。

◆中国

1949年の中華人民共和国成立後、1970年代半ばまでの経済は、大躍進政策の失敗や文化大革命によって立ち遅れていた。社会主義経済の非効率性も経済発展の障害となっていた。

このため、鄧小平の主導によって1978年に「改革開放」政策が採用され、市場経済の導入、国営企業の民営化や不採算企業の閉鎖、人民公社の廃止と生産責任制の実施、外資導入など、経済政策の方針を、市場経済原理による資本主義体制を大幅にとり入れたものに転換した（社会主義市場経済）。その結果、1980年代以降は、幾度かの混乱がありながらも、沿海部の経済開放地区を中心に長い成長過程に入り、経済成長を持続している。経済成長の著しいブラジル、ロシア、インド、南アフリカとともに、BRICSと呼ばれ、2010年には、GDPで「世界第2位の経済大国」となった。

地域別に見ていくと、沿海部の経済開放地区の他に、東北区や華北・華中では、古くから豊富な資源を生かして、鉄鋼業・石油化学工業などの盛んな工業都市が発達してきた。西部の砂漠地帯では、新しく油田が開発され、石油精製などの工業が成長している。

◆インド

1947年の独立以降、重工業の育成を図り、国内産業保護を政策としていた。冷戦が終わり、1991年に通貨危機をきっかけとして、インド型社会主義の実験を終え、経済自由化に政策を転換した。外資の導入、財政出動などにより、経済は著しい成長を遂げた。製造業では従来の繊維工業の他に、自動車や集積回路の製造、バイオテクノロジーの分野に力を入れている。

◇新興工業経済地域（NIEs）

新興工業経済地域（NIEs）とは、発展途上国の中で20世紀後半に急速な経済成長を果たした国・地域の総称。アジアでは韓国、台湾、香港、シンガポールの国・地域を指すが、これら4つの国・地域はアジア四小龍、あるいはアジアの4匹の虎と呼ばれている。

(2)　日本の工業地域

日本は、人口の多い関東地方から九州地方北部にかけて工場が帯状に並んでいることから太平洋ベルトと呼ばれている。この太平洋ベルトで、日本の工業生産額の約3分の2を占める。その中で、京浜、中京、阪神の3つの工業地帯を三大工業地帯という。

京浜工業地帯

京浜工業地帯には、東京を中心に人口が集中し、交通手段の利便性を利用して工業が発

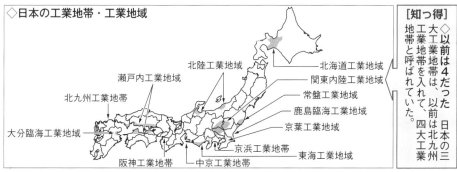

◇日本の工業地帯・工業地域

北陸工業地域
瀬戸内工業地域
北九州工業地帯
大分臨海工業地帯
阪神工業地帯
中京工業地帯
京浜工業地帯
東海工業地域
京葉工業地域
鹿島臨海工業地帯
常盤工業地域
関東内陸工業地帯
北海道工業地域

[知っ得]
◇以前は4だった大工業地帯は、以前は北九州工業地帯を入れて、四大工業地帯と呼ばれていた。日本の三

達、東京湾を埋め立てて工業用地がつくられた。第二次世界大戦後の長い期間、最大の生産額をあげてきたが、現在は三大工業地帯の中で最も生産額が低い。機械工業を中心に重化学工業が発達するとともに、情報の集中に関連して出版・印刷業の割合が高い。

中京工業地帯

現時点において、生産額では日本最大の工業地帯になっている。古くから交通や都市が発達しており、伝統的な綿織物・陶磁器の生

産が盛んであった。現在でも瀬戸・多治見の陶磁器、一宮の毛織物などの工業都市がある。第二次世界大戦後は機械工業を中心に発達し、特に豊田市の自動車工業が有名である。また、四日市の石油化学工業もあり、重化学工業が発達している。

阪神工業地帯

重化学工業を中心に、あらゆる工業が発達し、総合工業地帯とも呼ばれている。第二次世界大戦頃までは日本最大の生産額をあげていた。江戸時代から商業が発達し、瀬戸内海を利用した輸送など水陸の交通に便利であった。明治以降、大阪は綿工業が発達し、「東洋のマンチェスター」とも呼ばれるほどであった。大阪・堺・神戸は石油化学工業、その南部に繊維工業、淀川流域は電気機器・医薬品の産業が発達した。近年は、和歌山や琵琶湖沿岸まで工場の進出が見られるようになった。

◇三大工業地帯まとめ

京 浜 工業地帯	生産額第三位 機械工業、出版・印刷業等
中 京 工業地帯	日本最大工業地帯 自動車工業、石油化学工業等
阪 神 工業地帯	生産額第二位 石油化学工業、繊維、電気機器等

◆VISTA

BRICSに続くグループとしてVISTAが注目されている。Vはベトナム、Iはインドネシア、Sは南アフリカ共和国、Tはトルコ、Aがアルゼンチンである。

〔世界の主要工業〕
金属工業（鉄鋼業・アルミニウム工業）、機械工業（自動車工業・造船業・航空機産業・精密機械工業・電子機械工業）、化学工業、繊維工業

★★★フォローアップ★★★　（　　　）に適語を入れよ。
(1) 中国は社会主義の政治体制でありながら、（　　　）と呼ばれる経済体制をとっている。
(2) 現時点において、日本最大の工業地帯となっているのは、（　　　）工業地帯である。

◇解答　(1) 社会主義市場経済　(2) 中京

世界の貿易

世界各国が、それぞれの地理的な条件や技術などを生かして専門的な生産を行い、貿易を行っている。その中で、主要国の輸出入品目が何であるのか、統計資料で確かめながら、その国の経済基盤を理解し、覚えていこう。

(1) アメリカ合衆国の経済基盤

アメリカ経済は、これまで自由貿易と活発な資本投下、金融市場などを背景に、GDPが世界最大の国であり国際経済に大きな影響を及ぼしている。主要な産業は、先端科学技術などを背景にした自動車、機械、鉄鋼、航空機などの製造業、情報技術産業、サービス業などがあげられる（テーマ (5) 参照）。また、企業規模の農業にも特色がある。

豊富な資源を基盤としているが、人口と社会構造の巨大さから消費量が多く、原油などは輸入に頼っている。人口増加率が高いのは、移民の受け入れなどが原因の一つともなっている。このため、住宅建設などの内需が強い傾向にあったが、2008年のリーマン・ショックでは国際経済に大きな影響を与えるとともに、アメリカ国内の住宅産業などが大きな後退を余議なくされた。国民の所得や資産の格差がしだいに拡大するなか、2009年半ば以降、復調し始めた国内経済は、財政赤字と失業率の改善といわれている。

市場は世界最大で各国から輸入しており、品目は原油をはじめとして、自動車、衣類、電子機器などの大量な工業製品があげられる。一方で、穀物、果物などの食料や情報機器、航空機などを輸出している。

(2) 中国の経済基盤

中国の産業は農牧業の他に、製造業が盛んであり、「世界の工場」と呼ばれている。安い人件費、膨大な人数を背景にした潜在消費需要を当て込んだ外資の資本投入と、安価な製品輸出の拡大にある。輸出については、日本や韓国、東南アジア諸国、アメリカなどへの輸出が目覚ましく、大幅な貿易黒字となっている。このため、極度な輸出と投資に依存した経済成長を続けた結果、個人消費の割合が著しく低い、ゆがんだ経済となった。

このことが、投資効率性低下や資源浪費、環境破壊、過剰貯蓄を通じて貿易摩擦につながっている。また、コロナ禍により景気は減速し、個人消費と工業生産は伸び悩んでいる。GDPは世界第2位である。

◇中国の主要輸出入品目
輸出：機械類、衣類、繊維品、金属製品
輸入：機械類、原油、鉄鉱石、精密機械

(3) インドの経済基盤

インドの経済は、農業・手工業・繊維・多種多様のサービスと多様性に富んでいる。労働力人口の3分の2が直接あるいは間接的に農業で生計を立てている一方、サービス業は急速に成長している部門であり、インドの経済に重要な役割を担うようになってきている。

IT時代の到来と英語で教育された若年労働者により、アフターサービスや技術サポートの世界的なアウトソーシングの重要拠点となりつつある。

　他の部門では製造業、製薬、バイオテクノロジー、ナノテクノロジー、通信、造船、航空、観光などが成長の兆しを見せている。

◇**インドの主要輸出入品目**

輸出：石油製品、機械類、ダイヤモンド、鉄鋼、
　　　繊維品、医薬品、有機化合物

輸入：原油、機械類、金、ダイヤモンド、石炭、
　　　有機化合物

（4）　ロシアの経済基盤

　ロシアの経済は、豊富な石油、天然ガス、石炭、貴金属資源を有し、世界有数の穀物生産・輸出国である。1991年のソ連崩壊後、ロシアの経済はそれまでの中央計画経済から、より市場機能を重視した経済への移行という大きな変化を経験し、1990年代にはエネルギー部門及び軍事関連部門以外の多くの国営企業が民営化された。

　この急激な民営化移行の過程において、国営企業株の多くが政界と密接な関わりをもつ新興財閥の手に渡るなどして国営企業の寡占化が進んだ。

◇**ロシアの主要輸出入品目**

輸出：原油、石油製品、金、鉄鋼、石炭、機
　　　械類

輸入：機械類、自動車、医薬品、自動車部品、
　　　金属製品

（5）　日本の経済基盤

　日本の国内市場が大きいため第三次産業が発達している。製造業も強く、特に工業技術は世界最高水準である。自動車、エレクトロ

ニクス、造船、鉄鋼、素材関連の産業は戦後大きく成長し、世界有数の企業も擁する。

◇**主な輸出入品目**

　資源が乏しく加工貿易が盛んなため、輸出は自動車、電気製品、電子機器、工作機械や産業用ロボットなどであり、輸入は石油、液化天然ガス、半製品や医薬品、食料品である。

◇**日本の商品別概況（シェア）**

日本の商品別輸出概況		日本の商品別輸入概況	
化学製品	11.0%	食料品	8.5%
（有機化合物）	(2.0%)	（魚介類）	(1.7%)
（プラスチック）	(2.9%)	原料品	6.5%
一般機械	18.3%	鉱物性燃料	24.9%
電気機器	16.6%	（石油関係）	(10.3%)
（半導体等）	(5.4%)	化学製品	10.5%
輸送用機器	23.4%	（医薬品）	(4.2%)
（自動車関係）	(17.1%)	原料別製品	8.2%
（船舶）	(1.3%)	一般機械	8.7%
原料別製品	11.5%	電気機器	16.1%
（鉄鋼）	(4.5%)	輸送用機器	3.7%
その他	19.3%	その他	12.8%

（資料:ドル建て貿易概況　日本の月次貿易動向 2023ジェトロ）

これも！　◆**貿易収支上位のドイツ**

　ドイツは、貿易収支額、経常収支額ともに常に上位の貿易大国である。

先生の黒板　〔貿易〕
自由貿易、保護貿易、
水平貿易、垂直貿易、加工貿易、中継貿易、
バーター貿易

★★★フォローアップ★★★　（　）に適語を入れよ。
(1) 現在、中国は「（　　　）」と呼ばれるほど製品を生産し、世界各国に輸出している。
(2)（　　　）は世界最大の市場を有するため、世界中の国が輸出に力を入れている。

◇**解答**　(1) 世界の工場　(2) アメリカ合衆国

世界の民族・宗教・言語

①世界の主な民族や宗教、そして言語について、その意味を理解するとともに、その地域的分布についても覚えておこう
②多文化主義とその問題点について理解を深めておこう。

(1)　民族

民族とは、多義的な言葉である。一般的には、自ら他の集団と区別して、共通の土地、血縁、言語や、宗教、社会組織、経済その他の生活様式などあらゆる領域の文化的共通項を持ち、互いに伝統的に結ばれていると認める集団、または他の人々からその事実を認められている集団をいう。

民族としては、ヨーロッパのゲルマン族、ラテン族、スラブ族、中東・アラビア地域のハム族、セム族、東アジアの漢民族、大和民族などがある。

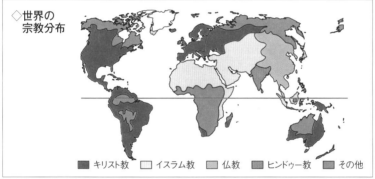

◇世界の宗教分布

■ キリスト教　□ イスラム教　■ 仏教　■ ヒンドゥー教　■ その他

(2)　宗教

世界三代宗教と呼ばれるキリスト教、イスラム教、仏教は、人種や民族、文化圏の枠を超え広範な人々に広まっている。

◆キリスト教

カトリック・プロテスタント・東方正教

北アフリカと西アジア以外、ほとんどの地域に分布している。世界における信者数は、すべての宗教の中で最も多い。

◆イスラム教

スンナ（スンニー）派・シーア派

今日、世界のいたるところでみられる。キリスト教に次いで、世界で2番目に多くの信者を持つ宗教である。特に西アジア・北アフリカ・中央アジア・南アジア・東南アジアが最もイスラム教徒が多い地域とされている。

◆仏教

大乗仏教・上座部仏教

世界三大宗教の1つに数えられているが、アジア（特に東アジア・東南アジア）に偏って分布している。信徒数はヒンドゥー教と比べても少ない。また、特定の地域や民族にのみ信仰される宗教は民族宗教と呼ばれている。ユダヤ教や神道、ヒンドゥー教などがこれに当たる。

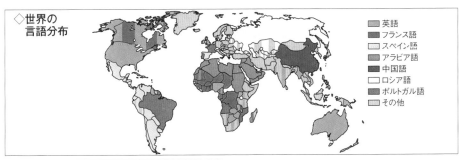

◇世界の言語分布

英語
フランス語
スペイン語
アラビア語
中国語
ロシア語
ポルトガル語
その他

地理

(3)　言語

　言語とは、コミュニケーションのための記号で、一般には、人間の音声による音声言語を指すが、広義には身振りなど音声以外の要素も含む。日本語や英語のように自然発生的に生まれた言語を自然言語と呼ぶ。

◆英語

　イギリスイングランド地方を発祥とする言語である。地域的には主として西ヨーロッパ、北アメリカ、オーストラリアであるが、世界で最も多くの国・地域で使用されている言語であり80カ国以上に及ぶ。

◆フランス語

　世界で2番目に多くの国で使用されている言語で、フランス、スイス、ベルギーの他、かつてフランスやベルギーの領域だった諸国を中心に29カ国で公用語とされている。国際連合、欧州連合の公用語の1つでもある。

◆スペイン語

　スペイン語は、ラテンアメリカ地域におけ

る国際共通言語で、世界で3番目に多くの国で使用されている。使用国数は20カ国以上で、英語、フランス語、中国語、ロシア語、アラビア語と並ぶ国際連合の6つの公用語の1つである。

◆アラビア語

　アラビア語は、主に西アジア（中東）・北アフリカのアラブ諸国で用いられ、世界の言語の中でも広い地域で使用されている言語でもある。

◆中国語

　中国語は中国本土や台湾だけではなく、シンガポールなどの東南アジアや、日本、アメリカなどの世界各国にいる華僑・華人たちの間で話されている。

◆ロシア語

　ロシア連邦及び旧ソ連構成国のベラルーシ、カザフスタン、キルギスなどで公用語となっている他、広く東欧やアジア地域においても使用されている。

 これも！

◆食のタブー

　ヒンドゥー教徒は牛を神聖視するので食べない。イスラム教は豚、血の残った肉、異教徒により処理された肉を食べず、酒類も禁止。

 先生の黒板　〔文化圏〕東アジア、インド、内陸アジア、イスラム、マレー、ゲルマン、ラテン、スラブ、アフリカ、オーストラリア、極北

★★★フォローアップ★★★　（　　）に適語を入れよ。
問　世界三大宗教といわれるものは、キリスト教、イスラム教、（　　　）である。

◇解答　仏教

＜練習問題＞

練習問題1

正距方位図法の地図の特徴として正しいものはどれか。
（1）任意の2点間を結ぶ等角航路と最短距離
（2）任意の2点間を結ぶ等角航路と大圏航路
（3）任意の2点間を結ぶ最短距離と正しい方位
（4）中心点と他の任意の地点を結ぶ等角航路と最短距離
（5）中心点と他の任意の地点を結ぶ大圏航路とその距離

練習問題2

世界の気候区分に関する記述として妥当なものは、次のうちどれか。
（1）冷帯湿潤気候は、オーストラリア南西端やアフリカ大陸の北端・南端などに分布する気候で、1年を通して降雨が多く、降雪も見られる。
（2）氷雪気候は、最暖月の平均気温が0℃未満だが、コケ類や地衣類は生育する。イヌイットなどが遊牧生活を営んでいる。
（3）サバナ気候は、赤道付近に分布し、1年中降雨が多い高温多湿の気候で、常緑広葉樹林が茂り、密林を形成している。
（4）西岸海洋性気候は、偏西風や暖流の影響で冬は同緯度の地域に比べ暖かいが、夏に気温が高くなり、降水量も多くなる。
（5）地中海性気候は、夏は高温で乾燥するが、冬は比較的降雨に恵まれている。アメリカのカリフォルニアなどにも見られる。

練習問題3

日本の各都市と雨温図の組合せとして正しいものはどれか。
（1）ア－福井市　（2）イ－釧路市　（3）ウ－高知市
（4）エ－那覇市　（5）オ－岡山市

練習問題1　　　　　［解答］（5）
　正距方位図法では、中心からの距離と方位が正しく描かれ、地球全体が真円の形で表される。つまり、中心点と他の任意の地点を結ぶ大圏航路とその距離が示されている。国連旗は正距方位図法を用いている。

練習問題2　　　　　［解答］（5）
（1）冷帯湿潤気候の記述であるが、記述の地域は地中海性気候に属する。
（2）氷雪気候は1年中雪と氷に閉ざされ、植物の自生はなく人間が居住するのも非常に困難な気候区である。イヌイットなどが遊牧生活を営むことができるのは、ツンドラ気候である。
（3）熱帯雨林気候の記述である。サバナ気候は、1年の間で雨季と乾季がはっきりと分かれているのが特徴。
（4）前半部分の記述は妥当であるが、後半部分の記述は誤り。西岸海洋性気候は温帯の中では夏の気温が低く、雨量はやや少なめであるが、年較差が少なく安定している。
（5）夏季の乾燥に強いオリーブや、ブドウなどの果物、柑橘類などの栽培が行われている。

練習問題3　　　　　［解答］（1）
　アは降水（雪）量が冬の時期に多いことから、日本海側であることが判断できる。福井市が属するので正解。イは1年を通して気温が高いので南西諸島の那覇市。ウは年間降水量が少ないことと、温暖な気候から瀬戸内の岡山市。エは梅雨の時期と台風の時期に降水量が多いことから太平洋側の雨温図で高知市。オは冬の寒さが厳しく、年間を通し気温が低いことから北海道で釧路市。

練習問題4

農業には栽培と牧畜、その2つを組み合せた混合農業があるが、これらに関する記述について正しく述べたものはどれか。

（1）牧畜業はユーラシア大陸とアメリカ大陸の両方にみられるが、経営規模は大差がない。

（2）東ヨーロッパ地域では混合農業が盛んに行われているが、東南アジア地域でも盛んである。

（3）アジア・アフリカの牧畜業地域の主な飼育家畜は、地域によって大差がない。

（4）東南アジア地域の作物栽培は労働集約型であり、その生産性は一般的に高いといえる。

（5）牧畜が近代化して商業牧畜になってくると、作物栽培農業も盛んになる傾向がある。

練習問題5

アメリカ合衆国の工業地域・工業都市に関する記述として、誤っているものはどれか。

（1）サンノゼを中心とするサンフランシスコ・ベイエリアには、半導体や集積回路を生産する企業が多数立地しており、シリコンバレーと呼ばれている。

（2）シアトルを中心とする太平洋岸北西部地域では、豊かな森林資源をいかした製紙・パルプ工業や、第二次世界大戦後に発達した航空機産業が盛んである。

（3）ボストンを中心とする工業地域では、移民労働力を利用した毛織物工業が古くから盛んであり、労働集約的な生産が行われてきた。

（4）ピッツバーグを中心とする工業地域では、付近で産出される豊富な石油や天然ガスを背景に、石油化学コンビナートが立地している。

（5）デトロイトは、自動車産業発祥の地であるが、依然全米随一のモーターシティとして重要な機能を果たしている。

練習問題6

中国の工業化に関する記述として、誤っているものはどれか。

（1）1950年代に入ると、第一次五カ年計画でソビエト連邦型の計画経済を模倣して、重化学工業への投資を行った。

練習問題4 ［解答］（5）

（1）南北アメリカ大陸の経営規模が圧倒している。大量の家畜販売を目的とした商業的（企業的）牧畜が盛んに行われているからである。

（2）東ヨーロッパ地域では自給的混合農業が行われているが、東南アジア地域では稲作などの作物栽培が主である。

（3）牛が主なところもあれば、馬や羊など地域によって異なる。

（4）先進諸国と比較すれば、労働生産性は低いといわれている。

（5）商業的牧畜が盛んな地域には、小麦などの作物栽培も盛んである。

練習問題5 ［解答］（4）

（1）カリフォルニア州サンノゼは、世界最大の情報技術産業の集積地域である。

（2）コロンビア川の水力発電によりアルミニウムが発展し、シアトルの航空機産業と結びついた。

（3）数多くの移民がボストンに居住し、その移民労働力を利用した被服及び皮革製品の生産で知られていた。現在は教育・医療・観光などのサービス産業中心の都市となっている。

（4）ピッツバーグではなく、ヒューストンの記述である。ピッツバーグは鉄鋼業への依存から、サービス業を中心とした地域経済へと移行。ヒューストンは1901年の油田発見によって急速に発展、現在は石油産業だけではなく、宇宙産業（NASA宇宙センター）、医療産業、畜産業などが主要産業となっている。

（5）1903年にヘンリー・フォードが量産型の自動車工場をデトロイトに建設、それ以降全米一の自動車工業都市として発展した。

練習問題6 ［解答］（2）

（1）土地改革法が公布されたことで、農民の生産意欲は向上し、1952年には1949年以前の農産品の生産量の水準を上回っていた。それを重化学工業の投資に振り向けた。

（2）1960年代後半から文化大革命の影響が全国各地に広がり、大学から生産現場への労働移動によって、工業生産が増加した。

（3）1980年代に入り、経済特区が沿岸部に指定され、外国企業の誘致による輸出指向型工業への転換が図られた。

（4）1980年代後半には、余剰労働力を非農業部門で活用する郷鎮企業が急増し、農村部に普及していった。

（5）2000年に入り、政府は沿岸部と内陸部の格差是正を目的に、西部大開発を進めたが、依然経済的な後進地域である。

練習問題7

イスラム教及びイスラム社会に関する記述として最も妥当なものはどれか。

（1）イスラム教は西アジア、北アフリカを中心に広がっているが、それ以外の地域でイスラム教徒が占める割合が半数以上となる国は、東欧ではポーランドであり、東南アジアではスリランカである。

（2）イスラム教の創始者であるムハンマドは神からの言葉を伝える預言者であり、信仰の対象とはならない。また、モスクは祈りのための場所で、メッカの方向を示す窪みが刻まれているが、祭壇や神の像などは置かれていない。

（3）イスラム暦の9月の第1週に、祖先の苦労を偲ぶための祭り（ラマダーン）が1週間にわたって行われる。イスラム教徒は、この期間に子羊の肉、種なしパン、苦菜等の粗末な食事を摂る。

（4）イスラム教は食事に関して厳格な規定があり、豚肉を食べることは禁止されている。また、上位の宗教指導者ほど肉類に関する制限が厳しくなり、最上位の者は完全な菜食主義となる。

（5）イスラム教では、教典であるコーランが教徒としての行動や日常生活を規定しているが、あくまで慣習にとどまる。したがって、イスラム教を国教とするイスラム国家といえども、大部分の国は憲法により政教分離を規定している。

（2）文化大革命は毛沢東と反毛沢東との権力闘争。農村からは紅衛兵として多くの青少年が大都市に狩り出され、大都市の大学生は農村に追いやられた（下放）。その政治的混乱のために、工業生産は著しく停滞した。

（3）毛沢東の死後、1978年に改革開放路線が採用され、ソビエト連邦型の計画経済は否定され、市場指向型の経済に大きく舵を切った。

（4）郷鎮企業は農村の失業者を低賃金で雇い、農村の経済格差をある程度は解消した。

（5）西部大開発は、2000年3月の全国人民代表大会で正式決定された政策である。インフラの整備は進んでいるが、未だに経済的な後進地域である。

練習問題7　　　　　[解答]（2）

（1）西アジア、北アフリカ以外の地域で、イスラム教徒が占める割合が半数以上となる国は、東欧ではアルバニア、東南アジアではインドネシア、ブルネイ、マレーシアである。なお、ポーランドではキリスト教（カトリック）、スリランカでは仏教を主に信仰。

（2）預言者ムハンマドであっても、信仰の対象とはならない。対象となるのは、唯一神アッラーのみ。偶像崇拝も厳しく禁止されている。

（3）ラマダーンはイスラム暦の第9番目の月名であり、この1カ月間にわたってイスラム教徒に断食が課せられる。1週間ではない。

（4）前半部分の記述は正しいが、後半部分の記述は誤り。宗教指導者であっても、守るべき規定は、一般信徒と同じである。

（5）イスラム教では、教典であるコーランが教徒としての行動や日常生活を規定しており、イスラム教を国教と定めるイスラム国家においては、法律の役割を果たしている。しかし、トルコやインドネシアなどイスラム教徒が国民の大半を占める国でも、憲法が政教分離あるいは他の宗教を信じる自由を定めている国もある。

文学・芸術

◇文学・芸術頻出問題上位

①西洋の画家
②海外の文学者
③西洋の作曲家
④西洋の文学者と作品
⑤19世紀の作曲家
⑥英米の文学者
⑦日本の伝統芸能
⑧古典文学と作者

文学・芸術

日本の文学（古典）

日本の古典文学を時代ごとにみると、女流文学が発展した平安時代、隠者文学や軍記物語に名作が生まれた鎌倉時代、庶民的な文学が流行した江戸時代などの特色がある。歌集や俳諧についても注意が必要である。

(1) 平安時代の文学

　仮名による文学が生まれ、女性の筆による名作が多いことが特徴。
■■代表的な作品■■　（　）は作者
◆日記文学
◇『土佐日記』（紀貫之）
　国司としての任期を終えて土佐から都へ戻るまでの日々を女性に仮託してひらがなで綴る。日記文学の先駆け。
◇『蜻蛉日記』（藤原道綱母）
　権勢家の夫の多情に苦しむ心境を綴る。
◇『和泉式部日記』（和泉式部）

敦道親王との恋を、和歌を交えて記す。
◇『更級日記』（菅原孝標女）
　物語に憧れた少女時代から老境までを回想。
◆随筆
◇『枕草子』（清少納言）
　日本初の随筆といわれる。「をかし」という理知的な美意識が特徴。
◆物語
◇『竹取物語』現存する最古の物語。
◇『伊勢物語』和歌中心に構成された歌物語。主人公の「男」は在原業平と推測される。
◇『落窪物語』「継子いじめ」の物語。
◇『源氏物語』（紫式部）
　光源氏と彼をめぐる女君達の物語。「もののあはれ」といわれる情趣が特徴。

(2) 鎌倉時代の文学

　仏教の無常観を基底とする隠者文学があらわれ、『方丈記』や『徒然草』が代表格である。和文と漢文訓読体をおりまぜた和漢混淆文がみられるようになったのも特徴。
■■代表的な作品■■　（　）は作者
◇『方丈記』（鴨長明）
　随筆。人の世のはかなさや自己の心境を綴る。
◇『徒然草』（兼好）
　随筆。自然や日常生活、技芸など様々な分野での批評や感想を述べる。
◇『平家物語』
　平家の栄華と滅亡を描く軍記物語。琵琶法師の弾き語り「平曲」で広まる。
◇『十六夜日記』（阿仏尼）

我が子の土地相続の訴訟のため鎌倉に赴いた際の紀行文。

(3) 歌集

　現存する最古の和歌集『万葉集』が奈良時代に編纂され、平安時代以降、『古今和歌集』をはじめとする勅撰和歌集が編まれた。
■■代表的な歌集■■　（　）は成立した時代と主な編者
◇『万葉集』（奈良時代、大伴家持（推定））
　「ますらをぶり」といわれる雄大で素朴な歌風。皇族、貴族から庶民の歌まで幅広く集録。
◇『古今和歌集』（平安時代、紀友則・紀貫之）
　最初の勅撰和歌集。「たをやめぶり」といわれる優美で繊細な歌風。紀貫之による序文「仮名序」が有名である。

◇『新古今和歌集』(鎌倉時代、藤原定家)
勅撰和歌集。「幽玄」といわれる余情を重んじる歌風。技巧的で、本歌取りや体言止めなどを用いた歌が多い。

◇『山家集』(平安時代末期)　西行の私家集。

◇『金槐和歌集』(鎌倉時代)　鎌倉幕府の3代将軍・源実朝の私家集。

(4) 江戸時代の文学

現代でいう小説の一種が生まれ、庶民的な文学が流行。前期には上方を中心に、写実的な浮世草子などが作られた。

後期には江戸を中心に、勧善懲悪の思想を反映した読本や人情本、滑稽・洒脱を基調に会話文を主体とする洒落本・滑稽本などが好まれた。

■■代表的な作家と作品■■

◆浮世草子

◇井原西鶴　『好色一代男』『好色五人女』『日本永代蔵』『世間胸算用』

◆読本

◇上田秋成　『雨月物語』

◇曲亭馬琴　『南総里見八犬伝』

◆人情本

◇為永春水　『春色梅児誉美』

◆滑稽本

◇十返舎一九　『東海道中膝栗毛』

◇式亭三馬　『浮世風呂』『浮世床』

(5) 俳諧

江戸時代に松尾芭蕉が「さび」「しをり」「軽み」を特徴とする蕉風俳諧を確立。芭蕉以後、絵画的な表現が特徴の与謝蕪村、庶民的で素朴な表現が特徴の小林一茶らが現れた。

◆能

猿楽から発展し、室町時代に世阿弥によって大成された歌舞劇。舞・謡・囃子を中心に構成される。古典文学や伝承などを題材とする。登場人物には主役の「シテ」、脇役の「ワキ」、助演者の「ツレ」がおり、シテは通常、面と華やかな衣装を身につける。

◆狂言

猿楽から発展し、室町時代に成立。物まねやせりふが中心的な要素。庶民的で世相を反映したものが多い。登場人物は主役の「シテ」と脇役の「アド」で構成される。せりふは口語で、演者の扮装も質素である。

◆歌舞伎

出雲の阿国の「かぶき踊り」を起源に、江戸時代に大成。音楽、舞踊、演技を中心に構成される。「隈取り」と呼ばれる化粧法や「見得」などの演出法が特徴。代表的な作家は近松門左衛門、鶴屋南北、河竹黙阿弥など。

◆浄瑠璃

室町時代からみられた語り物の一種。江戸時代に三味線伴奏と人形劇を合わせた人形浄瑠璃が成立した。近松門左衛門が作家として活躍した。

■■代表的な俳人と作品■■

◇松尾芭蕉　『おくのほそ道 (奥の細道)』『野ざらし紀行』『更科紀行』

◇与謝蕪村　『新花摘』

◇小林一茶　『おらが春』

文学・芸術

★★★フォローアップ★★★　次の作品の作者を述べよ。

(1)『蜻蛉日記』

(2)『方丈記』

(3)『南総里見八犬伝』

◇**解答**　(1) 藤原道綱母　(2) 鴨長明　(3) 曲亭馬琴

日本の文学（近代）

日本の本格的な近代小説は坪内逍遙や二葉亭四迷らの写実主義が出発点であるといえる。やがて西欧の自然主義に触発され、日本独自の自然主義文学が台頭、以後の文学に大きな影響を与えた。こうした近代文学の主な潮流について確認しておきたい。

（1）明治の文学

　明治期は近代文学の草創期といえる。初の文学論『小説神髄』や、言文一致体による小説『浮雲』など文学に新たな動きが生まれた。

◆写実主義
　→現実をありのままに描く。
◇坪内逍遙　『小説神髄』『当世書生気質』
◇二葉亭四迷　『小説総論』『浮雲』

◆擬古典主義
　→井原西鶴など古典の再発見。
◇尾崎紅葉　『金色夜叉』
◇幸田露伴　『五重塔』

◆浪漫主義
　→自由な感情の重視、夢や理想を表現。
◇樋口一葉（擬古典主義とされることもある）
　『にごりえ』『たけくらべ』『十三夜』
◇泉鏡花　『高野聖』
◇国木田独歩（後に自然主義へと推移）『武蔵野』

◆自然主義
　→写実描写を徹底。自己の実生活を題材に、人間の醜悪な部分を描く。
◇島崎藤村（初期は浪漫派の詩人として活躍）
　『破戒』『家』
◇田山花袋　『蒲団』

（2）大正から昭和初期の文学

　大正期に入ると、自然主義に反対の立場をとる耽美派や白樺派という2つの大きな潮流

◆夏目漱石と森鷗外
　ともに明治の文豪とされる夏目漱石と森鷗外は、独自の文学を創作した。
◇夏目漱石
・経歴：英語の教師、イギリスに留学。
・主な作品　『坊っちゃん』『三四郎』『それから』『こころ』
◇森鷗外
・経歴：軍医、ドイツに留学。
・主な作品　『雁』『阿部一族』『高瀬舟』
　（『舞姫』など初期の鷗外は浪漫派とされる）

が生まれ、また大正デモクラシーや社会運動の高まりから、プロレタリア文学が生まれた。

◆耽美派
　→享楽や官能、美を追求する。
◇永井荷風　『あめりか物語』
◇谷崎潤一郎　『刺青』『春琴抄』『痴人の愛』

◆白樺派
　→人道や社会の理想を追求する。
◇武者小路実篤　『お目出たき人』『友情』
◇志賀直哉　『城の崎にて』『暗夜行路』
◇有島武郎　『或る女』『カインの末裔』

◆新現実主義（新思潮派）
　→現実を理知的にとらえ、描写する。
◇芥川龍之介　『羅生門』『河童』『地獄変』
◇菊池寛　『父帰る』『恩讐の彼方に』

◆プロレタリア文学
　→革命運動のための文学。
◇小林多喜二　『蟹工船』『党生活者』
◇徳永直　『太陽のない街』

◆新感覚派
　→鋭い感性と斬新な表現を追求する。

◇川端康成　『伊豆の踊子』『雪国』
◇横光利一　『日輪』

(3) 戦後から現代の文学

　戦後、太宰治や坂口安吾など既成の価値観を否定する「新戯作派（無頼派）」が現れ、野間宏など自身の戦争体験を軸に文芸活動を行う「戦後派」、さらに、安岡章太郎や吉行淳之介、遠藤周作など「第三の新人」と呼ばれる作家が活躍した。現在も多彩な文学活動が展開されている。

◇太宰治（新戯作派）　『斜陽』『人間失格』『ヴィヨンの妻』
◇坂口安吾（新戯作派）　『堕落論』
◇野間宏（第一次戦後派）　『真空地帯』
◇大岡昇平（第二次戦後派）　『野火』
◇三島由紀夫（第二次戦後派）　『金閣寺』『仮面の告白』
◇安部公房（第二次戦後派）　『砂の女』
◇安岡章太郎（第三の新人）　『悪い仲間』

先生の黒板

〔近代詩〕島崎藤村『若菜集』、北原白秋『邪宗門』、高村光太郎『道程』『智恵子抄』、萩原朔太郎『月に吠える』、中原中也『山羊の歌』、茨木のり子『見えない配達夫』、谷川俊太郎『二十億光年の孤独』
〔若山牧水〕自然派歌人、『別離』
〔石川啄木〕雑誌「明星」、三行書きの短歌、『一握の砂』
〔宮沢賢治〕『春と修羅』『銀河鉄道の夜』
〔ノーベル文学賞〕川端康成、大江健三郎

◇遠藤周作（第三の新人）　『海と毒薬』『深い河』
◇吉行淳之介（第三の新人）　『驟雨』
◇井上靖　『闘牛』『しろばんば』『天平の甍』
◇開高健　『パニック』『裸の王様』
◇大江健三郎　『死者の奢り』『万延元年のフットボール』
◇山崎豊子　『花のれん』『大地の子』
◇よしもと（吉本）ばなな　『TUGUMI』『キッチン』
◇村上春樹　『風の歌を聴け』『ノルウェイの森』『ねじまき鳥クロニクル』『1Q84』
◇村上龍　『コインロッカー・ベイビーズ』『限りなく透明に近いブルー』

◆与謝野鉄幹・晶子

　与謝野鉄幹は浪漫派の歌人として活躍、雑誌「明星」を主宰した。妻・晶子も女性の自我を情熱的にうたう歌風で知られ、歌集に『みだれ髪』がある。

◆正岡子規

　俳句・短歌の革新に努め、事物をありのまに詠む「写生」を唱えた。歌論『歌よみに与ふる書』を発表。句誌「ホトトギス」を主宰した。

◆アララギ

　子規の門人であった伊藤左千夫により歌誌「アララギ」が主宰され、斎藤茂吉や島木赤彦などが輩出した。

[知っ得]
◇友人　夏目漱石と正岡子規は友人で、漱石も俳句を好んだ。

文学・芸術

★★★フォローアップ★★★　次のうち適切な記述を選べ。
(1) 坪内逍遙は言文一致体の小説『浮雲』を発表した。
(2) 自然主義の作家・樋口一葉の代表作は『にごりえ』である。
(3) 『羅生門』で知られる芥川龍之介はプロレタリア文学を代表する作家である。
(4) 『万延元年のフットボール』の作者・大江健三郎はノーベル文学賞を受賞した。
(5) 正岡子規は「写生」を唱え、雑誌『明星』を主宰した。

◇解答　(4)

海外の文学

海外の文学は時代も地域も幅広いが、19世紀以降に活躍した主要な作家、古典でも文豪と呼ばれる作家に関する知識は必須である。できれば代表的な作品のあらすじも覚えておこう。

集中レッスン

◆イギリス
■■代表的な作家と作品■■
◇シェイクスピア
　（四大悲劇）『ハムレット』『オセロ』『マクベス』『リア王』
◇エミリ・ブロンテ　『嵐が丘』
◇ディケンズ　『二都物語』『デイヴィッド・コパフィールド』『クリスマス・キャロル』
◇モーム　『月と六ペンス』『人間の絆』

◆シェイクスピア
　ルネサンス期に活躍したシェイクスピアは、葛藤を抱える人間の心理を豊かな言葉で表現した。イギリスを代表する詩人・劇作家の一人。

◆フランス
■■代表的な作家と作品■■
◇ユゴー　『レ・ミゼラブル』

◆19世紀以降のフランス文学の主な動き
　19世紀前半には、自由な感情を重視し、空想や無限性などを表現するロマン主義が広がった。ユゴーがその代表的な作家である。
　19世紀半ばになると現実をありのままに描く写実主義、19世紀後半には現実を科学的に観察して醜悪な部分もありのままに描く自然主義が起こる。写実主義の作家にはスタンダールやバルザック、フロベール、自然主義にはゾラ、モーパッサンがいる。
　20世紀にはサルトルやカミュらにより人間存在の不条理を描く実存主義が展開された。

◇スタンダール　『赤と黒』『パルムの僧院』
◇バルザック　『谷間の百合』
◇フロベール　『ボバリー夫人』
◇ゾラ　『居酒屋』『ナナ』
◇モーパッサン　『女の一生』『脂肪の塊』
◇サルトル　『嘔吐』
◇カミュ　『異邦人』『ペスト』

◆ドイツ
■■代表的な作家と作品■■
◇ゲーテ　『若きウェルテルの悩み』『ファウスト』
◇トーマス・マン　『魔の山』
◇ヘッセ　『車輪の下』『デミアン』

◆疾風怒濤
　18世紀後半、個性や自由な感情の解放をめざす「疾風怒濤（シュトゥルム・ウント・ドラング）運動」が起きる。この運動の旗手として活躍したゲーテは、その後、ドイツ古典主義を確立した。

◇レマルク　『西部戦線異状なし』
◇カフカ（プラハ出身のドイツ語作家）　『変身』『城』『審判』

◆アメリカ
■■代表的な作家と作品■■
◇メルヴィル　『白鯨』
◇ヘミングウェイ（「ハードボイルド」と呼ばれる文体）　『日はまた昇る』『武器よさらば』『老人と海』
◇フィッツジェラルド　『グレート・ギャツビー』
◇ミッチェル　『風と共に去りぬ』

◇パール・バック　『大地』
◇スタインベック　『怒りの葡萄』
◇サリンジャー　『ライ麦畑でつかまえて』『フラニーとゾーイー』

◆**ロストジェネレーション（失われた世代）**
　第一次世界大戦後、既存の道徳観の喪失や虚無感を描く「ロストジェネレーション」と呼ばれる作家達が活躍した。ヘミングウェイやフィッツジェラルドが代表的である。

◆ロシア
■■代表的な作家と作品■■
◇ツルゲーネフ　『猟人日記』『初恋』
◇ドストエフスキー　『罪と罰』『カラマーゾフの兄弟』『悪霊』
◇トルストイ　『戦争と平和』『アンナ・カレーニナ』『復活』
◇チェホフ　『桜の園』『三人姉妹』『かもめ』
◇ソルジェニーツィン（ソ連政府を批判）　『イワン・デニーソヴィチの一日』『収容所群島』

◆**ドストエフスキーとトルストイ**
　ドストエフスキーはロシアのリアリズムを代表する作家で、社会の矛盾や人間の情念を描いた。トルストイは人道主義を基調に執筆し、実生活では農民の生活改善に努めた。

◆ルネサンス期の文学
　イタリアのダンテによる『神曲』、ボッカチオによる『デカメロン』、スペインのセルバンテスによる『ドン・キホーテ』などがこの時代を代表する文学といえる。

◆唐代の詩人　李白・杜甫
　絶句にすぐれ、詩仙と称された李白は月や酒を題材とした詩が多い。杜甫は律詩にすぐれ、詩聖と称された。代表作は『春望』など。

◆魯迅
　中国の作家。口語による文学『白話文学』を展開。旧弊を批判する作品を残した。代表作は『狂人日記』『阿Q正伝』。

先生の黒板

〔童話〕
　　　　　　　　　　　マーク・トウェイン『トム・ソーヤの冒険』、エンデ『モモ』、サン・テグジュペリ『星の王子さま』、メーテルリンク『青い鳥』
〔イプセン〕ノルウェー・『人形の家』
〔中国の詩人〕
　陶淵明（陶潜）・田園詩人、王維・詩仏、白居易・『長恨歌』・皇帝玄宗と楊貴妃を題材
〔中国古典文学〕
　『三国志演義』、『水滸伝』、『西遊記』、『金瓶梅』、『紅楼夢』
〔ギリシア古典文学〕
　ホメロス『イリアス』『オデュッセイア』、ヘシオドス『神統記』『労働と日々』、アリストファネス『女の平和』

★★★フォローアップ★★★　次のうち、作家と作品の組合せが正しいものを選べ。
(1) ディケンズ―『ハムレット』
(2) モーパッサン―『女の一生』
(3) カフカ『若きウェルテルの悩み』
(4) ヘミングウェイ―『怒りの葡萄』
(5) ドストエフスキー――『アンナ・カレーニナ』

◇解答　(2)

美術・音楽

芸術分野ではまず、音楽ではバロック・古典派・ロマン派、美術では印象派・後期印象派の絵画は必ず押さえておきたい。またキュビスムやエコールドパリなど20世紀以降の絵画などについても要注意である。

(1) 音楽

◆バロック

16世紀末から18世紀半ばにかけてみられた様式で、通奏低音などを特徴とする。

◇ヴィヴァルディ
　イタリアの作曲家、バイオリン奏者。
　代表作は「四季」など。
◇バッハ
　ドイツの作曲家、オルガン奏者。
　代表作は「ブランデンブルク協奏曲」「マタイ受難曲」など。
◇ヘンデル
　ドイツ生まれの作曲家。イギリスで活動。
　代表作はオラトリオ「メサイア」や管弦楽曲「水上の音楽」など。

◆古典派

18世紀後半から19世紀初めに盛んになった様式。調和や形式を重視した。

◇ハイドン
　オーストリアの作曲家。
　代表作はオラトリオ「天地創造」など。
◇モーツァルト
　オーストリアの作曲家。
　幼い頃から才能を発揮し、30代半ばで世を去るまで600曲以上の作品を残す。
　代表作はオペラ「フィガロの結婚」「魔笛」「ドン・ジョバンニ」など。
◇ベートーベン
　ドイツの作曲家。
　晩年に聴力を失うも、優れた作品を残す。
　代表作は交響曲「運命」「英雄」、ピアノソナタ「月光」など。

◆ロマン派

19世紀から20世紀に現れた様式。情感の表現などを重視する。

◇シューベルト
　オーストリアの作曲家。歌曲に名作を残す。
　代表作は「野ばら」「魔王」など。
◇ショパン
　ポーランドの作曲家、ピアニスト。優雅で華麗でありながらも憂いを帯びた曲調が特徴。ピアノの詩人と呼ばれる。代表作は「別れの曲」「英雄ポロネーズ」など。
◇ヨハン・シュトラウス
　オーストリアの作曲家。ワルツ王。
　代表作は「美しく青きドナウ」など。
◇リスト
　ハンガリーの作曲家。ピアニストでもあり、卓越した技巧で知られた。
　代表作は「ハンガリー狂詩曲」など。
◇ワグナー
　ドイツの作曲家。楽劇を創始。
　代表作は「ローエングリン」「タンホイザー」など。

(2) 美術

◆印象派と後期印象派

19世紀後半に、対象から実際に感じた印象をそのまま表現する印象派がうまれ、光と色彩が重視された。さらにその後、独自の表現を追求する後期印象派が現れた。（次頁表）

◆フォービスム

野獣派。20世紀初頭、フランスを中心に、マチス（代表作「ダンス」など）やルオー（代表作「キリストの顔」など）らにより展開された。強烈な色彩と大胆な筆致を特徴とする。

◆キュビスム

立体派。20世紀初頭、フランスのブラックやスペイン出身のピカソらにより、フランスを中心に展開された。対象を幾何学的に分析し、再構成する。ピカソの「アビニョンの娘たち」が代表的。

◆表現主義

20世紀初頭、ロシア出身のカンディンスキーやノルウェー出身のムンク（代表作「叫び」など）らにより、ドイツを中心に展開。感情の表出を重視し色彩や形態を強調した表現を特徴とする。

◆エコールドパリ

20世紀前半にパリで活動した画家の総称。出身国も画風も様々で、個性的な芸術活動が展開された。モディリアーニ（イタリア出身、代表作「おさげ髪の少女」）、シャガール（ロシア出身・ユダヤ系、代表作「誕生日」など）、ユトリロ（フランス出身、白を基調とした風景画を描く）などがこのグループに属する。

◆17世紀の絵画

オランダのレンブラント（代表作「夜警」など）、フェルメール（代表作「真珠の耳飾りの少女」など）、スペインのベラスケス（代表作「ラス・メニーナス（女官たち）」など）などが活躍した。

◆印象派音楽

ドビュッシー（代表作「子供の領分」など）やラベル（代表作「ボレロ」など）らにより展開された。

◆各地の民族音楽

インドネシアの合奏・ガムラン、イタリア民謡のカンツォーネ、スペインの舞踊フラメンコ、ポーランドの舞踊マズルカなどがある。また、スコットランドのバグパイプ、インドのシタールなど地域独特の楽器もある。

◆印象派と後期印象派の画家

	画家名	出身	作品
印象派	マネ	フランス	「草上の昼食」
	モネ	フランス	「印象―日の出」「睡蓮」
	ドガ	フランス	踊り子、洗濯女などを描く
	ルノワール	フランス	「ムーラン・ド・ラ・ギャレット」
後期印象派	セザンヌ	フランス	「サント・ヴィクトワール山」
	ゴッホ	オランダ	「ひまわり」「糸杉」
	ゴーギャン	フランス	「タヒチの女」

先生の黒板

〔ルネサンス期の美術〕ボッティチェリ「ヴィーナスの誕生」、ダ・ヴィンチ「モナリザ」「最後の晩餐」、ミケランジェロ「最後の審判」
〔シュルレアリスム〕ダリ、キリコ、ミロ

〔国民楽派〕グリーグ「ペール・ギュント」、スメタナ「わが祖国」、ドボルザーク「新世界より」
〔建築〕ゴシック式・ケルン大聖堂・ノートルダム大聖堂、バロック式・ヴェルサイユ宮殿、ロココ式・サンスーシ宮殿

★★★フォローアップ★★★　次のうち人名と語句の組合せが正しいものはどれか。

(1) シューベルト―バロック
(2) ハイドン―「ハンガリー狂詩曲」
(3) モネ―「叫び」
(4) セザンヌ―「睡蓮」
(5) モディリアーニ―エコールドパリ

◇解答　(5)

＜練習問題＞

練習問題1

日本の近代文学に関する記述として妥当なものはどれか。
（1）浪漫派の詩人として活躍した夏目漱石は後に自然主義を展開し『破戒』を発表した。
（2）武者小路実篤の作風は新思潮派と呼ばれ、代表作には『芋粥』『鼻』などがある。
（3）小林多喜二は坂口安吾らとともに無頼派と呼ばれ、代表作に『斜陽』がある。
（4）遠藤周作は安岡章太郎や小島信夫らとともに「第三の新人」と呼ばれた。
（5）新感覚派の三島由紀夫は『雪国』『古都』などを著し、ノーベル文学賞を受賞した。

練習問題2

海外の小説に関する記述として妥当なものはどれか。
（1）ヘミングウェイの『老人と海』は老漁師と大魚の格闘を描いた作品である。
（2）ドストエフスキーの『罪と罰』はナポレオン戦争時代のロシア社会を描いた作品である。
（3）パール・バックの『大地』は、南北戦争時代のアメリカ南部を舞台にしている。
（4）スタンダールの『赤と黒』は画家ゴーギャンの人生をモデルにしている。
（5）カミュの『異邦人』はある朝目覚めると巨大な虫になっていた男の話である。

練習問題3

日本の伝統芸能で妥当な記述はどれか。
（1）江戸時代に成立した歌舞伎は三味線伴奏と人形劇が結びついたものである。
（2）狂言は音楽・舞踊・演技で構成され、恋愛を演じる和事と武勇を演じる荒事がある。
（3）落語は猿楽から発展し、室町時代に成立した。庶民的で世相を反映したものが多い。
（4）能は室町時代に大成された歌舞劇で、古典や伝承などを題材とするものが多い。

練習問題1　　　　　　[解答]（4）
（1）島崎藤村に関する記述。夏目漱石の文学的姿勢は反自然主義とも呼ばれる。
（2）芥川龍之介に関する記述。作品には説話など古典を題材にしたものも多い。武者小路実篤は白樺派の作家。
（3）太宰治に関する記述である。小林多喜二はプロレタリア文学を代表する作家。
（4）適切である。遠藤周作はクリスチャンで、信仰をテーマにした作品も多い。
（5）川端康成に関する記述である。三島由紀夫は『金閣寺』などで知られる作家。後年はナショナリズムの傾向を強め、自衛隊市ヶ谷駐屯地で割腹自殺した。

練習問題2　　　　　　[解答]（1）
（2）はトルストイの『戦争と平和』、（3）はミッチェルの『風と共に去りぬ』、（4）はモームの『月と六ペンス』、（5）はカフカの『変身』に関する記述。
　ドストエフスキーの『罪と罰』は、貧しい青年が独特の哲学から金貸しの老婆を殺害する話。パール・バックは中国で育ったアメリカの作家で、『大地』では中国を舞台に、貧しい農民から大地主になった主人公とその家族を描いた。スタンダールの『赤と黒』は、立身出世をめざす貧しい青年の野望と恋愛を描いた物語である。カミュの『異邦人』は人間の不条理を追究した作品。

練習問題3　　　　　　[解答]（4）
（1）人形浄瑠璃に関する記述である。浄瑠璃から成立したもので、後に文楽と呼ばれた。
（2）歌舞伎に関する記述である。和事の役者では初代坂田藤十郎、荒事の役者では初代市川團十郎が活躍。物語の内容から、歴史上の出来事などを題材にしたものを時代物、町人の社会を舞台にしたもの

（5）講談は主に登場人物の会話で構成される話芸で、話者のしぐさや表情も見所である。

練習問題4

近代の短歌に関する記述で正しい組合せはどれか。

A　与謝野晶子は歌集『みだれ髪』を発表し、情熱的な歌風で一世を風靡した。

B　若山牧水は事物をありのままに詠む「写生」を唱え、万葉集を高く評価した。

C　石川啄木は三行書きという独特の形式で、生活に根ざした短歌を詠んだ。

D　北原白秋は「写生」をさらに発展させ、自己と対象を同一化する「実相観入」を唱えた。

（1）A、B
（2）A、C
（3）B、C
（4）B、D
（5）C、D

練習問題5

人名と記述の組合せで正しいものはどれか。

A　バロックを代表する作曲家。オルガン演奏にもすぐれ、宮廷のオルガン奏者を務めた。代表作は『G線上のアリア』など。

B　幼少の頃から才能を発揮し、30代半ばで世を去るも、600曲以上もの作品を残す。代表作はオペラ『魔笛』など。

C　ハンガリーの作曲家で、ピアニストとしても卓越した技巧を持っていた。代表作は『ハンガリー狂詩曲』など。

D　ロシアの作曲家で、ロシアの伝統的な音楽に西欧の技法をとり入れた。代表作はバレエ音楽『くるみ割り人形』や『白鳥の湖』など。

	A	B	C	D
（1）	バッハ	モーツァルト	リスト	チャイコフスキー
（2）	バッハ	シューベルト	ショパン	ドボルザーク
（3）	バッハ	シューベルト	リスト	チャイコフスキー
（4）	ヴェルディ	シューベルト	リスト	チャイコフスキー
（5）	ヴェルディ	モーツァルト	ショパン	ドボルザーク

を世話物と呼ぶ。
（3）狂言に関する記述。
（4）適切。
（5）落語に関する記述で上方系と江戸系がある。講談は話芸の一つで、武勇譚などを独特の調子をつけて語るもの。

練習問題4　　　　［解答］（2）

Bは正岡子規、Dは斎藤茂吉に関する記述である。若山牧水は自然主義の影響を受けた歌人。旅や酒を愛し、自然を詠んだ。斎藤茂吉はアララギ派を代表する歌人で歌集『赤光』などがある。北原白秋は詩人・歌人で、詩集に『邪宗門』、歌集に『桐の花』などがある。童謡作品も多い。

練習問題5　　　　［解答］（1）

Aはバッハ、Bはモーツァルト、Cはリスト、Dはチャイコフスキーに関する記述である。

ヴェルディはイタリアの作曲家でオペラ『椿姫』や『アイーダ』などの代表作がある。シューベルトはとくに歌曲で知られる作曲家で代表作に『魔王』がある（モーツァルトの『魔笛』と混同しないよう要注意）。ショパンはポーランドの作曲家でピアニストでもあった。ドボルザークはチェコの国民楽派を代表する作曲家。

日本の古典文学に関する記述として妥当なものはどれか。

（1）藤原道綱母は『土佐日記』を書き、日記文学の先駆けとなった。

（2）清少納言の随筆『枕草子』は「をかし」と呼ばれる理知的な美意識が特徴である。

（3）和泉式部の『和泉式部日記』は、訴訟のために鎌倉へ赴いた際の紀行文である。

（4）『太平記』は平氏一門の歴史を描いた物語で和漢混淆文が特徴である。

（5）兼好の随筆『方丈記』は鎌倉時代の隠者文学を代表する作品である。

練習問題７

西洋の画家に関する記述として妥当なものはどれか。

（1）マネはフランスの画家で代表作に、印象派の名の由来となった『印象─日の出』がある。

（2）ゴッホは点描により『グランド・ジャット島の日曜日の午後』などを描いた。

（3）クリムトは株の仲買人を経て画家に転じ、後年、タヒチで創作活動を行った。

（4）ルノワールは印象派の画家で、都会的な雰囲気の絵画を描いた。代表作は『草上の昼食』。

（5）ドガはフランスの画家で、バレエの踊り子などを躍動感のある筆致で描いた。

練習問題８

日本古典文学の作品名と冒頭部分の組合せとして誤っているものはどれか。

（1）枕草子：春はあけぼの。やうやう白くなりゆく山ぎは……

（2）更級日記：あづまぢの道のはてよりも、なほ奥つかたに生ひ出でたる人……

（3）方丈記：月日は百代の過客にして、行きかふ年もまた旅人なり

（4）土佐日記：男もすなる日記といふものを、女もしてみむとてするなり

（5）平家物語：祇園精舎の鐘の声、諸行無常の響あり

練習問題６　　　　［解答］（2）

（1）『土佐日記』の作者は紀貫之。藤原道綱母は『蜻蛉日記』の作者。

（2）適切。

（3）阿仏尼の『十六夜日記』に関する記述である。

（4）『平家物語』についての説明。

（5）兼好の随筆は『徒然草』、『方丈記』は鴨長明の随筆。

練習問題７　　　　［解答］（5）

（1）はモネ、（2）はスーラ、（3）はゴーギャン、（4）はマネに関する記述である。

ゴッホはオランダの画家で、日本の浮世絵に影響を受けたことでも知られる。クリムトはオーストリアの画家で、金箔を用いた『接吻』など、官能的で装飾的な画風が特徴。ルノワールはフランスの画家で、柔らかな色調の婦人像などで有名。

練習問題８　　　　［解答］（3）

（3）の『方丈記』の冒頭は「ゆく河の流れは絶えずして、しかももとの水にあらず」で、問題文は松尾芭蕉の『奥の細道』の冒頭である。（1）、（2）、（4）、（5）は適切。

このほか、以下のものについても冒頭部分を覚えておきたい。

・源氏物語→いづれの御時にか、女御更衣あまたさぶらひたまひけるなかに……

・徒然草→つれづれなるままに、日暮らし、硯にむかひて……

・伊勢物語→

　一段（初冠）→昔、男、初冠して、平城の京、春日の里にしるよしして……

　六段（芥川）→昔、男ありけり。女のえ得まじかりけるを……

　九段（東下り）→昔、男ありけり。その男、身をえうなきものに思ひなして……

　二十三段（筒井筒）→昔、田舎わたらひしける人の子ども……

国 語

◇目　次

国
語

◇国語頻出問題上位

①慣用句
②四字熟語
③格言・ことわざ
④同音漢字の用法
⑤ことわざの意味・用法
⑥漢字の使い方
⑦助動詞の用法
⑧同音異義語
⑨漢字の読み
⑩敬語

四字熟語・故事成語

四字熟語や故事成語に関する出題は多い。意味を問うものや漢字を問うものなど出題
形式は多様だが、まずは漢字・読み方・意味を正しく覚えることが基本である。辞書
などで言葉の成り立ちを確認しておくと理解が深まる。

集中レッスン

◆数字を使ったもの

- 一石二鳥（いっせきにちょう）→一度に二つの利益を得ること。
- 一気呵成（いっきかせい）→一息に仕上げること。
- 一日千秋（いちじつ（いちにち）せんしゅう）→非常に待ち遠しいこと。
- 一知半解（いっちはんかい）→物事の理解が中途半端なこと。
- 韋編三絶（いへんさんぜつ）→書物を繰り返し読むこと。
- 孟母三遷（もうぼさんせん）→子供の教育には環境が重要であること。
- 朝三暮四（ちょうさんぼし）→表面的な違

◆体の部分を使ったもの

- 危機一髪（ききいっぱつ）→あと少しのところで危機に陥るという危険な状態のこと。
- 異口同音（いくどうおん）→複数の人が同じことを言うこと。
- 厚顔無恥（こうがんむち）→図々しいこと。
- 岡（傍）目八目（おかめはちもく）→第三者のほうが当事者よりも状況を的確に判断できること。
- 粉骨砕身（ふんこつさいしん）→身を尽くして懸命に取り組むこと。

◆漢字を誤りやすいもの

- 五里霧中（ごりむちゅう）→様子がわからず、見通しが立たないこと。×「夢中」

◆漢字二字の故事成語

- 杞憂（きゆう）……取り越し苦労。
- 蛍雪（けいせつ）…苦労して勉学に励むこと。
- 矛盾（むじゅん）…つじつまが合わないこと。
- 蛇足（だそく）……必要のない付け足し。余計なもの。
- 杜撰（ずさん）……いいかげんなこと。
- 墨守（ぼくしゅ）…自分の考えを固く守ること。
- 白眉（はくび）……同類の中で最も優れているもの。

いにごまかされ、中身が同じであることに気づかないこと。口先でだますこと。
- 千載一遇（せんざいいちぐう）→めったにない機会であること。
- 海千山千（うみせんやません）→経験を積み、世の中の裏表を知り尽くしていること。

- 付和雷同（ふわらいどう）→自分の意見がなく、安易に周囲に同調すること。×「不和」
- 疑心暗鬼（ぎしんあんき）→疑いの心を持つと、何でもないことにも不信感を持つこと。×「疑信」
- 意味深長（いみしんちょう）→言外に深い意味があること。×「慎重」
- 以心伝心（いしんでんしん）→言葉にしなくても気持ちが通じること。×「意心」
- 臨機応変（りんきおうへん）→その場の状況に合わせて適切な対応をとること。×「臨気」

◆読み方を誤りやすいもの

- 一期一会（いちごいちえ）→一生で一度き

りしかない出会い。

- **一言居士**（いちげんこじ）→何事も一言自分の意見を述べないと気がすまない人のこと。
- **有為転変**（ういてんぺん）→物事が絶えず移り変わっていくこと。
- **時期尚早**（じきしょうそう）→物事を成すのにはまだ早すぎること。
- **一朝一夕**（いっちょういっせき）→わずかな期間。

◆人間の性質やふるまい・心理を表すもの

- **巧言令色**（こうげんれいしょく）→口先のうまさや愛想のよさで相手にへつらうこと。
- **傍若無人**（ぼうじゃくぶじん）→周囲に人がいないかのように自分勝手にふるまうこと。
- **清廉潔白**（せいれんけっぱく）→心が清く、不正を行わないこと。
- **博覧強記**（はくらんきょうき）→たくさんの書物を読み、よく記憶していること。
- **明鏡止水**（めいきょうしすい）→澄みきってわだかまりのない心境。

◆物事のようすなどを表すもの

- **大同小異**（だいどうしょうい）→ほとんど違いがないこと。
- **支離滅裂**（しりめつれつ）→まとまりがなく筋道が立たないこと。
- **竜頭蛇尾**（りゅうとうだび）→最初は勢いがあったが最後がふるわないこと。
- **順風満帆**（じゅんぷうまんぱん）→物事が順調に進んでいること。
- **四面楚歌**（しめんそか）→周りに味方がなく孤立無援なこと。
- **玉石混交**（淆）（ぎょくせきこんこう）→良いものと悪いものがまざっていること。

◆四字熟語

◇対比的な語句が含まれる

日進月歩（にっしんげっぽ）、晴耕雨読（せいこううどく）、東奔西走（とうほんせいそう）、内憂外患（ないゆうがいかん）、毀誉褒貶（きよほうへん）、栄枯盛衰（えいこせいすい）

◇故事から成る

臥薪嘗胆（がしんしょうたん）、捲土重来（けんどちょうらい）、換骨奪胎（かんこつだったい）、画竜点睛（がりょうてんせい）、呉越同舟（ごえつどうしゅう）、和光同塵（わこうどうじん）

◆似た意味の組合せ

空前絶後	⟷ 前代未聞
山紫水明	⟷ 風光明媚
一石二鳥	⟷ 一挙両得
徹頭徹尾	⟷ 終始一貫

先生の黒板〔数字を使った故事成語〕

白髪三千丈、五十歩百歩

〔混同しやすい四字熟語の組合せ〕

<朝令暮改：朝三暮四> <泰然自若：茫然自失> <一刻千金：一攫千金>

〔動物を用いた四字熟語〕

虎視眈々、獅子奮迅、猪突猛進、馬耳東風、鶏鳴狗盗

〔打ち消しの語句を含む四字熟語〕

不即不離、不偏不党、不撓不屈

★★★フォローアップ★★★　空欄にあてはまる漢字を書きなさい。

(1) 朝（　　）暮四

(2) 異（　　）同音

(3) （　　）心伝心

◇**解答**　(1) 三　(2) 口　(3) 以

慣用句・故事成語

慣用句については、用法や意味を問うもの、穴埋め式で空欄に該当する語を答えさせるものなどが見られる。普段よく目にする言葉でも意味を誤解していることがあるので、正しい意味と使い方を確認しておくことが大切である。

◆体の部分を使った慣用句
【足・手】
・足を洗う→悪事から手を引くこと。
・二の足を踏む→躊躇すること。
・手を切る→関係を絶つこと。
【歯・口】
・歯に衣着せぬ→相手に遠慮せず率直にものを言うこと。
・歯が浮く→おせじや浮ついた言葉を不快に感じること。
・口がすっぱくなる→何度も繰り返し言うこと。

【目・鼻】
・鼻にかける→自慢すること。
・目を光らす→厳しく監視すること。
・目の上のこぶ→邪魔もののこと。
【肩】
・肩を並べる→地位や立場などが同じになること。
・肩を落とす→気落ちすること。
【その他】
・後ろ髪を引かれる→心残りがすること。
・爪に火を灯す→非常に倹約すること。
・胸をなでおろす→安心すること。

◆動物を使った慣用句
・猫の手も借りたい→忙しいことのたとえ。
・猫の額→せまいことのたとえ。
・水を得た魚→自分に適した環境で才能を発揮すること。
・虻蜂取らず→二つのものを手に入れようとして、どちらも得られずに終わるということ。
・馬が合う→気が合うこと。
・馬脚をあらわす→嘘やごまかしが露見し、本当のことが知られてしまうこと。
・雀の涙→わずかしかないこと。
・虎の尾を踏む→危険を犯すこと。

◆漢字や言葉を誤りやすい慣用句
・肝に銘ずる→強く心に刻みつけること。
　　　　　　　　　　➡×「命ずる」
・取りつく島がない→頼れるところがないこと。相手がつっけんどんで話をするきっか

けがみあたらないこと。
　　　　　　　　　　➡×「暇がない」
・的を射る→要点を的確につかんでいること。
　　　　　　　　　　➡×「得る」
・怒り心頭に発する→非常に激しく怒ること。
　　　　　　　　　　➡×「達する」
・梨の礫（なしのつぶて）→反応が何もないこと。
　➡「なし」は「無し」の語呂合わせで「梨」と書く。
・汚名を返上する→悪い評判をとりはらい名誉を挽回すること。　➡×「挽回する」
・押しも押されもせぬ→堂々としていること。実力があってびくともしないこと。
　　　　　　　　　　➡×「押されぬ」

◆意味を誤りやすい慣用句
・気が置けない→遠慮したり気をつかったりしなくていい間柄のこと。「信頼できない」

という意味ではない。

- 折り紙つき→品質などが優れていると保証されていること。悪い意味で評判になっている場合は「札つき」。
- 流れに棹さす→時流に乗ること、物事が順調に進むこと。世の中の流れに逆らう、という意味ではない。
- 役不足→本人の力量にくらべ、与えられた役柄が軽すぎるということ。役柄にくらべて力量が足りないという意味ではない。

◆人間の言動や状況などを表す故事成語
- 背水の陣→もう後がないという状況で、決死の覚悟で挑むこと。
- 木によりて魚を求む→方法が間違っていては目的を果たせないということ。
- 羹にこりて膾を吹く→過去に失敗したために、度を越した用心をすること。
- 漁夫の利→当事者同士が争っている間に第三者が利益を得ること。
- 嚢中の錐→優れた人物は隠れていてもその才能が世に知られるということ。

◆教訓や人生観を表す故事成語
- 李下に冠を正さず・瓜田に履を納れず→疑

先生の黒板　◇慣用句
〔反対の意味〕<門前市を成す ⟷ 門前雀羅を張る>
<立板に水 ⟷ 横板に雨だれ>
〔船〕渡りに船、乗りかかった船
〔水〕水を差す、水を向ける、水に流す、水と油、焼石に水
〔火〕火に油を注ぐ、火を見るより明らか、火の消えたよう

◆人を表す故事成語
- 太公望→釣りをする人
- 月下氷人→仲人
- 泰斗→その分野で権威のある人

いをまねく行為は慎むべきだということ。
- 鶏口となるも牛後となるなかれ→大きな集団で人の後についていくよりも、小さな集団で指導者になったほうがよいということ。
- 覆水盆に返らず→一度してしまったことは取り返しがつかないということ。
- 塞翁が馬→何が良い結果につながり、何が悪い結果につながるのか人間にはわからないということ。
- 奇貨居くべし→得難い機会は逃さずに利用するのがよいということ。

◆交友関係を表す故事成語・慣用句
- 水魚の交わり→水と魚のように切り離せない親密な関係。
- 刎頸の交わり→相手のために命を懸けられるほど強い結びつき。
- 竹馬の友→幼なじみ。

これも！
◆植物を使った慣用句
言わぬが花　花をもたせる
うどの大木　木で鼻をくくる
柳に風　　　破竹の勢い
枯れ木も山のにぎわい
◆数字を使った慣用句
一目置く　　瓜二つ
二の句が継げない
二足の草鞋をはく

★★★フォローアップ★★★　次の空欄にあてはまる語句を述べよ。
(1) (　　　) の額ほどの土地
(2) 不正のないよう (　　) を光らせる
(3) 怒り心頭に (　　)

◇解答　(1) 猫　(2) 目　(3) 発する

ことわざ

慣用句同様、ことわざも出題頻度は高い。意味・用法が問題となったり、空欄にあてはまる語句を答えさせたり、形式は多様である。日頃から読書などを通じて語彙を豊富にするよう心がけたい。

集中レッスン

◆数字を使ったことわざ

・悪事千里を走る
　→悪いことをするとすぐに世間に知られること。

・石の上にも三年
　→辛抱を続ければやがては成功すること。

・二兎を追う者は一兎をも得ず
　→同時に二つのものを得ようとする人は結局どちらも得られないということ。

・一寸の虫にも五分の魂
　→つまらない者にも意地があるということ。

・百聞は一見に如かず
　→人に何度も聞くよりも、実際に自分の目で一度見たほうがよく理解できること。

・人の噂も七十五日
　→噂話もしばらくすれば忘れられていくということ。

・なくて七癖
　→誰でも何かしら癖を持っているということ。

・三つ子の魂百まで
　→幼いときの性質はいつまでも変わらないということ。

◆教訓や人生観を表すことわざ

・艱難汝を玉にす
　→人間は苦労をすることで成長するということ。

・一寸の光陰軽んずべからず
　→わずかな時間も無駄にしてはならないということ。

・急がば回れ
　→急ぐときには危険の多い近道をするよりも、回り道でも安全な道を選んだほうが結果的には早く着くということ。

・転ばぬ先の杖
　→あらかじめ用心しておけば失敗しないということ。

・鉄は熱いうちに打て
　→若いうちに十分な教育や鍛錬を施すことが重要だということ。また、機を逃さずに行動すべきだということ。

・良薬は口に苦し
　→自分のためになる言葉は、耳が痛いものであるということ。

◆状況などを表すことわざ

・棚からぼたもち
　→思いもよらない幸運に恵まれること。

・出る杭は打たれる
　→優れた人やでしゃばった人は周囲から憎まれること。

・瓢箪から駒
　→思いがけないことが起こること。

・二階から目薬
　→遠まわしでまどろっこしいこと。

・雨降って地固まる
　→悪いことが起きて、かえって物事がよくなること。

・笛吹けども踊らず
　→どんなに誘っても良い反応が得られないこと。

・帯に短したすきに長し

→何にするにも中途半端なこと。
- 鹿を追う者は山を見ず
  →利益の追求に夢中になっていると周囲が見えなくなること。

◆似た意味のことわざの組合せ
◇得意な人でも時には失敗すること
- 猿も木から落ちる
- 河童の川流れ
- 弘法も筆の誤り
- 上手の手から水が漏れる

◇手応えがないこと
- のれんに腕押し
- 糠に釘
- 豆腐にかすがい

◇悪いことが重なって起こること
- 泣き面に蜂
- 弱り目にたたり目

◁══════

先生の黒板 ◇ことわざ
〔体の部分〕
寝耳に水、喉元過ぎれば熱さを忘れる、壁に耳あり障子に目あり、目は口ほどにものを言う
〔職業など〕
餅は餅屋、紺屋の白袴、医者の不養生
〔植物など〕
柳に雪折れなし、団栗の背くらべ、火中の栗を拾う、蓼食う虫も好き好き
〔僧や仏〕
釈迦に説法、坊主憎けりゃ袈裟まで憎い、仏の顔も三度、仏つくって魂入れず
〔家族・血縁〕
子はかすがい、血は水よりも濃い

◇大成する人は幼少の頃から才気が現れていること
- 栴檀は双葉より芳し
- 竜は一寸にして昇天の気あり

◆用法や意味などを誤りやすいことわざ
- 情けは人のためならず
  →人に親切をするとめぐりめぐって自分にかえってくるということ。親切をするのはかえって相手のためにならない、という意味ではない。
- 袖振り合うも他生の縁
  →道ですれ違って袖が振れ合うようなちょっとしたことでも、前世からの縁があるのだということ。「多少の縁」ではない。
- 濡れ手で粟
  →苦労をせずに利益を得ること。「泡」ではない。
- 馬子にも衣装
  →誰でも着飾れば立派に見えること。「孫」ではない。

これも！

◆反対の意味のことわざの組合せ
鳶が鷹を生む・蛙の子は蛙、虎穴に入らずんば虎子を得ず・君子危うきに近よらず

◆動物を使ったことわざ
魚心あれば水心、井の中の蛙、馬の耳に念仏、捕らぬ狸の皮算用、窮鼠猫を嚙む、能ある鷹は爪隠す

◆色を使ったことわざ
朱に交われば赤くなる、青は藍より出でて藍より青し

★★★フォローアップ★★★　次のうち、適切な記述はどれか。
(1)「瓢箪から駒」とは思いがけないことが起こるという意味である。
(2)「のれんに腕押し」とは少ない労力で利益を得るという意味である。
(3)「猿も木から落ちる」と「馬の耳に念仏」は似た意味のことわざである。
(4)「濡れ手で粟」とはせっかく苦労してつくったものが台無しになるという意味である。
(5)「転ばぬ先の杖」とは、無駄な用心をするという意味である。

◇解答　(1)

漢　字

日頃何気なく使っている漢字でも、同じ読み方で意味の異なるもの、形が似ているものなど、混同しやすいものは多い。また特殊な読み方をする漢字もあるので、まずは正しい読み方と用法を確実に理解しておきたい。

◆同訓異字

- あう→気が合う・答えが合う、友人に会う
- あつい→熱いお湯、暑い夏、厚い壁・厚いもてなし
- あやまる→過失を謝る、方法を誤る
- いたむ→膝が痛む、果物が傷む・家が傷む
- うつす→写真を写す、鏡に映す、荷物を部屋に移す
- おさめる→税金を納める、成功を収める、国を治める、学問を修める
- かわる→色が変わる、父の代わりに出席する
- すすめる→話を先に進める、商品を買うよう勧める、彼を役員として薦める
- たずねる→友人の家を訪ねる、消息を尋ねる
- つとめる→理想の実現に努める、議長を務める、会社に勤める
- なおす→壊れた時計を直す、けがを治す
- のびる→背が伸びる、終了時間が延びる
- はかる→計画の実現を図る、距離を測る、時間を計る、重さを量る
- はじめ→初めて聞く話、勉強を始める
- はやい→早い時間、速いスピード

◆誤りやすい漢字

引率（×卒）、婉曲（×遠）、善後策（×前後）、開墾（×懇）、堤防（×提）、決壊（×懐）、徐行（×除）、招待（×紹）、紹介（×招）、栽培（×裁）、弊害（×幣）、貨幣（×弊）、完璧（×壁）、価値観（×感）、分析（×折）、貫徹（×撤）

◆同音異義語

- こうえん→公園で遊ぶ、福祉についての講演を聞く、オーケストラの公演、社会活動を後援する
- かいほう→体育館を開放する、抑圧から解放される
- かいとう→問題の解答、アンケートの回答
- いどう→教室を移動する、部署を異動する
- いっかん→一貫して反対する、政策の一環
- かんせい→仕事が完成する、閑静な住宅街
- いがい→彼以外には頼めない、意外な事実
- かんしん→勇気ある行動に感心する、経済に関心がある、上司の歓心をかう
- きょうい→驚異の事実、敵の脅威
- ついきゅう→利益を追求する、真理を追究する、責任を追及する
- かんしょう→いつまでも子どもに干渉する、絵画を鑑賞する、植物を観賞する
- ほしょう→品質を保証する、安全を保障する、損害を補償する
- いぎ→意義のある仕事、異議を唱える、威儀を正す
- たいしょう→対照的な性格、女性を対象にしたサービス、左右対称
- てんか→薬品を添加する、責任を転嫁する
- せいさん→旅費を精算する、過去を清算す

◆読みにくい漢字

示唆 (しさ)、遵守 (じゅんしゅ)、放逐 (ほうちく)、完遂 (かんすい)、更迭 (こうてつ)、安堵 (あんど)、挨拶 (あいさつ)、払拭 (ふっしょく)、諮問 (しもん)、猜疑 (さいぎ)、出納 (すいとう)、為替 (かわせ)、画策 (かくさく)、行脚 (あんぎゃ)、膾炙 (かいしゃ)、上梓 (じょうし)、市井 (しせい)、遊説 (ゆうぜい)、流石 (さすが)、相殺 (そうさい)、欠伸 (あくび)、会得 (えとく)、造詣 (ぞうけい)、所作 (しょさ)

る、商品を生産する
• こうぎ→教授の講義を聞く、勝手な行動に抗議する
• かくしん→革新的な政策、勝利を確信する、核心に迫る
• そがい→成長を阻害する、仲間から疎外される

◆熟語の読み方

　二字熟語の場合、通常は「音読み・音読み」の組合せであるが、例外的に「訓読み・訓読み」の組合せや、重箱読み (「音読み・訓読み」の組合せ)、湯桶読み (「訓読み・音読み」の組合せ) もある。

◆漢字の部首

〈へん〉にんべん、きへん、てへん、けものへん、こざとへん、ぎょうにんべん、のぎへんなど。
〈つくり〉おおざと、りっとう、ちから、おおがい、のぶん、さんづくりなど。
〈かんむり〉うかんむり、あなかんむり、くさかんむり、あめかんむり、たけかんむりなど。
〈にょう〉しんにょう、えんにょう、そうにょう。
〈あし〉れんが (れっか)、ひとあし、したごころ。
〈たれ〉まだれ、がんだれ、やまいだれ。
〈かまえ〉かくしがまえ、はこがまえ、ぎょうがまえ。

先生の黒板

〔読みにくい漢字〕滞る (とどこおる)、訝る (いぶかる)、慮る (おもんぱかる)、覆す (くつがえす)、騙る (かたる)、諫める (いさめる)、侮る (あなどる)
〔気候や季節に関する難読語〕五月雨 (さみだれ)、時雨 (しぐれ)、七夕 (たなばた)、雪崩 (なだれ)、吹雪 (ふぶき)

〔衣服などに関する難読語〕浴衣 (ゆかた)、草履 (ぞうり)、足袋 (たび)、合羽 (かっぱ)、眼鏡 (めがね)
〔二字熟語の組立ての一例〕同じ漢字を重ねたもの、似た意味の漢字を重ねたもの、反対の意味の漢字を重ねたもの、上下の漢字が主語・述語の関係、上下の漢字が修飾・被修飾の関係、上下の漢字が述語・目的語の関係

★★★フォローアップ★★★　次のうち下線部の漢字の用法が適切なものを選べ。
(1) 意外にも彼は親切に対応してくれた
(2) 身の安全を補償する
(3) 生徒を引卒して公園に行く
(4) 彼とは価値感が合わない
(5) 前後策を講じる

◇解答　(1)

日本語の知識

敬語や助動詞の用法など、日本語の基本的な知識を問う問題も見られる。日常生活で文法を意識することは少ないが、普段から言葉に関心をもち、適切に言葉を使えるようにしておこう。

◆対義語

反対の意味を持つ言葉を対義語という。

【対義語の一例】

親密（しんみつ）― 疎遠（そえん）
寡黙（かもく）― 多弁（たべん）
過失（かしつ）― 故意（こい）
義務（ぎむ）― 権利（けんり）
依存（いぞん）― 自立（じりつ）
相対（そうたい）― 絶対（ぜったい）
理論（りろん）― 実践（じっせん）
勤勉（きんべん）― 怠惰（たいだ）
膨張（ぼうちょう）― 収縮（しゅうしゅく）
原因（げんいん）― 結果（けっか）
能動（のうどう）― 受動（じゅどう）
集合（しゅうごう）― 離散（りさん）
遺失（いしつ）― 拾得（しゅうとく）
過激（かげき）― 穏健（おんけん）
主観（しゅかん）― 客観（きゃっかん）
寛容（かんよう）― 厳格（げんかく）

◆類義語

似た意味を持つ言葉を類義語という。

【類義語の一例】

寄与（きよ）― 貢献（こうけん）
支援（しえん）― 援助（えんじょ）
自立（じりつ）― 独立（どくりつ）
懸念（けねん）― 心配（しんぱい）
綿密（めんみつ）― 緻密（ちみつ）
機敏（きびん）― 迅速（じんそく）
慇懃（いんぎん）― 丁寧（ていねい）
丹念（たんねん）― 入念（にゅうねん）

狼狽（ろうばい）― 周章（しゅうしょう）
我慢（がまん）― 辛抱（しんぼう）
優遇（ゆうぐう）― 厚遇（こうぐう）

◆敬語

敬語には主に、相手や話題の中の人物などを高めて表現する「**尊敬語**」、自分のことをへりくだって表現する「**謙譲語**」、丁寧な言葉を用いる「**丁寧語**」の3つがある。具体的な敬語表現には、動作を表す部分に「お」「ご」をつける表現（「お～なさる」「お～する」など）や、尊敬の助動詞「れる・られる」を用いる表現、敬語動詞による表現などがある。

【主な敬語動詞】

	尊敬語	謙譲語
する	なさる	いたす
行く、来る	いらっしゃる、みえる	伺う、参る
言う、話す	おっしゃる	申す、申し上げる
食べる、飲む	召し上がる	いただく
くれる	くださる	―
あげる	―	差し上げる
もらう	―	いただく
見る	ご覧になる	拝見する

◇状況に応じた敬語の使用

自分の家族のことを他人に話すときや、職場の人のことを取引先など職場外の人に話すときには、家族や職場内の人について尊敬語は用いない。

（例）
〈知人に対して〉×明日、父がそちらに<u>いらっしゃいます</u>。（○「伺います」）
〈取引先に対して〉×その件については<u>山田部長</u>が説明<u>なさいます</u>。（○「山田」または「部

長の山田」、「いたします」)

◆助動詞

　用言や体言などについて意味を加えたり、叙述を助けたりする言葉を助動詞という。

【助動詞の種類】

- れる・られる→受身、自発、可能、尊敬
- せる・させる→使役
- ない・ぬ→打ち消し
- う・よう→推量・意思
- そうだ→伝聞
- そうだ→様態
- らしい→推定
- ようだ→比況
- だ・です→断定
- まい→打消推量、打消意思
- たい・たがる→希望
- ます→丁寧

◆接続詞

　文章の前後をつなぐ言葉を接続詞という。

【接続詞の種類】

- 順接→だから、したがって、ゆえに、すると
- 逆接→しかし、でも、ところが、けれども、だが
- 説明→すなわち、なぜなら、ただし、つまり、たとえば
- 並列・添加→また、そして、および、ならびに、しかも、さらに、そのうえ、なお
- 対比・選択→それとも、あるいは、または
- 転換→ところで、さて

★★★フォローアップ★★★

対義語の組合せになるよう空欄にあてはまる語を入れよ。

(1) 厳格 ―（　）容
(2) 親密 ―（　）遠
(3)（　）張 ― 収縮

◇解答　(1) 寛　(2) 疎　(3) 膨

これも！

◆「ある」の用例

　存在を示す動詞（例→冷蔵庫の中にケーキがある）
　補助動詞（例→私は学生である）
　連体詞（例→ある朝、ふと気づいた）

◆「ない」の用例

　「無」を示す形容詞（例→時間がない）
　補助形容詞（例→今日は暑くない）
　打消の助動詞（例→まったく変わらない）
　形容詞の一部（例→観客が少ない）

◆「が」の用例

　主語を示す格助詞（例→私が行きます）
　逆接の接続助詞（例→年は若いが経験豊富だ）
　並列の接続助詞（例→ピアノも弾くがギターも弾く）
　逆接の接続詞（例→今日は雨だ。が、予定通り実施する）

先生の黒板〔よく使用される外来語の例〕

コンセプト→概念
エポックメーキング→画期的
ターニングポイント→転換点
イニシアチブ→主導権
ジレンマ→板挟み

〔陳述の副詞の呼応表現の例〕

おそらく〜だろう（推量）
けっして〜ない（打消）
まさか〜まい（打消推量）

〔比喩〕

直喩・「まるで」「ようだ」などを用いる
（例→まるでサウナのように蒸し暑い）
隠喩・「まるで」などを用いず、対象を直接ほかのものと結びつける
（例→彼女は僕の太陽だ）

国語

＜練習問題＞

練習問題1

次のうち、妥当な記述はどれか。

（1）意味深長とは、表現が遠まわしなために、相手に意図が伝わらないという意味である。

（2）巧言令色とは、口先のうまさや愛想のよさで相手にへつらうことである。

（3）先憂後楽とは、苦労が大きいものほど、後で得られる喜びも大きいという意味である。

（4）同工異曲とは、同じ人物が作ったものなのに、できばえがまるで違うという意味である。

（5）晴耕雨読とは、どんな状況でも意欲を持って仕事に取り組むべきだという意味である。

練習問題2

次のうち、空欄にあてはまる語句が同じになる慣用句の組合せはどれか。

（1）□に衣着せぬ ― □を洗う

（2）□の上のこぶ ― 木で□をくくる

（3）□から鼻へ抜ける ― □によりをかける

（4）浮き□立つ ― □が棒になる

（5）□に火をともす ― 後ろ□を引かれる

練習問題3

次のうち、下線部の言葉の用法が妥当なものはどれか。

（1）水を得た魚のようにタイミングよく援助を受けられた

（2）彼の実力は折り紙つきなので安心できない

（3）枯れ木も山のにぎわいですから、ぜひいらしてください

（4）嬉しさのあまり、二の足を踏んで出発する

（5）有名人であることを鼻にかける

練習問題1　　　　　［解答］（2）

（1）意味深長とは、言外に深い意味があるということ。

（2）適切である。

（3）先憂後楽とは、上に立つ人は、天下のことについて人よりも先に心配をし、楽しむのは人より後にするべきだという意味。

（4）同工異曲とは、表面的には違うように見えても、内容は同じという意味。

（5）晴耕雨読とは、晴れた日は田畑を耕し、雨の日は読書をするという意味で、悠々自適の生活を指す。

練習問題2　　　　　［解答］（4）

　（1）は「歯に衣着せぬ」と「足を洗う」、（2）は「目の上のこぶ」と「木で鼻をくくる」、（3）は「目から鼻へ抜ける」と「腕によりをかける」、（4）は「浮き足立つ」と「足が棒になる」、（5）は「爪に火をともす」と「後ろ髪を引かれる」である。

練習問題3　　　　　［解答］（5）

（1）「水を得た魚」とは、自分に適した環境で活躍するという意味である。

（2）「折り紙つき」は品質などが優れていると保証されている場合に用いるので、この場合は不適切である。

（3）「枯れ木も山のにぎわい」は、つまらないものでもないよりはまし、という意味なので、相手を招く際などに用いるのは妥当ではない。

（4）「二の足を踏む」は躊躇するという意味であり、文脈上妥当ではない。

（5）適切である。「鼻にかける」は自慢するという意味。

練習問題4

次のうち、空欄の漢字が同じものの組合せはどれか。
（1）□里霧中 — □触即発
（2）韋編□絶 — 孟母□遷
（3）岡目□目 — 三拝□拝
（4）千載□遇 — 千変□化
（5）七転□倒 — 一日□秋

練習問題5

次のうち、意味が近いことわざの組合せはどれか。
（1）糠に釘 — 豆腐にかすがい
（2）石橋をたたいて渡る — 急がば回れ
（3）瓢箪から駒 — 二階から目薬
（4）出る杭は打たれる — 泣き面に蜂
（5）火中の栗を拾う — 鉄は熱いうちに打て

練習問題6

次のうち、下線部の漢字の用法が両方とも妥当なものはどれか。
（1）結婚式に紹待する — 試合が初まる
（2）幣害の多い習慣 — 婉曲に断る
（3）責任者を努める — 完璧なできばえ
（4）堤防を築く — 原因を分析する
（5）夏は熱い — 料金を修める

練習問題7

次のうち、漢字の読み方が妥当なものはどれか。
（1）画策 — がさく
（2）更迭 — こうしつ
（3）会得 — えとく
（4）所作 — しぐさ
（5）造詣 — ぞうし

練習問題8

次のうち、下線部の漢字の用法が妥当なものはどれか。
（1）二人は対称的な性格だ
（2）運賃を清算する
（3）成功を確信している
（4）思考錯誤したがようやく完成した
（5）自分勝手な言動を避難する

練習問題4　　　［解答]（2)
（1）は「五里霧中」と「一触即発」、
（2）は「韋編三絶」と「孟母三遷」、
（3）は「岡目八目」と「三拝九拝」、
（4）は「千載一遇」と「千変万化」、
（5）は「七転八倒」と「一日千秋」。

練習問題5　　　［解答]（1)
（1）近い意味で、どちらも、手応えがないということ。
（2）「石橋をたたいて渡る」は用心に用心を重ねること。「急がば回れ」は急ぐときには危険な近道よりも、遠回りでも安全な道のほうが早く着くという意味。
（3）「瓢箪から駒」は、思いがけないことが起きること。「二階から目薬」は遠まわしでまどろっこしいこと。
（4）「出る杭は打たれる」は、優れた人やでしゃばった人は周囲から憎まれるという意味。「泣き面に蜂」は、悪いことが重なって起きること。
（5）「火中の栗を拾う」は、自分の利益にならないのに、危険なことに関わること。「鉄は熱いうちに打て」は、若い間の教育や鍛錬が重要だということ、機を逃さずに行動すべきだということ。

練習問題6　　　［解答]（4)
（1）「招待」、「始まる」が適切。
（2）「幣害」ではなく「弊害」。「婉曲」は適切。
（3）「務める」、「完璧」が適切。
（4）2つとも適切。
（5）「暑い」、「納める」が適切。

練習問題7　　　［解答]（3)
（1）は「かくさく」、（2）は「こうてつ」、（3）は「えとく」、（4）は「しょさ」、（5）は「ぞうけい」と読む。

練習問題8　　　［解答]（3)
（1）「対照」が適切。
（2）「精算」が適切。
（3）適切である。
（4）「試行」が適切。
（5）「非難」が適切。

国語

練習問題9

次のうち、ことわざに関する妥当な記述はどれか。
（1）「帯に短したすきに長し」とは何にするにも中途半端だという意味である。
（2）「石の上にも三年」とは目的達成のために長い時間をかけて計画を練ることである。
（3）「紺屋の白袴」とはなにごとも専門家にはかなわないという意味である。
（4）「悪事千里を走る」とは悪い風習や習慣は世間に広まりやすいという意味である。
（5）「棚からぼたもち」とは予想もしない結末になるという意味である。

練習問題10

次のうち、対義語の組合せはどれか。
（1）偉大 ― 柔弱
（2）勤勉 ― 怠惰
（3）遺失 ― 離散
（4）保守 ― 能動
（5）過激 ― 寡黙

練習問題11

次のうち、下線部の言葉の使い方が正しいものはどれか。
（1）冷めないうちにいただいてください。
（2）お客様が申しておりました。
（3）先方には私からご連絡なさいます。
（4）先生が拝見したのはこの絵ですか？
（5）お目にかかれて嬉しく思います。

練習問題12

次のうち、下線部の「れる」「られる」の意味が例文と同じものはどれか。
例文→知らない人から話しかけられる
（1）まだ食べられる
（2）先生が出発される
（3）父親に叱られる
（4）なぜあんなことをしたのかと悔やまれる
（5）駅まで10分で行かれる

練習問題9　　　　　［解答］（1）
（1）適切である。
（2）「石の上にも三年」とは辛抱を続ければやがて成功するという意味。
（3）本文は「餅は餅屋」の説明。「紺屋の白袴」とは、他人の世話ばかりしていて自分のことに手が回らないこと。
（4）「悪事千里を走る」とは悪いことをするとすぐに世間に知られるという意味。対照的な意味の言葉に「好事門を出でず」。
（5）「棚からぼたもち」とは思いがけない幸運に恵まれることである。

練習問題10　　　　　［解答］（2）
　対義語の組合せは（2）である。その他の選択肢にある語句の対義語には、「偉大―凡庸」、「剛健―柔弱」、「遺失―拾得」、「集合―離散」、「保守―革新」、「能動―受動」、「過激―穏健」、「寡黙―多弁」などがある。

練習問題11　　　　　［解答］（5）
（1）「いただく」は「食べる」「飲む」の謙譲語。この場合は「召し上がる」などの尊敬語を用いる。
（2）「申す」は「言う」の謙譲語。この場合は「おっしゃる」などの尊敬語を用いる。
（3）「なさる」は「する」の尊敬語であり、自分に用いるのは不適当。「ご連絡いたします」などとするのが適当である。
（4）「拝見する」は「見る」の謙譲語であり、この場合は「ご覧になる」などの尊敬語を用いる。
（5）適切である。「お目にかかる」は「会う」の謙譲語。

練習問題12　　　　　［解答］（3）
　助動詞「れる」「られる」には受身、尊敬、自発、可能がある。例文は受身、（1）と（5）は可能、（2）は尊敬、（3）は受身、（4）は自発である。

数　学

◇数学頻出問題上位

①2次関数
②平面図形
③2次方程式
④無理数の大小
⑤2次関数の最大最小
⑥直線の方程式
⑦1次関数のグラフ
⑧面積比
⑨式の値
⑩最大値

数

学

実数

実数の中の有理数，無理数，整数，自然数の分類，定義を理解し，数直線上における位置を確認しよう。また，無理数の計算に慣れよう。

◆数の体系

$$
実数
\begin{cases}
有理数
\begin{cases}
整数
\begin{cases}
自然数 \\
0 \\
負の整数
\end{cases} \\
有限小数 \\
循環小数
\end{cases} \\
無理数（循環しない無限小数）
\end{cases}
$$

　有理数は，$\dfrac{m}{n}$（m, nは整数，$n \neq 0$）の形で表せる数のことであり，有理数どうしの和・差・積・商（0で割る場合は除いて）は必ず有理数となる。

　無理数は，方程式の解や無限級数の極限として生じる数である。

◆平方根の計算

$a > 0$, $b > 0$とするとき

$\sqrt{a}\sqrt{b} = \sqrt{ab}$

$\dfrac{\sqrt{a}}{\sqrt{b}} = \sqrt{\dfrac{a}{b}}$

$\sqrt{k^2 a} = |k|\sqrt{a}$

◆分母の有理化

$$
\frac{1}{\sqrt{a}} = \frac{1 \times \sqrt{a}}{\sqrt{a} \times \sqrt{a}} = \frac{\sqrt{a}}{a}
$$

$$
\frac{1}{\sqrt{a}+\sqrt{b}} = \frac{1 \times (\sqrt{a}-\sqrt{b})}{(\sqrt{a}+\sqrt{b}) \times (\sqrt{a}-\sqrt{b})}
$$

$$
= \frac{\sqrt{a}-\sqrt{b}}{a-b}
$$

$$
\frac{1}{\sqrt{a}-\sqrt{b}} = \frac{1 \times (\sqrt{a}+\sqrt{b})}{(\sqrt{a}-\sqrt{b}) \times (\sqrt{a}+\sqrt{b})}
$$

$$
= \frac{\sqrt{a}+\sqrt{b}}{a-b}
$$

◆平方根の近似値

$\sqrt{2} = 1.41421356$
　　　一夜一夜に人見頃

$\sqrt{3} = 1.7320508$
　　　人並みにおごれや

$\sqrt{5} = 2.2360679$
　　　富士山麓オーム鳴く

$\sqrt{7} = 2.64575$
　菜　　に　虫 いない

◆絶対値

$$
|a| = \begin{cases} a & (a \geq 0) \\ -a & (a < 0) \end{cases}
$$

$$
\sqrt{a^2} = |a|
$$

　$|a|$は，数直線上において原点と点aとの距離を表す。距離に負の数はあり得ないので，$|a|$はaが0以上の数のときはそのまま絶対値を外し，aが負の数のときはマイナスを掛けて正の数に変えるという意味である。

★★★フォローアップ★★★　次の各問に答えよ。

(1) 3.14は，有理数か無理数か。

(2) 2.32232223222223 …… は，有理数か無理数か。

(3) $\dfrac{1}{\sqrt{3}-\sqrt{2}}$ と $\dfrac{1}{\sqrt{3}+\sqrt{2}}$ ではどちらが大きいか。

◇解答　(1) 有理数　(2) 無理数　(3) $\dfrac{1}{\sqrt{3}-\sqrt{2}}$

＜練習問題＞

練習問題　1

次のA～Eの数のうち，有理数を表すものとして妥当なものはどれか。

A : $-\dfrac{1}{2}$

B : $\sqrt{\pi}$

C : 0.333333 ……

D : 0.101001000100001 ……

E : $\sqrt{18}+\sqrt{8}-\sqrt{50}$

(1) A，C，D

(2) A，C，D，E

(3) A，C，E

(4) B，C，E

(5) B，D，E

練習問題　2

次のA～Eの数の大小を表すものとして妥当なものはどれか。

A : 0

B : $\dfrac{1}{\sqrt{2}+1}$

C : $-\dfrac{1}{\sqrt{2}+1}$

D : $\dfrac{1}{1-\sqrt{2}}$

E : $-\dfrac{1}{1-\sqrt{2}}$

(1) $E<C<A<D<B$　　(2) $C<E<A<B<D$

(3) $C<E<A<D<B$　　(4) $D<C<A<B<E$

(5) $D<C<A<E<B$

練習問題1　　　　　［解答］(3)

Aは，$-\dfrac{1}{2}=\dfrac{-1}{2}$であり$\dfrac{整数}{整数}$なので有理数である。Bは，$\pi$が無理数なので$\sqrt{\pi}$も無理数である。Cの$0.333\cdots$は循環小数なので有理数である。また，この値は$\dfrac{1}{3}$である。Dの$0.1010010001\cdots$は循環しない無限小数なので無理数である。Eは，$\sqrt{18}+\sqrt{8}-\sqrt{50}=3\sqrt{2}+2\sqrt{2}-5\sqrt{2}=0$なので有理数である。よって有理数はA，C，Eである。

練習問題2　　　　　［解答］(4)

B : $\dfrac{1}{\sqrt{2}+1}=\dfrac{\sqrt{2}-1}{(\sqrt{2}+1)(\sqrt{2}-1)}=\sqrt{2}-1$.

C : $-\dfrac{1}{\sqrt{2}+1}=\dfrac{-(\sqrt{2}-1)}{(\sqrt{2}+1)(\sqrt{2}-1)}=-\sqrt{2}+1$.

D : $\dfrac{1}{1-\sqrt{2}}=\dfrac{1+\sqrt{2}}{(1-\sqrt{2})(1+\sqrt{2})}=-1-\sqrt{2}$.

E : $-\dfrac{1}{1-\sqrt{2}}=\dfrac{-(1+\sqrt{2})}{(1-\sqrt{2})(1+\sqrt{2})}=1+\sqrt{2}$.

よって，$\sqrt{2}>1$であるから，$-1-\sqrt{2}<-\sqrt{2}+1<0<\sqrt{2}-1<\sqrt{2}+1$すなわち，D＜C＜A＜B＜Eとなる。

数学

式の値

式の値を求める際に，そのまま代入して計算ミスの危険を冒すよりも，対称式の有効性を理解し，変形公式の使い方を身に付けよう。

集中レッスン

◆対称式

文字を入れ換えても変わらない式を対称式という。

例えば，$a^2b + ab^2$においてaとbを入れ換えると$b^2a + ba^2$となるが，この式はもとの$a^2b + ab^2$と同じ式である。よって，$a^2b + ab^2$はaとbの対称式である。

全ての対称式は基本対称式で表すことができる。特に，aとbの対称式の場合，基本対称式は和と積，すなわち$a + b$とabであり，必ずこれらで表すことができる。（先の例においても，$a^2b + ab^2 = ab(a + b)$である。）

◆変形公式①

$$a^2 + b^2 = (a + b)^2 - 2ab$$
$$a^3 + b^3 = (a + b)^3 - 3ab(a + b)$$
$$= (a + b)(a^2 - ab + b^2)$$
$$(a - b)^2 = (a + b)^2 - 4ab$$

◆変形公式②

変形公式①で$a = x$, $b = \dfrac{1}{x}$とおくと

$$x^2 + \frac{1}{x^2} = \left(x + \frac{1}{x}\right)^2 - 2$$
$$x^3 + \frac{1}{x^3} = \left(x + \frac{1}{x}\right)^3 - 3\left(x + \frac{1}{x}\right)$$
$$= \left(x + \frac{1}{x}\right)\left(x^2 - 1 + \frac{1}{x^2}\right)$$
$$\left(x - \frac{1}{x}\right)^2 = \left(x + \frac{1}{x}\right)^2 - 4$$

先生の黒板

〔3文字の変形公式〕
$$a^2 + b^2 + c^2$$
$$= (a + b + c)^2 - 2(ab + bc + ca)$$

◆文字の入った分数式

数における分数計算と同様に，分母の最小公倍数で通分し，分子どうしを計算する。分母がaとbであれば，最小公倍数はabとなるから，

$$\frac{1}{a} + \frac{1}{b} = \frac{b}{ab} + \frac{a}{ab} = \frac{b + a}{ab} \qquad \frac{b}{a} + \frac{a}{b} = \frac{b^2}{ab} + \frac{a^2}{ab} = \frac{b^2 + a^2}{ab}$$

これも！

◆整数部分・小数部分

実数rにおいて，rを超えない最大の整数をrの整数部分とよび$[r]$と表す。このとき，$r - [r]$をrの小数部分とよぶ。

例えば，$\pi = 3.14\cdots$であるから，πの整数部分は$[\pi] = 3$であり，πの小数部分は$\pi - [\pi] = \pi - 3$となる。

一般に，$0 \leq (小数部分) < 1$が成り立つ。

※ $[r]$→ガウス記号rと読む。

★★★フォローアップ★★★　次の各問に答えよ。

(1) $a = \dfrac{2 - \sqrt{2}}{2}$, $b = \dfrac{2 + \sqrt{2}}{2}$ であるとき $a^2 + b^2$ の値を求めよ。

(2) $a + b = 3$, $ab = 2$ であるとき，$a^2 + b^2$ の値を求めよ。

(3) $x = \sqrt{2} - 1$ であるとき，$x^2 + \dfrac{1}{x^2}$ の値を求めよ。

◇解答　(1) 3　(2) 5　(3) 6

＜練習問題＞

練習問題　1

$a + b = 3$, $ab = 1$ であるとき，$a - b$ の値はいくらか。

(1) ± 1　　(2) $\pm \sqrt{2}$　　(3) $\pm \sqrt{3}$

(4) ± 2　　(5) $\pm \sqrt{5}$

練習問題　2

$x = \dfrac{1}{\sqrt{3} + \sqrt{2}}$ であるとき，$x^2 + \dfrac{1}{x^2}$ の値はいくらか。

(1) 8

(2) 10

(3) 12

(4) 14

(5) 16

練習問題　3

$a + b = 3$, $ab = 2$ であるとき，$\dfrac{b}{a} + \dfrac{a}{b}$ の値はいくらか。

(1) $\dfrac{1}{2}$　　(2) $\dfrac{3}{2}$　　(3) $\dfrac{5}{2}$

(4) $\dfrac{3}{4}$　　(5) $\dfrac{5}{4}$

練習問題1　　　　　　［解答］(5)
　変形公式 $(a - b)^2 = (a + b)^2 - 4ab$
に $a + b = 3$ と $ab = 1$ を代入すると，
$(a - b)^2 = 3^2 - 4 \times 1 = 5$ となる。よっ
て $a - b = \pm \sqrt{5}$ である。

練習問題2　　　　　　［解答］(2)
　分母を有理化すると，

$x = \dfrac{1}{\sqrt{3} + \sqrt{2}}$

$= \dfrac{1 \times (\sqrt{3} - \sqrt{2})}{(\sqrt{3} + \sqrt{2}) \times (\sqrt{3} - \sqrt{2})}$

$= \dfrac{\sqrt{3} - \sqrt{2}}{3 - 2} = \dfrac{\sqrt{3} - \sqrt{2}}{1}$

$= \sqrt{3} - \sqrt{2}$ であるから，

$x + \dfrac{1}{x} = (\sqrt{3} - \sqrt{2}) + (\sqrt{3} + \sqrt{2})$

$= 2\sqrt{3}$ となり，これを変形公式に
代入して，

$x^2 + \dfrac{1}{x^2} = \left(x + \dfrac{1}{x} \right)^2 - 2$

$= (2\sqrt{3})^2 - 2 = 10$ となる。

練習問題3　　　　　　［解答］(3)
$\dfrac{b}{a} + \dfrac{a}{b} = \dfrac{b^2}{ab} + \dfrac{a^2}{ab} = \dfrac{b^2 + a^2}{ab}$ であり，
$a^2 + b^2 = (a + b)^2 - 2ab$ であるから，

$\dfrac{b}{a} + \dfrac{a}{b} = \dfrac{(a + b)^2 - 2ab}{ab}$ となる。こ
れに $a + b = 3$, $ab = 2$ を代入して，

$\dfrac{b}{a} + \dfrac{a}{b} = \dfrac{3^2 - 2 \times 2}{2} = \dfrac{5}{2}$ となる。

数学

方程式と不等式

1次不等式の解法，2次方程式の解の公式をしっかり使えるようにしよう。また，文章題に代表される応用問題もパターンを押さえておこう。

◆不等式の性質

$A<B$ のとき

$$A+C<B+C, \quad A-C<B-C$$

$A<B, \ k>0$ のとき，$kA<kB, \ \dfrac{A}{k}<\dfrac{B}{k}$

$A<B, \ k<0$ のとき，$kA>kB, \ \dfrac{A}{k}>\dfrac{B}{k}$

◆2次方程式の解と係数の関係

$ax^2+bx+c=0 \ (a \neq 0)$ の2つの解（重解も2解と数える）を α, β とする。

$$\alpha+\beta=-\dfrac{b}{a}, \quad \alpha\beta=\dfrac{c}{a}$$

◆解の判別

$ax^2+bx+c=0 \ (a \neq 0)$ は（判別式）

$D=b^2-4ac$ として

　$D>0 \Leftrightarrow$ 異なる2つの実数解をもつ

　$D=0 \Leftrightarrow$ 実数の重解をもつ

　$D<0 \Leftrightarrow$ 異なる2つの虚数解をもつ

　2次方程式の問題で，解の個数や，解の種類だけを聞かれたときは，解の公式を用いる必要はなく，判別式だけで十分である。

　1次不等式の解法は，1次方程式の解法と同様に移項が可能である。しかし，両辺に負の数を掛ける，負の数で割るときは，不等号が逆転するので注意が必要である。

◆2次方程式の解の公式

$ax^2+bx+c=0 \ (a \neq 0)$ の解は

$$x=\dfrac{-b \pm \sqrt{b^2-4ac}}{2a}$$

◆2元2次連立方程式

　一方が1次式で他方が2次式のときは，1次式を一つの文字について解いて，2次式に代入する。特に，$x+y=$A，$xy=$B の形に変形できる連立方程式は，解と係数の関係より，x と y が2次方程式 t^2-A$t+$B$=0$ の2解となることを利用する。

　両方が2次式のときは，2次の項を消去して1次式を作るか，定数項を消去して因数分解し，1次式を作る。

〔x の係数が偶数のときの2次方程式の解の公式〕

$ax^2+2b'x+c=0 \ (a \neq 0)$ の解は

$$x=\dfrac{-b' \pm \sqrt{b'^2-ac}}{a}$$

★★★フォローアップ★★★　次の各問に答えよ。
(1) 1次不等式 $2x + 3 > 4x - 8$ を満たす自然数 x の個数を求めよ。
(2) 2次方程式 $x^2 - 5x + 3 = 0$ の解を求めよ。
(3) 2次方程式 $3x^2 - 10x + 3 = 0$ の二つの解を α, β とするとき，$\alpha^2\beta + \alpha\beta^2$ の値を求めよ。

◇解答　(1) 5個　(2) $\dfrac{5 \pm \sqrt{13}}{2}$　(3) $\dfrac{10}{3}$

＜練習問題＞

練習問題 1

連立1次不等式 $3x + 5 \geqq -x - 3 > -6$ を満たす整数 x の個数として，妥当なものは次のうちどれか。

(1) 3個
(2) 4個
(3) 5個
(4) 6個
(5) 7個

練習問題 2

斜辺の長さが10cmの直角三角形の面積が20cm^{2}であった。このとき，直角をはさむ二辺のうち，長い方の辺の長さはいくらか。

(1) $\sqrt{5}$ cm
(2) $2\sqrt{5}$ cm
(3) $3\sqrt{5}$ cm
(4) $4\sqrt{5}$ cm
(5) $5\sqrt{5}$ cm

練習問題 3

2次方程式 $x^2 - x - 1 = 0$ の2解を α, β とするとき，$\alpha + 1$, $\beta + 1$ を2解とする2次方程式として，妥当なものは次のうちどれか。

(1) $x^2 - x + 1 = 0$
(2) $x^2 - 3x + 1 = 0$
(3) $x^2 - 5x + 1 = 0$
(4) $x^2 - 3x + 3 = 0$
(5) $x^2 - 5x + 3 = 0$

練習問題1　　　　　　［解答］(3)
　$3x + 5 \geqq -x - 3$ を解くと $x \geqq -2$，$-x - 3 > -6$ を解くと $x < 3$ だから，同時に満たす x の範囲は $-2 \leqq x < 3$ となる。よってこの範囲にある整数は $x = -2$，-1，0，1，2 の5個である。

練習問題2　　　　　　［解答］(4)
　直角をはさむ二辺を x, y（cm）とおくと，斜辺の長さが10だから，三平方の定理より $x^2 + y^2 = 10^2 \cdots$ ①となる。また，面積が20だから，

$\dfrac{1}{2}xy = 20$ つまり $xy = 40 \cdots$ ②となる。

①を $(x + y)^2 - 2xy = 100$ と変形し②を代入すると，$(x + y)^2 = 180$ つまり $x + y = 6\sqrt{5}$ $\cdots$ ③となる。②，③より，x と y は2次方程式 $t^2 - 6\sqrt{5}\,t + 40 = 0$ の2解となり，これを因数分解して $(t - 2\sqrt{5})(t - 4\sqrt{5}) = 0$ より，x と y は $2\sqrt{5}$ と $4\sqrt{5}$ である。よって長い方の辺は $4\sqrt{5}$ である。

練習問題3　　　　　　［解答］(2)
　解と係数の関係から，$\alpha + \beta = 1$，$\alpha\beta = -1$ である。すると，$(\alpha + 1) + (\beta + 1) = \alpha + \beta + 2 = 1 + 2 = 3$，$(\alpha + 1)(\beta + 1) = \alpha\beta + \alpha + \beta + 1 = -1 + 1 + 1 = 1$ となるから，よって $\alpha + 1$，$\beta + 1$ を2解とする2次方程式は $x^2 - 3x + 1 = 0$ である。

数学

2次関数のグラフ

2次関数の方程式が与えられた際に，平方完成をして頂点の座標を求められるようにしよう。また，グラフの対称移動・平行移動の式変形に慣れておこう。

集中レッスン

◆ $y = a(x-p)^2 + q \ (a \neq 0)$ のグラフ

放物線 $y = ax^2$ を x 軸方向に p，y 軸方向に q だけ平行移動したもの。$a > 0$ のとき下に凸。$a < 0$ のとき上に凸。

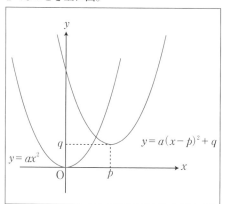

- 軸の方程式は $x = p$
- 頂点の座標は $(p, \ q)$

◆ $y = ax^2 + bx + c = 0 \ (a \neq 0)$ のグラフ

$$y = a\left(x + \frac{b}{2a}\right)^2 - \frac{b^2 - 4ac}{4a}$$

放物線 $y = ax^2$ を平行移動したもの

- 軸の方程式は $x = -\dfrac{b}{2a}$
- 頂点の座標は $\left(-\dfrac{b}{2a}, \ -\dfrac{b^2-4ac}{4a}\right)$

◆ $y = f(x)$ のグラフの移動

◇平行移動：

x 軸方向に p，y 軸方向に q だけ平行移動したグラフは，x を $x - p$，y を $y - q$ で置き換えて，

$$y - q = f(x - p)$$

◇対称移動：

- x 軸に関して対称移動したグラフは，y を $-y$ で置き換えて，

$$-y = f(x)$$

- y 軸に関して対称移動したグラフは，x を $-x$ で置き換えて，

$$y = f(-x)$$

- 原点に関して対称移動したグラフは，x を $-x$，y を $-y$ で置き換えて，

$$-y = f(-x)$$

先生の黒板

〔$y = ax^2 + bx + c = 0 \ (a \neq 0)$ の係数の役割〕

a：放物線の開き具合を表す。
b：y 切片における接線の傾きを表す。
c：y 切片の値を表す。

★★★フォローアップ★★★　次の各問に答えよ。
(1) 2次関数 $y = x^2 - 2x + 3$ のグラフの頂点の座標を求めよ。
(2) 2次関数 $y = -2x^2 - 6x - 4$ のグラフの頂点の座標を求めよ。
(3) 2次関数 $y = 3x^2 - 4x + 5$ のグラフを x 軸に関して対称移動した2次関数の方程式を求めよ。

◇解答　(1) $(1, 2)$　(2) $\left(-\dfrac{3}{2}, \dfrac{1}{2}\right)$　(3) $y = -3x^2 + 4x - 5$

＜練習問題＞

練習問題　1

2次関数 $y = x^2 - 2px + 2p^2 - p - 2$ のグラフが x 軸と接するとき，p の値はいくらか。ただし，軸は $x > 0$ の部分にあるものとする。

(1) 2
(2) 1
(3) 0
(4) −1
(5) −2

練習問題1　　　　　　［解答］(1)
　平方完成すると $y = (x - p)^2 + p^2 - p - 2$ であるから，頂点の座標は $(p, p^2 - p - 2)$ となる。グラフが x 軸と接するとき $p^2 - p - 2 = 0$ だから，因数分解すると $(p - 2)(p + 1) = 0$ となり，軸 $p > 0$ より，$p = 2$ である。

練習問題　2

2次関数 $y = x^2 + x + 1$ のグラフを原点に関して対称移動した2次関数の方程式として妥当なものはどれか。

(1) $y = x^2 - x + 1$
(2) $y = x^2 - x - 1$
(3) $y = -x^2 + x + 1$
(4) $y = -x^2 + x - 1$
(5) $y = -x^2 - x - 1$

練習問題2　　　　　　［解答］(4)
　原点に関して対称移動だから，$y = x^2 + x + 1$ の，x を $-x$，y を $-y$ で置き換えればよい。
　すると，$-y = (-x)^2 + (-x) + 1$ となるから，整理して $y = -x^2 + x - 1$ である。

練習問題　3

2次関数 $y = ax^2 + bx + c$ のグラフが図のようになっているとき，a, b, c の符号として，妥当なものは次のうちどれか。

	a	b	c
(1)	+	+	−
(2)	+	−	+
(3)	−	−	+
(4)	−	+	+
(5)	−	+	−

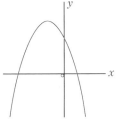

練習問題3　　　　　　［解答］(3)
　まず，グラフは上に凸であるから $a < 0$ となる。次に，y 切片における接線の傾きは負であるから $b < 0$ となる。また，y 切片の値は正であるから $c > 0$ となる。

2次関数の応用

与えられた条件を満たす2次関数が求められるようにしよう。また，最大値・最小値がしっかり求められるようにしよう。

集中レッスン

◆2次関数の決定

①頂点の座標 (p, q)，または軸の方程式 $x = p$ が与えられたとき

$y = a (x - p)^2 + q$ とおく。

②x軸との2交点 $(\alpha, 0)$，$(\beta, 0)$ が与えられたとき

$y = a (x - \alpha) (x - \beta)$ とおく。

③その他のとき（通る3点が与えられたとき等）

$y = ax^2 + bx + c$ とおく。

◆2次関数の最大最小

$y = ax^2 + bx + c$ の最大・最小は，平方完成して，

$y = a\left(x + \dfrac{b}{2a}\right)^2 - \dfrac{b^2 - 4ac}{4a}$ から

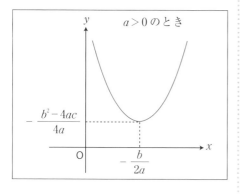

$a > 0$ のとき $x = \dfrac{-b}{2a}$ で

最小値 $-\dfrac{b^2 - 4ac}{4a}$

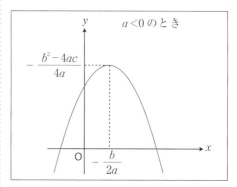

$a < 0$ のとき $x = -\dfrac{b}{2a}$ で

最大値 $-\dfrac{b^2 - 4ac}{4a}$

また定義域が制限される場合，頂点が定義域に入っているかどうかを調べ，定義域の端に注意してグラフをかいて考えるとよい。

先生の黒板

〔2次不等式の解〕

　　$\alpha < \beta$ のとき

　$(x - \alpha)(x - \beta) > 0$ の解は $x < \alpha$，$\beta < x$

　$(x - \alpha)(x - \beta) < 0$ の解は $\alpha < x < \beta$

◆特殊な2次不等式の解

$(x-\alpha)^2>0$ の解は $x \neq \alpha$

$(x-\alpha)^2 \geq 0$ の解はすべての実数

$(x-\alpha)^2<0$ は解はなし

$(x-\alpha)^2 \leq 0$ の解は $x = \alpha$

★★★フォローアップ★★★　次の各問に答えよ。

(1) 頂点の座標が $(-2,\ 1)$ で，点 $(-1,\ 3)$ を通る2次関数の方程式を求めよ。

(2) 2次関数 $y=-x^2+2x+2\ (0 \leq x \leq 3)$ の最大値，最小値を求めよ。

(3) 2次不等式 $x^2-5x+6<0$ を解け。

◇**解答**　**(1)** $y=2(x+2)^2+1$　**(2)** 最大値3，最小値 -1　**(3)** $2<x<3$

＜練習問題＞

練習問題 1

点 $(0,\ 3)$ を通り，$x=1$ のとき最小値1をとる2次関数の方程式として，妥当なものはどれか。

(1) $y=-(x-1)^2+4$

(2) $y=-2(x-1)^2+5$

(3) $y=(x-1)^2+2$

(4) $y=2(x-1)^2+1$

(5) $y=2(x+1)^2+1$

練習問題1　　　　[解答]（4）

　$x=1$ のとき最小値1をとるから，2次関数のグラフは下に凸で，頂点の座標は $(1,\ 1)$ である。よって求める方程式は $y=a(x-1)^2+1$ とおける。これに通る点 $(0,\ 3)$ を代入して $3=a(0-1)^2+1$ より，$a=2$ となり下に凸となる。よって求める方程式は $y=2(x-1)^2+1$ である。

練習問題 2

2次不等式 $x^2-4x-1<0$ を満たす整数 x の個数として，妥当なものは次のうちどれか。

(1) 1個

(2) 2個

(3) 3個

(4) 4個

(5) 5個

練習問題2　　　　[解答]（5）

　因数分解できないので，$x^2-4x-1=0$ とおいて2次方程式の解の公式を用いると $x=2 \pm \sqrt{5}$ となる。よって，この2次不等式の解は $2-\sqrt{5}<x<2+\sqrt{5}$ である。ここで $\sqrt{5}=2.236\cdots$ だから，$2-\sqrt{5}=-0.236\cdots$ で $2+\sqrt{5}=4.236\cdots$ となり，不等式を満たす整数 x は，$x=0,\ 1,\ 2,\ 3,\ 4$ の5個である。

数

学

175

図形と計量

三角形の面積比，相似な図形における面積比・体積比の求め方をしっかり理解しよう。
また，球・錐・柱の体積と表面積の公式を覚えよう。

◆三角形の面積比

①高さが等しい三角形ならば，面積比は底辺の長さの比に等しい。

②底辺の長さが等しい三角形ならば，面積比は高さの比に等しい。

③相似な三角形ならば，面積比は相似比の2乗に等しい。

④1角が等しい三角形ならば，面積比は等角をはさむ2辺の積の比に等しい。

面積比はこれで暗記！

◆相似な図形の面積比・体積比

相似比が$a:b$である平面図形
　面積比は$a^2:b^2$

相似比が$a:b$である立体
　表面積比は$a^2:b^2$
　体積比は$a^3:b^3$

◆球・柱・錐の体積・表面積

◇球の体積と表面積

半径rの球について

体積：$V = \dfrac{4}{3}\pi r^3$

表面積：$S = 4\pi r^2$

◇円柱・角柱の体積と表面積

底面積S，高さhの柱について

体積：$V = Sh$

表面積は展開図を考える。

◇円錐・角錐の体積と表面積

底面積S，高さhの錐について

体積：$V = \dfrac{1}{3}Sh$

表面積は展開図を考える。

◆角の二等分線の性質

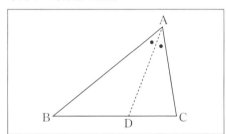

$BD : CD = AB : AC$
$AD = \sqrt{AB \cdot AC - BD \cdot CD}$

◆三角形の重心

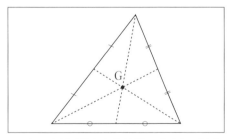

3本の中線（頂点から対辺の中点に下ろした線）の交点。

重心は中線を，頂点から2:1に内分する。

6つの小三角形の面積はすべて等しい。

先生の黒板

〔円錐台の体積〕
上底面の半径a，下底面の半径b，高さhで

ある円錐台の体積V

$$V = \frac{\pi}{3}(a^2 + ab + b^2)h$$

★★★フォローアップ★★★　次の各問に答えよ。

(1) △ABCにおいて，辺ABの中点をM，辺ACの中点をNとする。△ABCの面積がSであるとき，△AMNの面積を求めよ。

(2) 身長90cmの子供が1回の食事で食べる量を1とするとき，身長180cmの大人が1回の食事で食べる量はおよそいくらと考えられるか。

(3) 球の体積が$\frac{9}{2}\pi$であるとき，この球の半径を求めよ。

◇解答　(1) $\frac{1}{4}S$　(2) 8　(3) $\frac{3}{2}$

＜練習問題＞

練習問題　1

図において，△ABC の面積をSとするとき，△DEF の面積はいくらか。

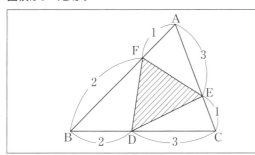

(1) $\frac{1}{3}S$

(2) $\frac{1}{4}S$

(3) $\frac{5}{6}S$

(4) $\frac{7}{12}S$

(5) $\frac{7}{18}S$

練習問題1　　　　　［解答］(1)

1角が等しい三角形の面積比は，等角をはさむ2辺の積の比に等しいことを利用して，△AFEと△BDFと△CEDの面積を求め，△ABCの面積から引くことにより△DEFの面積を求める。

△ABC：△AFE = AB × AC：AF × AE = 3 × 4：1 × 3 = 12：3より

△AFE = $\frac{1}{4}S$, △ABC：△BDF

= BC × BA：BD × BF
= 5 × 3：2 × 2 = 15：4より△BDF

= $\frac{4}{15}S$, △ABC：△CED = CA ×

CB：CE × CD = 4 × 5：1 × 3 = 20

：3より△CED = $\frac{3}{20}S$となる。よって，△DEF = △ABC － △AFE －

△BDF － △CED = S － $\frac{1}{4}S$ － $\frac{4}{15}S$

－ $\frac{3}{20}S$ = $\frac{1}{3}S$である。

図形と方程式

直線の方程式の意味をしっかり理解し，2直線の位置関係の公式を覚えよう。また内分点・外分点の座標や，2点間の距離の公式も覚えよう。

集中レッスン

◆直線の方程式

◇傾きが m で切片が n の直線

$$y = mx + n$$

◇傾きが m で点 $(x_1,\ y_1)$ を通る直線

$$y - y_1 = m(x - x_1)$$

◇2点 $(x_1,\ y_1)$，$(x_2,\ y_2)$ を通る直線
上の公式で

$$m = \frac{y_2 - y_1}{x_2 - x_1}$$

とする。

ただし $x_1 = x_2$ のとき，直線の方程式は $x = x_1$ となる。

◆2直線の位置関係

$\begin{cases} y = mx + n \\ y = m'x + n' \end{cases}$ について

平行のとき $m = m'$ となる。
さらに $n = n'$ のときは一致という。
垂直のとき $m \times m' = -1$ となる。

先生の黒板

〔点と直線の距離〕
点 $(x_0,\ y_0)$ と直線 $ax + by + c = 0$ の距離
d は， $d = \dfrac{|ax_0 + by_0 + c|}{\sqrt{a^2 + b^2}}$

◆2点間の距離

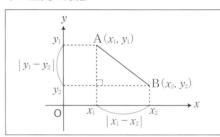

$$AB = \sqrt{(x_1 - x_2)^2 + (y_1 - y_2)^2}$$

◆内分点・外分点

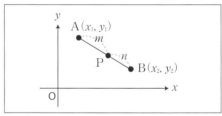

・線分 AB を $m:n$ に内分する点 P の座標

$$P\left(\frac{nx_1 + mx_2}{m + n},\ \frac{ny_1 + my_2}{m + n}\right)$$

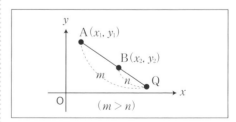

・線分 AB を $m:n$ に外分する点 Q の座標

$$Q\left(\frac{-nx_1 + mx_2}{m - n},\ \frac{-ny_1 + my_2}{m - n}\right)$$

◆三角形の重心

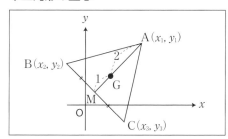

△ABCの重心Gの座標

$$G\left(\frac{x_1 + x_2 + x_3}{3},\ \frac{y_1 + y_2 + y_3}{3}\right)$$

辺BCの中点をMとするとMの座標は

$\left(\dfrac{x_2 + x_3}{2},\ \dfrac{y_2 + y_3}{2}\right)$ となる。このとき線分

AMは中線であり，重心Gは中線AMを2：1に内分する点であるから，

$$\left(\frac{1 \times x_1 + 2 \times \dfrac{x_2 + x_3}{2}}{2 + 1},\ \frac{1 \times y_1 + 2 \times \dfrac{y_2 + y_3}{2}}{2 + 1}\right)$$

を計算して

$$G\left(\frac{x_1 + x_2 + x_3}{3},\ \frac{y_1 + y_2 + y_3}{3}\right)\ となる。$$

★★★フォローアップ★★★　次の各問に答えよ。

(1) 点 $(-1,\ 3)$ を通り，傾き -2 である直線の方程式を求めよ。

(2) $y = 2x + 1$ と直交し，切片が3である直線の方程式を求めよ。

(3) A $(1,\ 2)$，B $(-4,\ 14)$ のとき，線分ABの長さを求めよ。

◇解答　(1) $y = -2x + 1$　(2) $y = -\dfrac{1}{2}x + 3$　(3) 13

＜練習問題＞

練習問題　1

A $(1,\ 1)$，B $(7,\ 4)$ に対し，線分ABを2：1に内分する点をP，外分する点をQとする。点Pと点Qの座標として妥当なものはどれか。

(1) P $(4,\ 2)$，Q $(-5,\ -2)$

(2) P $(4,\ 2)$，Q $(-13,\ -7)$

(3) P $(5,\ 3)$，Q $(-13,\ -7)$

(4) P $(5,\ 3)$，Q $(-5,\ -2)$

(5) P $(5,\ 3)$，Q $(13,\ 7)$

練習問題1　　　　　[解答]（5）

　線分ABを2：1に内分する点P

は，$\left(\dfrac{1 \times 1 + 2 \times 7}{2 + 1},\ \dfrac{1 \times 1 + 2 \times 4}{2 + 1}\right)$

を計算して，$(5,\ 3)$ となる。また，線分ABを2：1に外分する点Qは，

$$\left(\frac{-1 \times 1 + 2 \times 7}{2 - 1},\ \frac{-1 \times 1 + 2 \times 4}{2 - 1}\right)$$

を計算して，$(13,\ 7)$ となる。

＜練習問題＞

練習問題 1

2次関数 $y = x^2 + 2x + a$ は $-2 \leqq x \leqq 1$ において最大値7をとる。このとき，最小値はいくらか。

(1) 1

(2) 2

(3) 3

(4) 4

(5) 5

練習問題 2

立方体に図の様に内接する直円柱，球，直円錐がある。この直円柱の体積を V_1，球の体積を V_2，直円錐の体積を V_3 とするとき，$V_1 : V_2 : V_3$ として妥当なものはどれか。

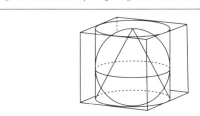

(1) $\sqrt{3} : \sqrt{2} : 1$

(2) $3 : 2 : 1$

(3) $3\sqrt{3} : 2\sqrt{2} : 1$

(4) $9 : 4 : 1$

(5) $27 : 8 : 1$

練習問題 3

$O(0, 0)$，$A(4, 0)$，$B(0, 3)$ に対し，$\triangle OAB$ の面積を二等分する直線の方程式として妥当なものはどれか。

(1) $y = -x + 2$

(2) $y = x - 1$

(3) $y = \dfrac{3}{4}x$

(4) $y = -\dfrac{1}{2}x + 3$

(5) $x = 2$

練習問題1 　　　　[解答]（3）

　平方完成すると $y = (x + 1)^2 - 1 + a$ となり，軸は $x = -1$ であるから，$-2 \leqq x \leqq 1$ において最大値7をとるのは $x = 1$ のときである。よって $x = 1$，$y = 7$ を代入すると $a = 4$ となり，$y = (x + 1)^2 + 3$ より最小値は3である。

練習問題2 　　　　[解答]（2）

　立方体の一辺の長さを $2a$ とする。まず直円柱は，底面の半径が a で高さが $2a$ であるから，体積は $V_1 = \pi a^2 \times 2a = 2\pi a^3$ となる。

次に球は半径が a であるから，体積は，$V_2 = \dfrac{4}{3}\pi a^3$ となる。

また直円錐は底面の半径が a で高さが $2a$ であるから，体積は $V_3 = \dfrac{1}{3}\pi a^2 \times 2a = \dfrac{2}{3}\pi a^3$ となる。よって，

$V_1 : V_2 : V_3 = 2\pi a^3 : \dfrac{4}{3}\pi a^3 : \dfrac{2}{3}\pi a^3$

$= 3 : 2 : 1$ である。

練習問題3 　　　　[解答]（3）

　中線は必ず面積を二等分するから，まず選択肢の中に中線があるか調べる。頂点Oを通る直線は（3）の $y = \dfrac{3}{4}x$ のみで，この直線は辺ABの中点 $\left(2, \dfrac{3}{2}\right)$ を通るから中線である。この時点で（3）が正解であるが，他の選択肢も考えてみると，頂点Aを通る直線は存在せず，頂点Bを通る直線は（4）の $y = -\dfrac{1}{2}x + 3$ であるが，これは辺OAの中点を通らず不適である。他の直線については $\triangle OAB$ の辺との交点を求めて面積を計算することになるが，適するものはない。

物　理

◇目　次

◇物理頻出問題上位

①ジュール熱
②加速度運動
③等加速度運動
④作用・反作用の法則
⑤落下物体の加速度
⑥仕事とエネルギー
⑦熱量保存の法則
⑧おもりのつり合い
⑨光と音の性質
⑩電磁誘導

物
理

物体の運動

①ここでは速度、加速度の求め方、等速直線運動における諸公式、および落下運動に適用した場合を考える。
②計算問題に対応できることが重要な分野である。

◆変位

物体の位置の変化、ベクトルで表す。移動距離が同じでも、方向が逆だと変位の符号が異なる。

◇**速さ**：単位時間当たりの距離の変化量

▼**速さを求める式**

$$v = \frac{x_2 - x_1 (m)}{t_2 - t_1 (s)}$$

◇**速度**：速さに向きを含めた量

◇**速度の合成・分解**

方向の異なる2つの速度は、平行四辺形の規則に従って合成できる。

$$v^2 = v_x^2 + v_y^2$$

また、1つの速度は同様に平行四辺形の2辺に分解できる。例えば右図において斜めに落下する物体の速度は、水平方向の速度と鉛直方向の速度に分解できる。

$$v_x = v\cos\theta$$
$$v_y = v\sin\theta$$

◇**加速度**：単位時間あたりの速度の変化量

▼**加速度を求める式**

$$a(m/s^2) = \frac{v_2 - v_1 (m/s)}{t_2 - t_1 (s)}$$

◇**等加速度直線運動**：一定の加速度で直線上を進む運動

▼**等加速度直線運動の基本式**

変位 $x\,(m)$，初速度 $v_0\,(m/s)$，速度 $v\,(m/s)$，加速度 $a\,(m/s^2)$，時間 $t\,(s)$

$$x = v_0 t + \frac{1}{2}at^2$$
$$v = v_0 + at$$
$$v^2 - v_0^2 = 2ax$$

初速度がないときは $v_0 = 0$ とし、減速運動では加速度の値がマイナスになる。

◇等加速度直線運動の例題

(問題) 初速度10 (m/s) で点Aを通過した物体が、一定の加速度で減速しながら50秒後に停止した。この時の加速度の大きさと停止するまでに進んだ距離を求めよ。

(解答) 等加速度直線運動の基本式をもとに考える。初速度 $v_0 = 10$ (m/s) であり、50秒後に停止したので $v = 0$ となるので、$v = v_0 + at$ にそれぞれの値を代入すると

$$0 = 10 + 50a$$
$$a = -0.20 \ (m/s^2)$$

停止するまでの距離は、

$$x = v_0 t + \frac{1}{2}at^2 \text{に} v_0 = 10,\ t = 50,\ a = -0.20$$

を代入して $x = 250$ (m)

◆落下運動

物体が落下するときの運動。鉛直下向きの等加速度直線運動になる。

◇**重力加速度** g (m/s^2)：落下運動における加速度で、物体の質量によらず一定の値。

$$g = 9.8 \ (m/s^2)$$

◇落下運動のいくつかのパターン◇

◇**自由落下**：等加速度直線運動の基本式で初速度を0とし、加速度 a を重力加速度 g で置き換える。

$$x = \frac{1}{2}gt^2$$
$$v = gt$$
$$v^2 = 2gx$$

◇**鉛直投げ下げ**：初速度 v_0 で鉛直下方向に物体を投げる。

$$x = v_0 t + \frac{1}{2}gt^2$$
$$v = v_0 + gt$$
$$v^2 - v_0^2 = 2gx$$

◇**鉛直投げ上げ**：初速度 v_0 で鉛直上方向に物体を投げ上げる。上向きを正の方向とする。加速度は下向

きなので、$-g$とする。

$$x = v_0 t - \frac{1}{2} g t^2$$

$$v = v_0 - gt$$

$$v^2 - v_0^2 = -2gx$$

◆相対速度

互いに移動している2つの物体で、一方を基準にしたときの他方の物体の速度。

図における物体Aを基準にした物体Bの相対速度。（相手の速度から自分の速度を引く）

$$v = v_B - v_A$$

◇水平投射

初速度v_0（m/s）で水平方向に物体を投射すると、水平方向には等速直線運動、鉛直方向には自由落下運動を行い、t秒後の速度は両方向の速度の合成で求まる。

- 速度　水平方向　　$v_x = v_0$
  鉛直下向き　　$v_y = gt$
  速度の合成　　$v = \sqrt{v_x^2 + v_y^2}$
- 位置　水平方向　　$x = v_0 t$
  鉛直方向　　$y = \frac{1}{2} g t^2$

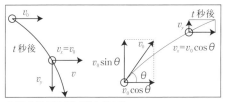

◇斜め投げ上げ（斜方投射）

水平方向に角度θ、初速度v_0で物体を投げ上げる。この時水平方向にはv_xの等速直線運動、鉛直方向には初速度v_yでの投げ上げ運動に分解して考える。

- 速度　水平方向　　$v_x = v_0 \cos\theta$
  鉛直方向　　$v_y = v_0 \sin\theta - gt$
- 位置　水平方向　　$x = v_0 t \cos\theta$
  鉛直方向　　$y = v_0 t \sin\theta - \frac{1}{2} g t^2$

◇等速直線運動のグラフ

速度は一定なので横軸に平行な直線となる。この時面積が移動した距離に相当する。（図A）

◇等加速度直線運動のグラフ

速度が時間とともに変化する。直線の傾きが

加速度に相当し、傾きが正の場合加速を意味し、負の場合は減速を意味する。面積は移動距離を表す。（図B）

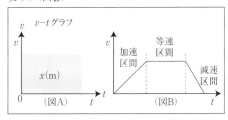

v-tグラフ

（図A）　（図B）

> **知っ得**　◇**45度**　ボールの遠投で遠くまで投げるには、投げ出す角度を45°にすればよい。これは斜方投射の公式から求められる。

◇等速円運動

円周に沿って等速で回転する運動。円の中心と物体を結ぶ線分が、1秒間に回転する角度（rad）を角速度ω（rad/s）という。この運動では運動の速さは一定だが向きが変化するので、向きの変化を示すのが角速度ω（オメガ）といえる。

$$\omega = \frac{\theta \, (rad)}{t \, (s)}$$

◇等速円運動の速さ

物体が円周上を1回転するのに要する時間T（s）を周期といい、半径r（m）の円周上を速さv（m/s）で等速円運動すると

$$v = \frac{2\pi r}{T}$$

となる。角速度ωはT（s）で2π（rad）回転するので、

$$\omega = \frac{2\pi}{T}$$

となり、これらより次の式が導かれる。

$$v = r\omega$$

◇向心加速度

等速円運動で物体に円の中心向きに生じる加速度。

$$a = v\omega = r\omega^2 = \frac{v^2}{r}$$

◇三角比

直角三角形の辺の比は、次のように定められている。

$$\sin\theta = \frac{c}{a} \,,\; \cos\theta = \frac{b}{a} \,,\; \tan\theta = \frac{c}{b}$$

物理

力と運動

このテーマでは、物体に働く力の合成、分解の仕方、力の種類とその求め方、運動の三法則、力と加速度の関係を表す運動方程式の理解と式の立て方を学ぶ。

集中レッスン

◆力

力とは物体に働いて、変形させたり、運動させたりする原因である。力は大きさと向きを持つベクトルで、ベクトルの長さが力の大きさを示し、向きが方向を示す。力の作用する点を作用点といい、作用点を通って力の向きに伸びる直線を作用線という。

◇**力の単位**：質量1kgの物体に1m/s²の加速度を生じさせる力の大きさを1N（ニュートン）と呼ぶ。

◇**力の合成**：2つの力を合成するとき、合力の向きと大きさは、2つの力のベクトルからできる平行四辺形の対角線の方向と長さになる。

◇**力の分解**：力は平行四辺形の規則により、2辺に分解できる。

◇**力のつり合いと条件**：合力が0になるとき、力が釣り合う。この時、静止している物質は静止し続け、運動している物質は等速で動き続ける。

条件①力が同じ作用線上にある。
条件②力の大きさが同じである。
条件③力の向きが逆である。

◇力の主な種類

①**重力**：物体が地球から受ける引力。
質量m（kg）の物体に働く重力の大きさ
F（N）$= mg$　g：重力加速度
すべての物体の間には万有引力という互いに対する引力が働いている。

②**バネの弾性力**：伸びたバネが元に戻ろうとするときの力。
バネの伸びがx（m）の時の弾性力の大きさ
F（N）$= kx$　k：ばね定数（N/m）
これをフックの法則という。

③**摩擦力**：物体を動かそうとする時、動きを妨げる力。
垂直抗力N（N）に比例する。静止している物

◇重さと質量

物体の重さとは、物体に働く重力の大きさのことであり、質量とは物体に固有の値で、物質を構成する原子や分子の分量で決まる値である。地上では、重さと質量は同じ値になるが、月では物質の質量が地上と同じでも、その重さは地球の6分の1になる。これは月の引力が地球の6分の1だからである。

体にかかる最大の摩擦力を最大静止摩擦力といい、その大きさは、

F（N）$= \mu N$
μ：静止摩擦係数

運動している物体に働く摩擦力を、動摩擦力という。その大きさは、

F（N）$= \mu' N$　μ'：動摩擦係数

◇**張力**：糸が引かれると、元に戻ろうとして生じる弾性力。張力は1本の糸のどこでも同じ大きさである。

◇**浮力**：物体が押しのける液体や気体の重さと等しい上向きの力。
体積がV（m³）で密度がρ（kg/m³）のとき、浮力の大きさは
F（N）$= \rho V g$

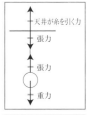

◇**垂直抗力**：物体を床に置くと、物体が床を押すのと同じ力で反対向きに、床が物体を押し返す。この力を垂直抗力という。

◇**力のモーメント**：物体を回転させる働きの大きさ

◇アルキメデスの原理

古代ギリシャのアルキメデスは、液体中で物体に働く浮力は、物体の体積と同じ体積の液体の重さに等しいことを発見した。

力のモーメント＝力×回転軸から作用線までの距離

$$M = Fd$$

◇**モーメントの単位**：N・m
　モーメントは方向を持つベクトルである。

◇**モーメントのつり合い**：モーメントの合計が0になるとき、物体は回転しない。

◇**重心**：物体の各部に働く重力の合力が働く作用点。

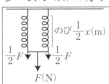

O:固定端　$M=Fd$
A:作用点（モーメント）

◆**力のつり合いのケース**
◇**重力と張力**

　質量が m（kg）の物体が、糸でつるされた場合
　張力を T（N）として

　　　$T = mg$　g：重力加速度と表せる。

張力 T（N）
質量 m（kg）
重力 mg（N）

◇**摩擦のある面での2つの物体と滑車**

◇質量 m_A（kg）の物体Aと質量 m_B（kg）の物体Bが右図のように滑車で繋がれた場合

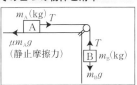

m_A（kg）
A　T
$\mu m_A g$
（静止摩擦力）
T
B　m_B（kg）
$m_B g$

　物体Aには床からの静止摩擦力が働き、これがAにかかる糸の張力とつり合う。物体が動き出す直前には、最大静止摩擦力は、静止摩擦係数を μ とすると、$\mu m_A g$ になる。一方、Bには下向きに重力がかかる。張力Tは糸のどこでも同じ大きさなので、Aについての力のつり合いは

　　　$T = \mu m_A g$

Bについての力のつり合いは

　　　$T = m_B g$

◇**動滑車を使用する場合**

　質量の無視できる動滑車に m_A（kg）のおもりを取り付け、定滑車に m_B（kg）のおもりを取り付けると、つり合った。この時糸の張力を T（N）として、それぞれのおもりの力のつり合いを示すと、動滑車の両側に張力 T がかかるので、m_A（kg）のおもりについては、

　　　$2T = m_A g$

m_B（kg）のおもりについては

　　　$T = m_B g$

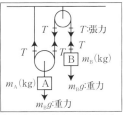

T　T:張力
T　T
B　m_B（kg）
m_A（kg）　A
$m_B g$:重力
$m_B g$:重力

◇**バネに働く力**

　F（N）の力で x（m）伸びるバネを2本直列につないで、F（N）の力でバネを引くと、それぞれのバネに F（N）の力がかかり、伸びは $2x$（m）になる。

　同じバネを左図のように2本並列につないで、F（N）の力でバネを引くと、それぞれのバネには $\frac{1}{2}F$（N）の力がかかり、バネの伸びは $\frac{1}{2}x$（m）になる。

のび $\frac{1}{2}x$（m）
$\frac{1}{2}F$　$\frac{1}{2}F$
F（N）

◆**運動**

　物体に加わる力が変化すると、物体の速度も変化する。力と運動の関係を3つの法則にまとめたのがニュートンである。

◇**慣性**：物体が持つ運動状態を保とうとする性質。

　慣性の例：バスや電車が発車するとき、体が後ろに移動したりする。エレベーターが停止するとき、体が浮き上がるように感じる。

◇**運動の三法則**

　1. 慣性の法則：物体に外から力が働かないと、静止している物体は静止し続け、運動している物体は等速直線運動を続ける。

　2. 運動の法則：物体に力が働くと加速度が生じ、その大きさは力の大きさに比例し、質量に反比例する。

　3. 作用・反作用の法則：2つの物体の間では、同一作用線上で互いに反対の向きに、同じ大きさの力を及ぼし合う。

◇**作用・反作用の力と力のつり合いの違い**

　作用・反作用の法則は力のつり合いと混同されやすい。2つの違いは、作用・反作用の力は別々の物体に働く力であるのに対し、力のつり合いは同じ物体に働く力である点。

◇**運動方程式**：運動の第二法則より、質量 m（kg）の物体に F（N）の力が働くとき加速度 a（m/s^2）が生じると

　　　$F = ma$

★★★**フォローアップ**★★★

問　質量10kgの物体に働く重力はいくらか。重力加速度を9.8（m/s^2）とする。

◇**解答**　重力＝質量×重力加速度より、10 ×9.8＝98（N）

仕事とエネルギー

試験での頻出範囲であるこのテーマでは、仕事の定義、力学的エネルギーの種類と求め方、さらに力学的エネルギー保存則をもちいた問題の解き方を中心に学ぶ。加えて運動量にも注目する。

◆仕事とエネルギー

◇**仕事の定義**：力の大きさ F（N）と、力の向きに移動した距離 s（m）の積を仕事 W（J）という。

$$W = Fs$$

◇**仕事の単位**：1N（ニュートン）の力で、1m移動したときの仕事が1J（ジュール）である。仕事は大きさのみで向きがない。

◇**力の向きと移動方向が違うとき**：図のように加えた力の方向と移動方向が違うとき、力と移動方向が合うように分解して考える。

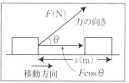

力の水平方向の成分が $F\cos\theta$ なので、仕事は

$$W = F\cos\theta \times s$$

力の方向と移動方向が直行するとき、力の移動方向の成分が0になるので、仕事の大きさは0になる。

◇**仕事の原理**：滑車やてこなどの道具を使っても、仕事の総量は変わらない。

〈例〉なめらかな斜面で物体を引き上げても、まっすぐ物体を引き上げても仕事の大きさは変わらない。斜面を引き上げる場合、力は小さくなるが、移動距離が長くなるのでその積は、まっすぐ引き上げるときと同じになる。（下図）

◇**エネルギー**：物体のもつ仕事をする能力。

◇**エネルギーの単位**：仕事の単位と同じJ（ジュール）。

◇**仕事率**：単位時間（1s）あたりにする仕事量。

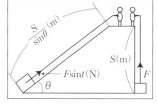

◇**仕事率の単位**：W（ワット）

t（s）間に W（J）の仕事をするときの仕事率 P（W）は、次の式で表される。

$$P = \frac{W}{t}$$

◆エネルギーの種類

①**運動エネルギー**：運動している物体の持つエネルギー。

質量 m（kg）の物体が速度 v（m/s）で運動しているとき

$$運動エネルギー = \frac{1}{2}mv^2$$

②**重力による位置エネルギー**：基準点より高いところにある物体の持つエネルギー。

質量 m（kg）の物体が、高さ h（m）にあるとき

$$重力による位置エネルギー = mgh$$

③**弾性力による位置エネルギー**

バネ定数が k（N/m）のバネを x（m）伸ばしたとき

$$弾性力による位置エネルギー = \frac{1}{2}kx^2$$

◇エネルギーの原理

運動している物体に運動の方向に力を加えると、物体に対してした仕事の分だけ、速度が増加し、運動エネルギーが増加する。また、逆向きの力を加えると、運動エネルギーは減少する。これをエネルギーの原理という。

物体の質量 m（kg）、はじめの速度 v_0（m/s）、力を加えた後の速度 v（m/s）、加えた力 F（N）、移動した距離 s（m）のとき

$$\frac{1}{2}mv_0^2 + W = \frac{1}{2}mv^2$$

$$W = Fs$$

◇力学的エネルギー
=位置エネルギー＋運動エネルギー

◇**力学的エネルギー保存の法則**：物体に働く力が、重力や弾性力だけならば、力学的エネルギーの和は常に一定に保たれる。

◇力学的エネルギー保存の法則の使い方◇

◇物体が落下する場合

地面から高さh（m）にある物体が、地面に落下するときの速度を求める。（空気抵抗は0と考える）

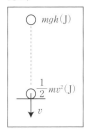

はじめに高さh（m）にある物体の持つ位置エネルギーはmghであり、地面では高さが0となるので、位置エネルギーは0になるが、これが運動エネルギーに変えられたので、

$$mgh = \frac{1}{2}mv^2$$

式を変形して

$$v = \sqrt{2gh}$$

◇振り子の高さと速度

糸の長さがl（m）の振り子を図のようにθの角度まで持ち上げ手をはなした時、おもりが最下点を通過するときの速さを求める。

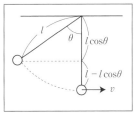

はじめに質量m（kg）のおもりが持つ位置エネルギーは、おもりの高さが最下点から$(l - l\cos\theta)$の高さになるので、$mgl(1 - \cos\theta)$である。最下点の速度をvとすると、力学的エネルギー保存則より、

$$mgl(1 - \cos\theta) = \frac{1}{2}mv^2$$

$$v = \sqrt{2gl(1 - \cos\theta)}$$

◇保存力・非保存力

・**保存力**：力学的エネルギー保存則を成り立たせる力のこと。重力、弾性力、静電気力など。

・**非保存力**：力学的エネルギー保存則を成り立たせない力のこと。摩擦力、空気抵抗など。
保存力は仕事の原理に従い、大きさは道筋によらず変位だけで決まるが、非保存力は移動した距離によって大きさが異なるため、道筋が違うと大きさも異なる。

・**力学的エネルギー保存則が成立しない場合**→非保存力が働く場合、保存則は成立しない。

◇**はねかえり係数**：物体を床に落とした時、衝突直前の速度v_0と直後の速度vの比

$$跳ね返り係数 e = -\frac{v}{v_0}$$

v_0とvの向きが逆になり符号が異なるため$-$を付けて表わす。

◇**運動している物質どうしが衝突するときのはねかえり係数**

一直線上を速度v_1、v_2で運動している2つの物体が衝突し、速度がv_1'、v_2'になったとき、はねかえり係数は相対速度の比に等しくなる。

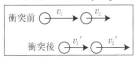

$$e = -\frac{v_1' - v_2'}{v_1 - v_2}$$

◇**弾性衝突**：$e = 1$の時を弾性衝突という。弾性衝突では力学的エネルギーは保存される。

◇**非弾性衝突**：$0 < e < 1$の時を非弾性衝突という。非弾性衝突では力学的エネルギーは保存されず、減少する。

◇**完全非弾性衝突**：$e = 0$のとき。物体ははね返されない。

◆運動量と力積

同じ質量の物質では、速度が速いほど衝突の衝撃は大きく、同じ速度では質量が大きいほど衝撃は大きい。運動量は運動の激しさの目安であり、運動量の変化が力積である。

◇**運動量**：質量×速度。単位：kg・m/s（キログラムメートル毎秒）。運動量はベクトルである。

◇**力積**：力×時間。単位：N・s。力積もベクトルである。

◇**運動量と力積の関係**
運動量の変化は力積に等しい。

$$Ft = mv - mv_0$$

◇**運動量保存の法則**
2つの物体が一直線上で衝突するとき、
（衝突前の2つの物体の運動量の和）
＝（衝突後の2つの物体の運動量の和）
が成り立つ。これを運動量保存の法則という。

$$m_A v_A + m_B v_B = m_A v_A' + m_B v_B'$$

運動量保存の法則は、2つの物体に外からの力が加わるときには成立しない。

物理

熱とエネルギー

①ここでは、熱と仕事の関係、比熱と熱容量、熱量保存則が重要。

②さらに気体の法則、電気と熱の関係も取り上げる。加えて、熱力学の法則やエネルギーの変換も考慮する。

集中レッスン

◆熱と温度

・熱運動：原子や分子の不規則で乱雑な動き。

・温度：粒子の熱運動の激しさが温度となってあらわれる。

◇温度の単位：

・セルシウス温度（セ氏温度）：水の融点を0℃、沸点を100℃とし、その間を100等分した温度目盛り。

・絶対温度（ケルビン温度）：−273℃を0K（ケルビン）とした温度目盛り。セ氏温度 t（℃）と絶対温度 T（K）の関係

$$T = 273 + t$$

> [知っ得] ◇華氏温度　水の融点を32°F、沸点を212°Fとして、その間を180等分した温度目盛り。
> ・セ氏温度 t（℃）との関係
> →華氏温度（°F）$= \dfrac{9}{5}t$（℃）$+ 32$

◇熱量の単位：熱もエネルギーの一種であり、その単位はエネルギーの単位の J（ジュール）である。

・カロリー（cal）：熱量のもう一つの単位。水1gの温度を1K上げるのに必要な熱量。

◇熱の伝わり方

・伝導：温度差のある物質が接触しているとき、直接熱が伝わる現象。熱したヤカンの取っ手が熱くなるのはこのため。

・対流：気体や液体が熱せられ、移動して熱が運ばれる現象。風呂の上層のお湯が熱くなるのはこのため。

・放射：熱源から光（熱線）の形で熱が伝わる現象。太陽の熱が地球に届くのはこのため。

・熱の移動：温度の高い方→低い方。

◇熱の仕事当量：仕事 W（J）と熱量 Q（cal）の関係

$$W = JQ \quad J：熱の仕事当量（J/cal）$$

$$J = 4.19（J/cal）$$

1calの熱量は4.19Jの仕事に相当する。

・比熱：1gの物質の温度を1K上げるのに必要な熱量。

熱量 Q（J）と比熱 c（J/g·K）、質量 m（g）、温度差 t（K）の関係

$$Q = mct$$

・熱容量：物体の温度を1℃上げるのに要する熱量

熱容量 C（J/K）と比熱の関係：$C = mc$

（物体の質量を m とする。）

◇熱量保存の法則

高温の物体が失った熱量

＝低温の物体が得た熱量

◇比熱をもちいる計算の例◇

（問題）100gの銅製の容器に水が50g入っていて、温度は20℃であった。この中に80℃で50gの銅製の物体を入れてかき混ぜると、全体の温度は何度になるか。なお、水および銅の比熱は4.2（J/g·K）、0.38（J/g·K）とする。

（解答）熱量保存の法則より、高温の物体が失った熱量＝低温の物体が得た熱量なので、変化後の温度を t（℃）とすると、

$$50 \times 0.38 \times (80 - t)$$

$$= 100 \times 0.38 \times (t - 20) + 50 \times 4.2 \times (t - 20)$$

$$t = 24.3（℃）$$

・潜熱：物質の状態変化が生じるときに出入りする熱量。潜熱は状態変化に使われるので、周囲の温度変化はない。

・融解熱：固体を液体にするとき必要な熱量。

・蒸発熱：液体を気体にするのに必要な熱量。気化熱ともいう。

◆気体

◇ボイルの法則（図①）

温度一定のもとでは、一定量の気体の圧力と体積は反比例する。

$$PV = k（一定値）$$

◇**シャルルの法則（図②）**

圧力一定のもとでは、一定量の気体の体積は絶対温度に比例する。

（図②）

$$\frac{V}{T} = k \text{（一定値）}$$

◇**ボイル・シャルルの法則**：ボイルの法則とシャルルの法則を一つにまとめたもの。

$$\frac{PV}{T} = k \text{（一定値）}$$

◇**理想気体の状態方程式**

気体の圧力 P（Pa）、体積 V（L）、絶対温度 T（K）、物質量 n（mol）の関係を表す式

$PV = nRT$　R：気体定数8.31（J/mol・K）

・**理想気体**：状態方程式を完全に満たす仮想の気体

◇**気体のする仕事**

気体の体積が収縮するとき、気体は外部から仕事をされたことになり、膨張すると外部に仕事をすることになる。

◇**圧力の単位**

単位面積に加わる力の大きさを圧力という。圧力の単位はN/m^2であり、$1N/m^2$が1Pa（パスカル）である。

　　100Pa ＝ 1hPa（ヘクトパスカル）

1気圧の大気圧は1013hPa（1.013×10^5Pa）であり、水銀柱を使った圧力単位では、760㎜Hgに相当する。

◆**電気と熱量**

◇**ジュール熱**：電流が流れるときに生じる熱。電圧 V（V）、電流 I（A）、時間 t（s）として

ジュール熱 Q（J）＝ VIt

この関係をジュールの法則という。

ジュール熱は、電熱線を用いたヒーターなどに使われている。

◇**電力**：電流が1秒間にする仕事を電力といい、電気器具などが1秒間に消費する電力を消費電力という。電力 P（W）と熱量の関係は、$P = VI$ より

$$P = \frac{Q}{t}$$

◇**消費電力の計算**◇

（問題）抵抗が25Ωの電熱線を100Vの電源につないだ。次の問いに答えよ。

(1) この時の消費電力はいくらか。

(2) この電熱線を5分間使用すると、何kJの熱が生じるか。

(3) (2) で生じた熱をすべて温度上昇に使えたとすると、500gの水の温度を何度上げられるか。整数値で答えよ。水の比熱は4.2（J/g・K）とする。

（**解答**）(1) ジュール熱の式 Q（J）＝ VIt と、オームの法則（テーマ6）より、

$$P = VI = \frac{V^2}{R} \text{ より}$$

$$P = \frac{(100)^2}{25} = 400 \text{（W）}$$

(2) $Q = Pt$ より、

$$Q = 400 \times 5 \times 60$$
$$= 1.2 \times 10^5 \text{（J）}$$
$$= 1.2 \times 10^2 \text{（kJ）}$$

(3) 熱量と比熱の関係式 $Q = mct$ をもちいて

$$1.2 \times 10^5 = 500 \times 4.2 \times t$$
$$t = 57.1 \qquad \text{これより57℃上昇する。}$$

◆**エネルギー保存**

・**内部エネルギー**：物質内部で分子や原子がもつエネルギー。熱を加えると分子や原子の熱運動が活発になり、内部エネルギーは増加する。

◇**熱力学第一法則**

内部エネルギーの増加量（$\varDelta U$）

　＝加えた熱（Q）＋加えた仕事（W）

・**断熱変化**：外部と熱のやり取りをできなくして、気体の圧力、体積、温度を変えること。

・**断熱圧縮**：$Q = 0$ で圧縮すると、気体に仕事を加えるため、その分内部エネルギーが増加し、気体の温度が上がる。

・**断熱膨張**：$Q = 0$ で気体を膨張させると、気体は外部に仕事を行うので、自らは内部エネルギーを減少させ、温度が下がる。

◇**エネルギー保存の法則**

エネルギーには、力学的エネルギーや熱エネルギーのほかに、電気エネルギー、化学エネルギー、核エネルギーなどいろいろな種類がある。これらは互いに変換可能である。変換前のエネルギーの総和と変換後のエネルギーの総和が変化しないことをエネルギー保存の法則という。

このうち、力学的エネルギーだけに注目したものが力学的エネルギー保存の法則であり、熱量だけに注目したものが、熱量保存の法則である。

◇**エネルギー保存の法則が成り立たない場合**

熱をともなう変化では、エネルギー保存の法則は成り立たない。外部に対して仕事をする際に熱を放出すると、その熱を回収してエネルギーに100％換えることはできない。

◇**熱力学第二法則**

「熱はひとりでに低温物質から、高温物質に移ることはない」（クラウジウスの原理）

「外部に変化を及ぼさずに、熱をすべて仕事に変えることはできない」（トムソンの原理）

物理

波動・音・光

はじめに、波に関する重要事項を取り上げ、種々の公式、用語、現象をまとめる。続いて、音波の性質、ドップラー効果、光波の性質、レンズを考える。

◆波とその性質

〈波とは〉

　池に小石を投げ込むと、波が円形に広がるが、池面に浮かぶ木葉などは波が来るたびに上下に動くが、池の端には移動しない。

　これは、波は運動を伝えるが、物質が移動しているのではないことを示す。

　波が伝わる現象を波動、波の発生源を波源、波を伝える物質を媒質という。

- **波長**：波の山から山まで（谷から谷まで）の距離。λ (m)
- **振幅**：波の山の高さ。（図①参照）
- **振動数**：1秒間に定点を通過する波の山（もしくは谷）の数。f (Hz)
- **周期**：定点を1つの山（谷）が通過して、次の山（谷）が通過するまでの時間。T (s)

◇**波の関係式**：
波の速さをv(m/s) として

$$T = \frac{1}{f}$$
$$v = f\lambda$$

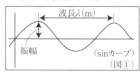

波長λ(m)
振幅
(sinカーブ)
（図①）

◇**波の種類**

- **横波**：媒質の振動方向と波の進行方向が垂直な波→光
- **縦波**：媒質の振動方向と波の進行方向が一致する波。疎密波ともいう→音波

◇**地震波**

　地震では2種類の波が生じる。観測点に最初に到達する波を**P波**（primary wave）といい、続く波を**S波**（secondary wave）という。P波は縦波で、S波は横波である。（詳細は「地学1」のテーマ解説を参照）

◇**波の性質**

- **干渉**：2つの波の山と山が重なると、振幅は大きくなり、山と谷が重なると振動しない。これを干渉という。

- **回折**：波が物体の裏側に回り込む現象。

- **反射**：波が壁に当たってはね返る現象。図②に示す角度が入射角と反射角を示す。

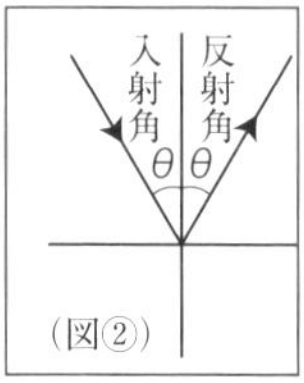

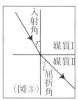

入射角
反射角
θ θ
（図②）

入射角
θ
媒質Ⅰ
媒質Ⅱ
i
屈折角
（図③）

　　入射角＝反射角　これを反射の法則という。

- **屈折**：波が異なる媒質の境界線で曲げられる現象。屈折角は図③の屈折波のなす角をいう。

- **屈折率**：入射角と屈折角の正弦の比をいう。

$$屈折率 = \frac{sin\ i}{sin\ r}$$

　　（媒質Ⅰに対する媒質Ⅱの屈折率）

◇**ホイヘンスの原理**：「進行する波の各点は、次の波（素元波）の波源となり、これが重なり新しい波になる。」

◆音波とその性質

　音は縦波である。音の高さは振動数の違いによる。振動数が小さいと低い音、大きいと高い音になる。また、音の大きさは、振幅による。

◇**音の速さ**：音波は媒質がなければ伝わらない。このため真空中では音は伝わらない。媒質が液体でも、固体でも音は伝わる。一般に音の伝わる速さは、固体中＞液体中＞気体中の順である。

◇**空気中での音の速さ**：音の速さは気温によって変化する。気温が1℃上昇するごとに、0.6 (m/s) だけ音速は速くなる。気温がt℃の時の音速v (m/s) の式は以下の通り。

$$v = 331.5 + 0.6t$$

◇**ドップラー効果**：救急車が近づいて遠ざかってゆくとき、サイレンの音が急に低くなる。音源や観測者が移動するとき、振動数が変化することがその原因である。

◇音源が移動するとき◇

音源が移動し、観測者の移動がないとき、前方では波長が短くなり、後方では長くなる。音源の振動数をf_0(Hz)とし、音速をV(m/s)、音源の移動速度をv(m/s)とすると、観測者に届く音の振動数fは、

$$f = \frac{V}{V-v} f_0$$

となり、振動数が大きくなる ($f > f_0$) ので音が高く聞こえる。

音源が遠ざかるときは、$v < 0$とすると振動数が小さくなり音は低くなる。

◇観測者が移動するとき◇

音源は静止し、観測者が移動するとき、音波の波長は一定だが、相対速度は観測者が音源から遠ざかるときは遅くなる。このとき観測者に届く音の振動数は、観測者の速度をu(m/s)として、

$$f = \frac{V-u}{V} f_0$$

振動数が小さくなり、音は低く聞こえる。

また、観測者が近づくとき、

$$f = \frac{V+u}{V} f_0$$

振動数が大きくなり、音は高くなる。

これらを一つの式にまとめると、

$$f = \frac{V-u}{V-v} f_0$$

ここでは音源から観測者に向かう方向を、正の方向とする。

◆光波とその性質

◇**光の速さ**：3.00×10^8(m/s)（真空中）

◇**光の反射**：光も波であるので、反射の法則が成り立つ。入射角＝反射角

◇平面鏡でできる虚像

物体が平面鏡に映る場合、観測者は鏡で反射された光を目にするが、その光は図④のA′から直進してきたと感じる。この時、平面鏡でできる像を虚像という。虚像の位置は、物体と鏡をはさんで対称な位置にできる。

◇光の屈折：光では屈折も生じる。

◇見かけの水深

水中にある物体の深さは、実際よりも浅く

見える。水より空気の屈折率の方が小さく、空気層に出てゆく屈折角の方が大きくなる。そのため、図⑤に示すように観測者はB点から直進する光と感じるため、実際より浅く感じる。

◇**全反射**：屈折角が90°より大きくなると、すべての光が反射し、媒質の外に光が出てゆけなくなる。

◇**光の分散**：太陽光をプリズムに通すと、いろいろな色に分かれる。この現象を光の分散という。これは太陽光を構成する光の色の波長が異なり、波長の短いものほど屈折率が大きいためである。赤い色の光は波長が長く、紫色の光ほど波長は短い。

◇**スペクトル**：プリズムで分散されると波長の順に光が帯となって観察される。これをスペクトルという。

◇レンズ

レンズの中心を通る線を光軸、凸レンズで光軸上の1点に光が集まる点を焦点という。レンズの中心から焦点までの距離を焦点距離という。

◇凸レンズによる像

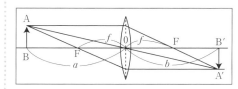

像をレンズから焦点距離より遠くに置くと、像から出た光は、凸レンズを通り、1点に集まる。ここにスクリーンを置くとできる像を実像という。実像は上下左右が逆になる。

像を焦点に置くと光は平行線になり、像はできない。

像をレンズから焦点距離より内側に置くと実像はできないが、反対側からレンズをのぞくと、像の後ろの位置に虚像ができる。虚像は光が集まってできたのではないので、スクリーンを置いても像はできない。

◇**レンズの式**：凸レンズの中心から物体までの距離をa、像までの距離をb、レンズの焦点距離をfとすると、

$$\frac{1}{a} + \frac{1}{b} = \frac{1}{f}$$

また、物体に対する像の倍率は、

$$像の倍率 = \frac{b}{a}$$

となる。

物理

電気と磁気

このテーマでは、静電気、オームの法則、回路と電流、抵抗、電圧の計算。さらに電流と磁場の関係、電磁気、フレミングの法則、電磁誘導が中心となる。

集中レッスン

◆静電気

- **帯電**：物質が電気を帯びること。
- **静電気**：帯電した物体では、電気は移動せず表面にとどまる。この時の電気を静電気という。
- **静電気力**：正の電気どうしや負の電気どうしは互いに反発する。正の電気と負の電気は互いに引き合う。電気の間に働く力を静電気力という。
- **静電誘導**：絶縁した導体に電気を近づけると、近づけた電気に近い側は逆の符号の電気を帯び、遠い側は同じ符号の電気を帯びる。

正に帯電した物質を近づける

◆電流

〈電流とは〉

電気を帯びた粒子が移動すると電流が生じる。導体中では電子が、水溶液中ではイオンが電流を生じさせる。電流の向きは正電荷の移動する向きと定める。電子はこの逆方向に流れる。

- **電流の大きさ**：導体の断面を1秒間に通過する電気量。1秒間に1クーロン（C）の電荷が移動するときを、1アンペア（A）と定める。

◇静電気

物質が正、負の電気に分かれて、帯電しているもの。電荷の移動がない。正、負の電荷間には、引力が働く。これをクーロン力という。それぞれの電荷を q、q'（C）、電荷間の距離を r（m）とすると、クーロン力 F（N）は次の式で示される。

$$F = k \cdot \frac{q \cdot q'}{r^2} \quad k = 9.0 \times 10^9 \text{（N·m}^2/\text{C}^2\text{）}$$

◇オームの法則

電流の強さ I（A）は、電圧 V（V）に比例し、抵抗 R（Ω）に反比例する。

$$I = \frac{V}{R}$$

◇回路と抵抗の大きさ

- **直列に接続するとき**：全体の抵抗の大きさは、各抵抗の大きさの和になる。

$$R = R_1 + R_2$$

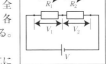

直列回路では、各抵抗に流れる電流の大きさは同じになる。よって、各抵抗にかかる電圧の合計は、全体の電圧に等しくなる。

$$V = V_1 + V_2$$

- **並列に接続するとき**：全体の抵抗の逆数は、各抵抗の逆数の和に等しい。

$$\frac{1}{R} = \frac{1}{R_1} + \frac{1}{R_2}$$

並列回路では、各抵抗にかかる電圧の大きさが同じになる。よって、各抵抗を流れる電流の大きさの合計が、全体の電流の大きさに等しい。

$$I = I_1 + I_2$$

◇抵抗の大きさ

導線の抵抗の大きさは導線の長さに比例し、太さ（断面積）に反比例する。また、温度が高くなるほど、抵抗の大きさは増加する。

◇キルヒホッフの法則

- **第一法則**：「回路中の1つの交点に流れ込む電流の和と、流れ出る電流の和は等しい」
- **第二法則**：「任意の一回りの回路について、起電力の代数和は電圧降下の代数和に等しい」

◇電力

電流が1秒間にする仕事。1秒間に発生するジュール熱に等しい。

- **電力の単位**：仕事率の単位と同じW（ワット）電力 P（W）、電圧 V（V）、電流 I（A）、抵抗 R（Ω）とすると

$$P = V \cdot I = I^2 \cdot R = \frac{V^2}{R}$$

また、熱量 Q（J）、時間 t（s）として

$$P = \frac{Q}{t}$$

の関係がある。

◇**電力量**：電流のする仕事の合計（電力×時間）。

・**電力量の単位**：仕事と同じ J（ジュール）
また電力量＝電力×時間なので、kWh（キロワット時）も電力量の単位である。

◇オームの法則の例題

（**問題**）右図の回路について、以下の問いに答えなさい。
(1) Cを流れる電流の大きさはいくらか。
(2) B点での電位はいくらか。

（**解答**）回路全体の抵抗の大きさは、BC間の抵抗が

$$\frac{1}{R} = \frac{1}{5} + \frac{1}{20} \quad よりR = 4 \,(\Omega)$$

よって全体では
$$6 + 4 = 10 \,(\Omega)$$
電圧が10Vなので、回路全体を流れる電流の大きさは、オームの法則より
$$I = \frac{10}{10} = 1.0 \,(A)$$

(2) AB間の抵抗は6Ωであり、電流は1.0Aが流れるので、この間の電圧降下は
$$v = 1.0 \times 6 = 6 \,(V)$$
よって、B点の電位
$$10 - 6 = 4 \,(V) \qquad になる。$$

◆電流と磁場

〈磁場とは〉

磁石には磁極があり、N極とS極と呼ばれる。異種極どうしの間に働く力を磁力という。またN極からS極に向かって磁力線が出ている。磁力のはたらく空間を磁場という。

◇**直線電流のつくる磁場**：導線を中心とする同心円上の磁場をつくり、磁力線の向きは電流の流れる方向に対して、右ねじ方向である。

◇**コイルのつくる磁場**：直線電流の場合と同様に、右ねじの法則が当てはまる。コイルに鉄の棒などを入れると、電磁石ができる。導線を何重にも巻いたコイルをソレノイドという。

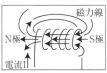

◇**右ねじの法則**

電流の向きを右ねじの進む向きに合わせると、

磁場の向きは右ねじの回転方向になる。（下図）

・**電流が磁場で受ける力**：磁石による磁場がある中に、電流による磁場を作り出すと互いが影響を及ぼしあい力が生じる。この力を電磁力という。

◇**フレミングの左手の法則**

電流が磁場から受ける力 F（N）の向きと、磁場 H（A/m）の向き、電流 I（A）の向きは直交し、図のように左手の3本の指を直交させた関係になる。

◇**ローレンツ力**：電荷をもつ粒子が、磁場を移動するときに受ける力。ローレンツ力の向きは、粒子の移動する向きおよび磁場の向きに垂直である。ローレンツ力の大きさは、電荷の電気量 q（C）、速度 v（m/s）、磁束密度 B（T：テスラ）とすると、

$$F = qvB \qquad となる。$$

◇**電磁誘導**

コイルに磁石を近づけたり、遠ざけたりすると、コイルに電流が流れる現象。この時の電流を誘導電流という。

◇**レンツの法則**：誘導電流は、コイルの磁力線の本数の変化を妨げる方向に発生する。

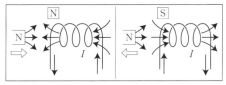

◇**交流**

電流や電圧の向きが変化しない電気を直流といい、周期的に変化する電気を交流という。交流の向きが1秒間に変化する回数を周波数fといい、単位はHz（ヘルツ）である。

◇**電磁波**：電場は磁場をつくり、磁場が生じると電場ができる。電気的な振動と磁気的な振動が伝わる現象を電磁波という。光も電磁波の一つである。電磁波はテレビやラジオ、携帯電話の電波、赤外線、医療用のX線など様々な分野で利用されている。

◇**コンデンサー**

平行板コンデンサーに蓄えられる電荷は、コンデンサーの電気容量を C（F）、電極間の電圧 V（V）、蓄えられる電荷 Q（C）とすると、

$$Q = CV$$

コンデンサーの電気容量の単位は、ファラデー（F）。

物理

＜練習問題＞

練習問題1

次の（　　）に当てはまる最も適切な数値の組み合わせを選べ。
重力加速度は9.8m/s²とする。

　初速度49m/sで鉛直上向きに投げ上げた物体が、最高地点に達すると、その高さは（　①　）mであり、到達するのにかかる時間は（　②　）秒である。

　また、この物体の3.0秒後の高さは、（　③　）mである。

	①	②	③
（1）	62	1.0	210
（2）	62	2.5	123
（3）	104	5.0	52
（4）	123	2.5	52
（5）	123	5.0	103

練習問題2

右図のように摩擦のない台の上に、自然長よりx (m) 縮めたバネの先に、質量m (kg) の物体が接しており、動かないようにおさえてある。手を離すとバネが自然長に達

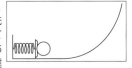

したところで物体がバネから離れ、その後スロープを上昇し、最高地点に達した。ここでバネのエネルギーは、全て物体の運動エネルギーに変換された。また、バネのバネ定数はk (N/m) である。
次の各問の答えの適する組み合わせを選べ。

　　A　物体がバネから離れた瞬間の速度
　　B　物体が達する最高地点の高さ

（1）kx^2 , mg

（2）$\dfrac{1}{2}\sqrt{\dfrac{k}{m}} \cdot x$, $\dfrac{x}{2mg}$

（3）$2\sqrt{\dfrac{kx}{m}}$, $\dfrac{kx^2}{mg}$

（4）$\sqrt{\dfrac{k}{m}} \cdot x$, $\dfrac{kx^2}{2mg}$

（5）$\sqrt{\dfrac{kx}{m}}$, $\dfrac{2kx}{mg}$

練習問題1　　　　　　［解答］（5）

①$v^2 - v_0^2 = -2gx$より、最高地点では速度$v = 0$なので、$g = 9.8$とともに代入する。
$$0 - 49^2 = -2 \times 9.8x$$
$$x = 122.5 \text{ (m)}$$

②$v = v_0 - gt$より、$v = 0$、$v_0 = 49$、$g = 9.8$を代入する。
$$0 = 49 - 9.8t$$
$$t = 5.0$$

③$x = v_0 t - \dfrac{1}{2}gt^2$より、$v_0 = 49$、$g = 9.8$、$t = 3.0$を代入する。
$$x = 49 \times 3.0 - \dfrac{1}{2} \times 9.8 \times 3.0^2$$
$$x = 102.9$$

練習問題2　　　　　　［解答］（4）

A　バネの持つ弾性エネルギーは、$\dfrac{1}{2}kx^2$ (J) であり、これがすべて運動エネルギーの変換されるので、
$$\dfrac{1}{2}kx^2 = \dfrac{1}{2}mv^2$$
これを変形して、
$$v = \sqrt{\dfrac{k}{m}} \cdot x \quad \text{となる。}$$

B　この運動エネルギーが、位置エネルギーに変換されるので、最高点の高さを h (m) とすると、
$$\dfrac{1}{2}kx^2 = \dfrac{1}{2}mv^2 = mgh$$
これより、
$$h = \dfrac{kx^2}{2mg} \quad \text{が求まる。}$$

練習問題3

次の（　）に当てはまる適切な用語の組み合わせを答えよ。

　熱の単位は（　①　）であり、cal（カロリー）も熱の単位である。

　熱の伝わり方には、3つの方法がある。直接熱が伝わる現象を（　②　）という。また、熱せられた物体が（　③　）して、熱が運ばれることもある。太陽の熱が地球に伝わるのは、（　④　）という現象である。

　物体の温度を1℃上げるのに必要な熱量を（　⑤　）という。

	①	②	③	④	⑤
（1）	ワット	伝導	回流	反射	比熱
（2）	ジュール	伝導	対流	放射	熱容量
（3）	ニュートン	転移	対流	反射	熱容量
（4）	ワット	転移	放射	放射	比熱
（5）	ジュール	輻射	放射	対流	比熱

練習問題4

次の語句とその説明文の組み合わせが間違っているものはどれか。該当するものをすべて番号で答えよ。

語句　①　振動数　　②　周期　　③　干渉　　④　回折

説明文
a　波の山から山までの距離
b　1秒間に定点を通過する波の山の数
c　2つの波が互いに及ぼす効果
d　波が壁に当たって戻ってくる現象
e　波が壁の裏側に回り込む現象
f　定点を1つの山が通過して、次の山が通過するまでの時間

A　①−f
B　②−b
C　③−c
D　④−e

練習問題3　　　　　　　［解答］（2）
　熱もエネルギーの一種なので、単位はエネルギーの単位と同じジュールである。
　熱の伝わり方には、接している物体を直接伝わる伝導、物体（主に気体、液体）が移動して熱を伝える対流、熱線が熱を伝える放射がある。
　物体の温度を1℃上げるのに必要な熱量を熱容量という。比熱は1gの物体の温度を1℃上げるのに必要なエネルギーを指す。よって熱容量と比熱の関係は、比熱に物体の質量をかけると熱容量に等しくなる。

練習問題4　　　　　　　［解答］AとB
　正しい組み合わせは、次のとおり
　①−b　　　②−f　　　③−c
　④−e
　aは波長の説明である。dは反射の説明である。

物理

右図のように摩擦のない台の上にある質量10kgの物体Aと、質量5kgの物体Bを糸で結び、動かないように手で支えている。手を離すと物体Aは、いくらの加速度で動き出すか。最も適する数値を選べ。ただし、重力加速度は9.8m/s^{2}とする。

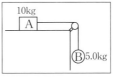

（1）1.2
（2）2.4
（3）3.3
（4）4.3
（5）5.2

練習問題6

次の各図の説明文の正誤を答えよ。

① 図は矢印の方向に電流を流したときに生じる磁力線の向きを示す。

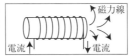

② 図は矢印の方向に電流を流したときに生じる磁力線の向きを示す。

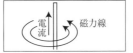

③ 図は矢印の方向に電流を流したときに生じる力の向きを示す。

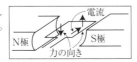

④ 図は矢印の方向に磁石を近づけたときに生じる電流の向きである。

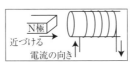

練習問題5　　　　［解答］（3）

　物体Aに働く力は、糸の張力 T（N）のみであり、物体Bに働く力は、糸の張力 T とBの重力 $5.0 \times 9.8 = 49$（N）である。

　Aについての運動方程式は、加速度を a とすると
$$T = 10a$$
　Bについての運動方程式は
$$49 - T = 5a$$
　これより T を消去して、
$$49 - 10a = 5a$$
$$a = 3.26 \,(\mathrm{m/s}^2)$$
よって答えは（3）となる。

練習問題6

　［解答］①○　②○　③×　④×

　①、②において電流と磁力線の関係は、右ねじの法則に従う。③では、フレミングの左手の法則に従い、力の向きが逆向きである。④は電磁誘導の問題である。磁石を近づけるとレンツの法則により、コイルの磁力線の変化を妨げる方向に誘導電流は発生する。図ではN極を近づけているので、コイルの左側がN極になるように誘導電流は流れる。よって電流の向きは逆方向である。

化 学

◇目 次

◇化学頻出問題上位

①化学物質
②化学反応
③金属の性質
④気体の溶解度
⑤酸化数の組合せ
⑥塩素と化合物
⑦イオン結合
⑧電子配置
⑨還元反応
⑩原子

化
学

原子・結合・物質量

ここでは混合物の分離方法、原子の構造、電子配置、結合の種類と結晶の特徴をまとめる。さらに物質量の求め方と、化学反応式の持つ意味を考える。

◆混合物の分離

- **元素**：物質を構成する成分。
- **単体**：1種類の元素だけでできた物質。
- **化合物**：2種類以上の元素からできる物質。
- **混合物**：2種類以上の単体や化合物が混ざり合ったもの。
- **同素体**：結合の仕方が異なるため性質の違う単体どうし（以下の例）をいう。
  炭素の同素体…ダイヤモンド、黒鉛
  酸素の同素体…酸素、オゾン
  硫黄の同素体…斜方硫黄、単斜硫黄、ゴム状硫黄
  リンの同素体…黄リン、赤リン

◇混合物の分離方法

- **ろ過**：ろ紙によって固体と液体を分ける方法。
- **蒸留**：沸点の違いを利用して分離する方法。
- **再結晶**：溶解度の違いを利用して、分離する方法。
- **昇華**：固体の混合物を加熱して、昇華性のある物質だけを気体にして分離し、その後冷却して再び固体に戻す。
- **抽出**：溶媒への溶解度の違いを利用して分離する方法。

◆周期表

元素を原子番号の順に並べると、周期的に性質のよく似た元素が現れ（元素の周期律）、その表を周期表という。

- **族と周期**：周期表の縦列は族、横列は周期で、族は1から18番まで。1、2、12〜18族を典型元素、3〜11族を遷移元素という。典型元素では同族の元素に類似した化学的性質（周期律）が見られる。
- ◇**族の呼び名**：1族（水素を除く）元素をアルカリ金属、2族（カルシウム以降）の元素をアルカリ土類金属、17族をハロゲン、18族を希ガスという。

◆原子の構造

すべての物質は原子からできており、原子は中心の原子核と、その周りを飛び回る電子からできている。原子核は陽子と中性子からできる。

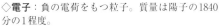

- ◇**陽子**：正の電荷をもつ粒子。陽子の数を原子番号という。
- ◇**中性子**：電気的に中性な粒子で、質量は陽子とほぼ等しい。
- ◇**電子**：負の電荷をもつ粒子。質量は陽子の1840分の1程度。
- **質量数**＝陽子数（原子番号）＋中性子数
  原子では、陽子数＝電子数となる。
- **同位体**：原子番号が同じで、質量数が異なる原子どうし。化学的な性質はほぼ同じ。
- **電子殻**：電子の存在する層。内側からK殻、L殻、M殻・・という。
- ◇**電子の最大収容数**
  電子殻に入る電子の数には限界がある。K殻をn＝1、L殻をn＝2と番号を打つと、n番目に入る最大数は$2n^2$で示される。
- ◇**電子配置**：各原子の電子が、どこにどれだけ入っているかを示す。K殻には電子が2個、L殻には8個、M殻には18個まで収容できる。電子は基本的には内側の電子殻から詰まっていく。

〈例〉Naの電子配置
ナトリウムは原子番号が11なので、電子数も11個になる。電子配置は、K殻に2個、L殻に8個、M殻に1個となる。この表示例→K（2）L（8）M（1）。

- ◇**価電子**：最外殻にある電子を価電子といい、結合に使われる。ただし希ガスでは、化学結合が起こらないので、価電子とは呼ばず、価電子数は0とする。

	1	2	3	4	5	6	7	8	9	10	11	12	13	14	15	16	17	18
1	H																	He
2	Li	Be											B	C	N	O	F	Ne
3	Na	Mg											Al	Si	P	S	Cl	Ar
4	K	Ca	Sc	Ti	V	Cr	Mn	Fe	Co	Ni	Cu	Zn	Ga	Ge	As	Se	Br	Kr

◇**イオン**

原子から電子が放出されたり、受け取ったりすると、電荷をもつ粒子になる。これをイオンという。1つの原子からできるイオンを単原子イオン、いくつかの原子からできるイオンを多原子イオンという。

◆**化学結合**

原子は他の原子と結びついて、より安定な状態を取ろうとする。結合の仕方には、イオン結合、共有結合、金属結合などがある。また、分子間には分子間力や水素結合といった結合力が働く。

• **イオン結合**：陽イオンと陰イオンが静電気力（クーロン力）で結合する。
• **共有結合**：非金属元素どうしが電子を出し合い、電子対を共有してできる結合。
• **金属結合**：金属原子が自由電子を放出し、金属陽イオンと自由電子によって生じる結合。
• **分子**：共有結合で結ばれた粒子。

◇**結晶の種類と性質**

物質が固体状態で、構成する粒子が規則正しい配列になっているものを結晶という。

結晶の種類	構成粒子	性質	例
イオン結晶	陽イオン 陰イオン	水溶液や融解液で導電性あり	NaCl $CaCO_3$
共有結合の結晶	原子	非常に硬く、融点はきわめて高い	ダイヤモンド 水晶
金属結晶	陽イオン 自由電子	延性、展性があり、導電性あり	Fe Ag
分子結晶	分子	軟らかい。融点は低い	H_2O CO_2

◆**原子量・物質量**

• **原子の相対質量**：^{12}Cの質量の値を12とし、これを基準とした各原子の質量の比。
• **原子量**：各原子の相対質量に、同位体の存在比をかけて合計した、相対質量の平均値。
• **分子量**：分子を構成する原子の原子量合計。
• **アボガドロ数**：^{12}C原子12g中に含まれる原子の数。6.02×10^{23}である。
• **物質量**：アボガドロ数個の集団を、1モル（mol）とした物質の量。モルは物質量の単位。
• **モル質量**：物質1molの質量。単位はg/mol。

◇**1molの物質の質量**

1molの物質の質量は、原子の場合は原子量と同じ値、分子の場合は分子量、イオンの場合は式量に同じ値となる。

＜1molの気体の体積＞標準状態（0℃、1気圧）では、気体の種類に関係なく22.4Lの体積になる。

$$物質量（mol）= \frac{質量}{分子量}$$

$$物質量（mol）= \frac{標準状態の体積}{22.4}$$

◆**化学反応式**

化学反応とは、物質を構成する原子の組み合わせの変化のことであり、どのような反応が、どれだけ生じているかを示す式を化学反応式という。化学反応式の左辺の物質を反応物、右辺の物質を生成物という。

> ◇**化学反応式のつくり方**◇
> ①両辺に反応物、生成物の化学式を書く。
> ⇩　左辺：反応物　　右辺：生成物
> ②両辺を→で結ぶ。
> ⇩　左辺：反応物→右辺：生成物
> ③両辺の原子の数が釣り合うように、各物質の前に係数を付ける。

◇**化学反応式の量的関係**：

化学反応式の係数は、反応物、生成物の粒子の数の比を意味し、それぞれの物質の物質量の比に相当する。気体の反応では、反応前後で同温、同圧であれば、体積の比に相当する。

	$2CO$	+	O_2	→	$2CO_2$
分子数	2コ		1コ		2コ
物質量	2mol		1mol		2mol
体積	2L		1L		2L

◇**化学の基礎法則**

物質が原子からできていることが、認められるまでに唱えられた5つの基礎法則。

① **質量保存の法則**　反応前後で物質の質量合計は変化しない。（ラボアジェ）
② **定比例の法則**　同一化合物では、成分元素の質量比は常に一定である。（プルースト）
③ **倍数比例の法則**　2種類の元素からできる化合物で、一方の元素の質量を同じにして、他方の元素の質量を両化合物で比較すると、簡単な整数比になる。（ドルトン）
④ **気体反応の法則**　気体反応では、関係する気体の体積比は簡単な整数比になる。（ゲーリュサック）
⑤ **アボガドロの法則**　同温同圧で、同体積の気体は種類によらず、同数個の分子を含む。

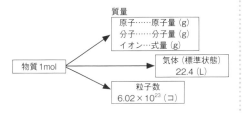

化学

濃度・状態変化

このテーマでは、水溶液の濃度のあらわし方、物質の三態変化、液体の性質を取り上げる。また、コロイド溶液についてまとめる。ここでは、現象や用語に注目することが大切。

集中レッスン

◆溶解・濃度

物質が水に溶けるのは、水分子が物質を取り囲み（水和）、物質粒子間の結合が弱まり、やがて溶液中に移動してゆくためである。水和が起こるには、物質に水分子を引き付ける電荷が必要であり、そのためイオンや極性を持った分子が水に溶ける。

- 溶解：物質が液体に混ざり合い、均一な濃度になること。
- 溶質：溶かされる物質。
- 溶媒：溶質を溶かす液体。
- 溶液：溶質と溶媒を合わせたもの。

◇**分子の極性**：共有結合でできた分子は、イオンに分かれることはできないが、部分的に正の電荷や負の電荷の偏りを持つものがある。これを極性分子という。

◇**有機溶媒**：ジエチルエーテルやシクロヘキサンなど、無極性分子は、水に溶けない。これらを溶かす無極性の溶媒を有機溶媒という。

- 質量パーセント濃度 $= \dfrac{溶質の質量}{溶液の質量} \times 100$

- モル濃度（mol/L）$= \dfrac{溶質の物質量}{溶液の体積}$

◆状態変化

物質は粒子の並び方の違いで、固体、液体、気体の三態をとる。これらの間の変化を状態変化という。

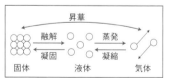

◆固体・液体・気体

- 固体：粒子が規則正しく配列した状態。粒子どうしの結合力が強く、自由な運動ができない。
- 液体：粒子の熱運動が大きくなるので、いくらか自由に移動できる状態。
- 気体：さらに粒子の熱運動が激しくなり、自由に飛び回る状態。

◇**状態変化の名称**

- 融解：固体から液体への変化。融解が起こる温度を融点といい、必要な熱量を融解熱という。
- 凝固：液体から固体への変化。この時放出される熱エネルギーを凝固熱といい、融解熱と同じ値である。
- 蒸発：液体から気体への変化。液体の内部から蒸発が起こるようになる現象を沸騰といい、そのときの温度を沸点という。この時に必要な熱エネルギーを蒸発熱という。
- 凝縮：気体から液体への変化。
- 昇華：固体から直接気体になったり、その逆の変化を昇華という。

◇**昇華の例**：二酸化炭素の固体はドライアイスといい、これは日常の圧力下では昇華して気体に変わる。また、ヨウ素も昇華する。

◇**状態変化と温度変化**

ある物質を1気圧のもとで、固体の状態から加熱してゆくと、下図のようなグラフになる。このグラフでA～B間は固体のみが存在し、B～C間は固体と液体が共存する。この間も加熱は続けているが温度が上がらないのは、加えた熱量が状態変

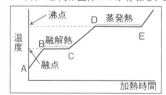

◇質量パーセント濃度とモル濃度の例題

〈問〉18gのブドウ糖（分子量180）を、100gの水に溶かして水溶液をつくった。この溶液の質量パーセント濃度とモル濃度を求めよ。ただし、ブドウ糖水溶液の体積は100mLとする。

〈解答〉質量パーセント濃度 $= \dfrac{18}{100+18} \times 100$

$= 15.2\%$

モル濃度 $= \dfrac{18}{180} \times \dfrac{1000}{100} = 1.0$（mol/L）

◇**密度**：物質の質量をその体積で割った値。

化に使われるためである。この間に加えた熱エネルギーは、融解熱と呼ばれる。C〜D間は液体のみで、D〜E間は液体と気体が共存する。この間に加えた熱エネルギーが蒸発熱である。E〜は気体のみである。

◇**状態図**：物質はおかれた温度、圧力によって状態が変化するが、ある温度、圧力でどのような状態を取るかを示したグラフをいう。

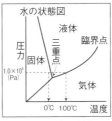

水の状態図

◇**気液平衡**：密閉された容器に十分の液体を入れると、しばらく時間が経過した後に、蒸発と凝縮の速度が等しくなり、見かけ上の変化が止まったように見える。これを気液平衡という。

◇**飽和蒸気圧**：気液平衡に達した時、蒸気の示す圧力を飽和蒸気圧という。飽和蒸気圧は温度によってのみ変化する値である。

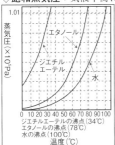

◇**蒸気圧曲線**：温度と蒸気圧の関係を示すグラフ。（左図）

◇**沸騰と蒸発**：蒸発は液体表面から気化が起こる現象であり、それぞれの温度で生じる。

沸騰は液体の内部から気化が生じる現象で、大気圧と飽和蒸気圧が釣り合うときに生じる。

◆**溶液**

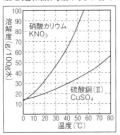

◇**固体の溶解度**：溶媒に溶ける溶質の質量には、限界がある。溶媒100gに溶けられる溶質の最大質量を溶解度という。固体の溶解度は、一般的に温度が高いほど大きくなる。

◇**溶解度曲線**：縦軸に溶解度、横軸に温度を取ったグラフ。物質によって溶解度の温度変化の度合いが異なる。グラフの曲線より下側では、溶質はすべて溶け、溶液は不飽和の状態であるが、グラフより上側の領域では、溶液は飽和溶液となっており、グラフを超えた分の溶質が析出している。（上図）

◇**気体の溶解度**：気体の溶解度は温度と圧力の影響を受ける。温度が高いほど、溶解度は減少し、圧力が高いほど、大きくなる。

◇**蒸気圧降下**：溶媒の蒸気圧に比べて、溶液の蒸

気圧は低くなる。海の近くで洗濯物が乾きにくいのは、運ばれてきた塩分が洗濯物に付着すると溶液となり、蒸発しにくくなるため。

◇**凝固点降下**：溶液の凝固点は溶媒の凝固点より低くなる。車の冷却水には凍結防止剤が使われている。それにより、本来0℃で凍る水が、もっと低い温度まで液体のままでいることができ、ラジエーターの破損を防止している。

◇**浸透圧**：半透膜で隔てられた濃度の違う溶液では、低濃度側の溶液から水が高濃度側へ移動し液面差が生じる。この液面差を生じさせないためにかける圧力を浸透圧という。浸透圧は溶液の濃度と絶対温度の積に比例する。

◆**コロイド溶液**

- **コロイド粒子**：直径が10^{-7}〜10^{-5}cm程度の大きさの粒子をコロイド粒子という。コロイド粒子は、表面に帯電している。
- **コロイド溶液**：コロイド粒子を含む溶液。ゾルともいう。
- **コロイド**：一般的にコロイド粒子が均一に分散したものをコロイドと呼ぶ。また、分散しているコロイド粒子を分散質、それを分散させる物質を分散媒という。
- **コロイドの例**：牛乳はタンパク質や脂肪が水中に分散している。雲は水滴が大気中に分散している。

◇**コロイド粒子の性質**

- **チンダル現象**：コロイド粒子に光を当てると、光の通路が輝いて見える現象。コロイド粒子による、光の散乱が原因。
- **ブラウン運動**：コロイド溶液を限外顕微鏡で観察すると、光った粒子が不規則に動くのが観察できる。この運動をブラウン運動という。コロイド粒子に溶媒分子が衝突するのが原因。
- **透析**：半透膜を用いて、コロイド粒子と他の分子やイオンと分離する操作。
- **電気泳動**：コロイド溶液を直流電源につなぐと、粒子の帯電で一方の極へ移動する現象。
- **凝析**：コロイド溶液に少量の電解質を加えると、コロイド粒子が沈殿する現象。水和水の少ない疎水コロイドで生じる。電解質のイオンがコロイド粒子の帯電を中和し、粒子間の反発力がなくなってくっつき、沈殿する。
- **塩析**：コロイド溶液に多量の電解質を加えると、コロイド粒子が沈殿する現象。水和水を多く持つ親水コロイドで生じる。豆乳ににがりを加えると、豆腐が沈殿するのはその例。
- **保護コロイド**：疎水コロイドに、凝析を抑えるために加える親水コロイドのこと。墨汁に、にかわを加えるのはその一例。
- **ゲル**：流動性を無くした状態のコロイド溶液。ゼリーがその例。

化学

酸・塩基／熱

ここでは酸・塩基について、その定義、例、酸の強弱、pH、中和反応、塩について取り上げる。後半は熱化学方程式について考える。

◆酸と塩基
◇酸・塩基の定義
①アレニウスの定義
- **酸**：水に溶けて水素イオンを放出する物質。
- **塩基**：水に溶けて水酸化物イオンを放出する物質。
②ブレンステッドの定義
- **酸**：水素イオン（プロトン）を出す物質。
- **塩基**：水素イオン（プロトン）を受け取る物質。

〈例〉 $NH_3 + H_2O \rightarrow NH_4^+ + OH^-$
　上の式で、アンモニア(NH_3)は、H_2OからH^+を受け取っているので、塩基として働いている。H_2OはH^+をNH_3に与えているので、酸として働いている。

- **アルカリ**：水に溶ける塩基。
- **酸・塩基の価数**：酸1molが放出する水素イオンの物質量、塩基1molが放出する水酸化物イオンの物質量を価数という。
- **電離度**：溶解した酸や塩基のうち、電離したものの割合。電離度は0(全く電離していない状態)〜1(完全に電離した状態)までの数。
- **酸・塩基の強弱**：酸から電離する水素イオンが多いほど、塩基から電離する水酸化物イオンが多いほど強い酸、塩基といえる。逆に電離する水素イオンや水酸化物イオンが少ないものを、弱酸、弱塩基という。よって電離度の大きさで酸・塩基の強弱は判断できる。

□酸・塩基の例

弱酸	1価 CH_3COOH (酢酸) 2価 H_2CO_3 (炭酸) 　　 H_2S (硫化水素) 3価 H_3PO_4 (リン酸)	弱塩基	1価 NH_3 2価 $Cu(OH)_2$ 3価 $Al(OH)_3$
強酸	1価 HCl (塩酸) 　　 HNO_3 (硝酸) 2価 H_2SO_4 (硫酸)	強塩基	1価 $NaOH$ 　　 KOH 2価 $Ca(OH)_2$ 　　 $Ba(OH)_2$

◇酸化物
- **酸性酸化物**：水に溶けて酸性を示したり、塩基と反応する酸化物で非金属元素の酸化物。二酸化炭素 (CO_2)、二酸化硫黄 (SO_2)、二酸化窒素 (NO_2) など。
- **塩基性酸化物**：水に溶けて塩基性を示したり、酸と反応する酸化物で金属元素の酸化物。酸化カルシウム (CaO)、酸化銅 (Ⅱ) (CuO) など。
- **両性酸化物**：両性元素の酸化物。酸とも塩基とも反応する酸化物。

◇水素イオン濃度
　水溶液中の水素イオンのモル濃度で、$[H^+]$で表す。この値が大きければ酸は強酸であり、小さければ塩基は強塩基である。

◇pH（水素イオン指数）：水溶液中の水素イオン濃度の逆数の常用対数を取ったもの。

$$pH = \log_{10} \frac{1}{[H^+]} = -\log_{10} [H^+]$$

◇水の電離：水はわずかに電離しており、H^+とOH^-のモル濃度は等しい。

$$H_2O \rightarrow H^+ + OH^-$$
$$[H^+] = [OH^-] = 1.0 \times 10^{-7} (mol/L)$$

　これより、水のpHは7となる。水は中性なので、pHの値が7より小さければ、酸性となり、その値が小さいほど強酸性になる。また、pHが7より大きければ塩基性であり、その値が大きければ強塩基性になる。

pH	0	1	2	3	4	5	6	7	8	9	10	11	12	13	14
液性	酸性 ◀						中性				▶ 塩基性				

◇両性元素：酸とも、強塩基とも反応する元素。
Al、Zn、Sn (スズ)、Pb (鉛) など。

◇オキソ酸：分子中に酸素原子を含む酸。H_2SO_4、HNO_3など。酸性酸化物が水と反応して生じる。

◇中和反応：酸と塩基の反応を中和という。多くの中和反応では、水が生じる。

- **塩**：中和反応で、酸の陰イオンと塩基の陽イオンからできる物質を塩という。塩はイオン結合性の物質全般の呼び名である。
- **中和の量的関係**：酸と塩基がちょうど反応するとき、次の関係が成り立つ。

酸から生じる水素イオンの物質量
　＝塩基から生じる水酸化物イオンの物質量
　中和反応は、水溶液での反応が多く、酸や塩基はモル濃度と体積が与えられることが多いので、上記の式は次のように書き換えられる。

> 酸の価数×酸のモル濃度×体積
> 　＝塩基の価数×塩基のモル濃度×体積

◇中和反応の計算例

(問) 0.10mol/Lの硫酸10mLを中和するのに必要な、0.20mol/Lの水酸化ナトリウム水溶液は何mLか。
(解答) 硫酸は2価の酸であり、水酸化ナトリウムは1価の塩基なので、水酸化ナトリウム水溶液のモル濃度をx（mol/L）として

$$2 \times 0.10 \times \frac{10}{1000} = 1 \times 0.20 \times \frac{x}{1000}$$

$$x = 10 \text{（mL）}$$

◇中和滴定に用いる実験器具

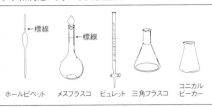

ホールピペット　メスフラスコ　ビュレット　三角フラスコ　コニカルビーカー

◇**指示薬**：中和滴定で、中和点付近で変色し、中和点を知らせる薬品。
- **フェノールフタレイン**：塩基性側で赤色、中性〜酸性側で無色になる。強塩基と弱酸の中和で用いる。
- **メチルオレンジ**：強酸性側で赤色、弱酸性〜塩基性側で橙黄色。強酸と弱塩基の中和に用いる。

◇**滴定曲線**：縦軸にpH、横軸に滴下した溶液の体積を取ったグラフ。わずかな滴下量でグラフのpHが急激に変化する部分の中間点が中和点で、指示薬は中和点のpHと変色域の重なるものが望ましい。

◇**塩の水溶液の液性**：塩の種類によって異なる。
①強酸と強塩基の中和で生じる塩：中性
②強酸と弱塩基の中和で生じる塩：酸性
③弱酸と強塩基の中和で生じる塩：塩基性

◇**塩の分類**：塩の組成で分類する方法もあり、正塩、酸性塩、塩基性塩に分類される。名前と塩の水溶液の液性とは関係がない。
①**正塩**：電離できるH^+もOH^-も含まない塩。$NaCl$、$CaSO_4$など。

②**酸性塩**：電離できるH^+を含む塩。$NaHCO_3$、$NaHSO_4$など。
③**塩基性塩**：電離できるOH^-を含む塩。$CaCl(OH)$、$MgCl(OH)$など。

◆熱化学方程式

化学反応に伴う熱を反応熱といい、反応熱を含む式を熱化学方程式という。

CH_4（気）＋$2O_2$（気）＝CO_2（気）＋$2H_2O$（液）＋890kJ

熱化学方程式では、関係する物質の状態を記し、反応熱はkJ単位で示す。また、分数係数も使用してよい。
- **発熱反応**：反応に伴って熱が放出される反応。
- **吸熱反応**：反応に伴って熱が吸収される反応。

◇反応熱の種類

①**燃焼熱**：物質1molが完全燃焼するときに生じる熱量。
②**生成熱**：物質1molを、その成分元素の単体から生成するときの熱量。
③**溶解熱**：物質1molが水に溶けるときの熱量。固体では吸熱反応が多い。気体が水に溶けるときは発熱反応が多い。
④**中和熱**：酸と塩基の水溶液が反応して1molの水が生じるときの熱量。

◇**ヘスの法則**：化学反応において、反応熱の総和は反応の経路にかかわりなく、はじめと終わりの状態だけで決まる。これを**ヘスの法則**という。**ヘスの法則**を利用すると、実験で求めることのできない反応熱の量を求めることができる。

◇ヘスの法則の計算問題の例

(問) メタンの燃焼熱は890kJであり、二酸化炭素の生成熱は390kJ、液体の水の生成熱は286kJである。メタンの生成熱を求めよ。
(解答) メタンの燃焼熱、二酸化炭素の生成熱、液体の水の生成熱を表わす熱化学方程式は以下の通り。

$$CH_4 + 2O_2 = CO_2 + 2H_2O（液）+ 890kJ \cdots ①$$
$$C（黒鉛）+ O_2 = CO_2 + 390kJ \cdots ②$$
$$H_2 + \frac{1}{2}O_2 = H_2O（液）+ 286kJ \cdots ③$$

求めたい熱量はメタンの生成熱なので、メタンの生成熱をQkJとして、熱化学方程式を書くと、

$$C（黒鉛）+ 2H_2 = CH_4 + Q\text{kJ}$$

上の①〜③の式を加減して、この式の形にする。
②＋③×2－①より、$Q = 72$kJ
よってメタンの生成熱は、72kJ/molである。

- **比熱**：物質1gの温度を1℃上昇させるのに必要な熱エネルギー。比熱をc（J/g・℃）、物質の質量をm（g）、温度差t（℃）とすると、この時の熱量Q（J）は、$Q = m \times c \times t$　で示される。

酸化・還元／反応速度

ここでは、酸化還元の意味、酸化数、イオン化傾向、電池の原理、電気分解をまとめ、後半で反応速度に影響する種々の因子について考える。

◆酸化・還元
◇酸化・還元の意味

酸化	還元
酸素原子と化合すること	酸素原子を失うこと
水素原子を失うこと	水素原子と化合すること
電子を放出すること	電子を受け取ること
酸化数が増加する	酸化数が減少する

◇**酸化数**：電子の授受を明らかにするために、定められた値。酸化数は各原子に割り当てられ、この数が増加すると、その原子（あるいは原子を含む物質）が酸化されたといい、減少すると、還元されたという。

◇酸化数のルール
①単体中の原子の酸化数は0。
②化合物中の酸化数の合計は0。また、化合物中でNa、Kは酸化数$+1$、Ca、Baは$+2$、Hは$+1$、Oは-2である。ただし、過酸化水素H_2O_2中のOの酸化数は-1とする。
③イオンの酸化数はイオンの価数に等しい。多原子イオンでは、イオン中の原子の酸化数合計がイオンの価数に等しくなる。
〈例〉次の物質中の下線部の原子の酸化数は以下の通り。

$\underline{H_2O}$：H($+1$)、O(-2)　$\underline{Na}\underline{Cl}$：Na($+1$)、Cl($-1$)
$\underline{NO_3^-}$：N($+5$)

$$H_2O_2 + SO_2 \rightarrow H_2SO_4$$
$$(-1)\quad(+4)\qquad(+6)(-2)$$

酸化数増加：
SO_2は酸化された
酸化数減少：H_2O_2は還元された

- **酸化剤**：自分自身は還元され、相手の物質を酸化する作用を持つ物質。
- **還元剤**：自分自身は酸化され、相手の物質を還元する作用を持つ物質。

◇酸化還元反応の量的関係
酸化還元反応は、電子のやり取りをする反応で

◇代表的な酸化剤・還元剤

酸化剤	還元剤
過マンガン酸カリウム（$KMnO_4$）	硫化水素（H_2S）
過酸化水素（H_2O_2）	二酸化硫黄（SO_2）
ニクロム酸カリウム（$K_2Cr_2O_7$）	シュウ酸（$H_2C_2O_4$）
熱濃硫酸（H_2SO_4）	硫酸鉄（Ⅱ）（$FeSO_4$）
希硝酸（HNO_3）：濃硝酸	

ある。そのため以下の関係が成り立つとき、過不足なく反応する。

酸化剤が受け取る電子の物質量
＝還元剤が放出する電子の物質量

◇金属のイオン化傾向
水溶液中で金属単体が陽イオンになろうとする傾向をイオン化傾向といい、その強さを示したものがイオン化列である。

〈**イオン化列**〉
K,Ca,Na,Mg,Al,Zn,Fe,Ni,Sn,Pb
　　　　　　　　（H）Cu,Hg,Ag,Pt,Au

左側の金属ほどイオン化傾向が強く、陽イオンになりやすい。また、それらの金属ほど、酸化されやすく、相手を還元する還元力が強いともいえる。

	（大）K Ca Na Mg Al Zn Fe Ni Sn Pb(H) Cu Hg Ag Pt Au (小)		
水との反応	常温で反応	高温の水蒸気で反応	反応しない
酸との反応	希塩酸・希硝酸に溶けH₂発生（*）		酸化力のある酸に溶ける	王水に溶ける

＊PbはHClやH₂SO₄とほとんど反応しない。

◇金属と酸との反応
イオン化傾向が水素より大きい金属は、希酸（濃度の薄い酸）と反応して溶け、水素を発生する。ただし、鉛は水素よりイオン化傾向は大きいが、希塩酸や希硫酸には表面に難溶性の塩を生じて、溶けなくなる。イオン化傾向が水素より小さい金属では、希酸には溶けず、酸化力のある酸に溶ける。しかし、白金、金は王水にしか溶けない。

- **酸化力のある酸**：熱濃硫酸、希硝酸、濃硝酸
- **王水**：濃硝酸と濃塩酸を1：3の割合で混合した酸。

◇イオン化傾向の違い
硫酸銅（Ⅱ）の水溶液に、鉄くぎを浸すと、鉄くぎの表面に銅が析出する。これはイオン化傾向の

大きい鉄が溶け出して、その際放出された電子が銅イオンに受け取られ、銅が析出するためである。逆に硫酸鉄（Ⅱ）水溶液に銅を浸しても、変化は起こらない。

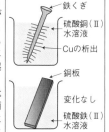

◇**電池**：酸化反応と還元反応を別の場所で行い、両者を導線で結ぶとその間に電流が流れる。このようにして化学エネルギーを、電気エネルギーに変換する装置を電池という。

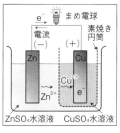

◇**主な電池**

①**ダニエル電池**：負極に亜鉛、正極に銅を使い、電解液に負極側で硫酸亜鉛水溶液、正極側で硫酸銅（Ⅱ）水溶液を用いた電池、両極間に素焼き板を用いて、二液の混合を遅らせている。（左上図）

電極反応

$(+) Cu^{2+} + 2e^- \rightarrow Cu$

$(-) Zn \rightarrow Zn^{2+} + 2e^-$

②**鉛蓄電池**：負極に鉛、正極に酸化鉛（Ⅱ）、電解液に希硫酸を用いた電池。（左図）

電極反応 $(+) PbO_2 + 4H^+ + SO_4^{2-} + 2e^- \rightarrow PbSO_4 + 2H_2O$

$(-) Pb + SO_4^{2-} \rightarrow PbSO_4 + 2e^-$

③**燃料電池（リン酸型）**：負極で水素の酸化反応、正極で酸素の還元反応を利用し、全体で水が発生する反応。

$(+) O_2 + 4H^+ + 4e^- \rightarrow 2H_2O$

$(-) H_2 \rightarrow 2H^+ + 2e^-$

- **一次電池**：マンガン乾電池のように充電できない電池を一次電池という。
- **二次電池**：鉛蓄電池のように、充電で元の状態に戻すことのできる電池を二次電池という。
- **電気分解**：外部の電池を接続し、電子を送り込んで強制的に酸化還元反応を起こさせる操作。電池の負極から電解槽の陰極に電子が流れ込み、還元反応が起こる。一方、陽極側で酸化反応が生じる。

◇**陽イオン交換膜法**

陰極に鉄、陽極に炭素を用いて、塩化ナトリウム水溶液を電気分解すると、負極側で水酸化ナトリウムの濃度が高くなる。これを取り出して、水酸化ナトリウムとして利用する。水酸化ナトリウムの工業的な製法として用いられている。

$(+) 2Cl^- \rightarrow Cl_2 + 2e^-$

$(-) 2H_2O + 2e^- \rightarrow H_2 + 2OH^-$

◇**全体の反応**

$2NaCl + 2H_2O \rightarrow Cl_2 + H_2 + 2NaOH$

陽イオン交換膜は両極の間に設置してあり、反応後の両極の液が混ざりあわないようにする役目がある。Na^+イオンだけを通過させる。

◇**ファラデーの法則**：各電極で生じる物質の物質量は、流れた電気量に比例する。

- **電気量（クーロン）**：1Aの電流が1秒間流れたときの電気量を1C（クーロン）という。次の関係が成り立つ。

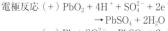

電気量（C）＝電流（アンペア）×時間（秒）

◇**ファラデー定数**：電子1molの持つ電気量

$F = 9.65 \times 10^4$ (C/mol)

◆**反応速度**

化学反応とは、物質を構成する原子の組み合わせが変化することであり、そのためには、粒子の衝突が必要である。しかしゆるやかな衝突では、変化が生じず、一定以上のエネルギーで衝突が起きなければ反応は進まない。

- **反応の速度に影響を与える因子**：濃度、圧力（気体の場合）、温度、触媒
- **濃度**：濃度が濃いと、粒子どうしの衝突の回数が増え、反応速度は増加する。
- **圧力**：気体では圧力が大きいほど、分子の数が多く、衝突回数も多くなる。
- **温度**：温度が高いほど、粒子の持つ運動エネルギーが大きくなり、反応速度が速くなる。一般に温度が10℃上がるごとに2〜3倍になる。
- **触媒**：それ自身は反応前後で変化せず、反応の速度を速める物質を触媒という。触媒を加えることで、エネルギーの低い反応のルートができると考えられる。
- **活性化状態**：反応が進む途中の、エネルギーの高い中間的な状態。この状態に達するまでに必要なエネルギーを、活性化エネルギーという。触媒を用いると、活性化エネルギーが低下し、反応速度が速くなる。
- **可逆反応**：化学反応において、右向きの反応（正反応）と同時に左向きの反応（逆反応）も生じる反応。
- **不可逆反応**：燃焼反応や中和反応のように、一方の方向にしか反応が進まない反応。
- **化学平衡**：可逆反応において、正反応と逆反応の反応速度が等しくなるときを化学平衡という。化学平衡に達すると、反応が止まるわけではないが、見かけ上変化が止まって見える。

化学

無機化学

このテーマでは無機化学の全般を取り上げる。非金属元素では気体の発生と性質、酸の製法を中心に、金属元素では、化合物の化学式と色、錯イオンを考える。

◆非金属元素

周期表の右上側の元素が非金属元素である（テーマ1を参照）。

◇**17族**：ハロゲン→F（フッ素）、Cl（塩素）、Br（臭素）、I（ヨウ素）

17族の価電子数は7個で、電子を1個受け取り、1価の陰イオンになりやすい。

◇**単体の性質**

分子式	常温での状態と色	酸化力
F_2	気体・淡黄色	最強
Cl_2	気体・黄緑色	強い
Br_2	液体・赤褐色	やや強い
I_2	固体・黒紫色	弱い

塩素水には漂白・殺菌作用がある。ヨウ素はデンプンと反応して、青紫色になる。（ヨウ素デンプン反応）

◇**ハロゲン化水素**

◇**フッ化水素酸（HFの水溶液）**：分子間で水素結合をしており、他のハロゲン化水素分子に比べて、沸点が異常に高くなる。また、ガラスを溶かす性質があるので、ポリエチレン容器に保存する。

◇**塩化水素（HCl）**：常温で気体であり、塩化水素の水溶液を塩酸という。アンモニアと反応して、NH_4Cl（塩化アンモニウム）の白煙を生じる。

◇**16族**：O（酸素）、S（硫黄）

◇**単体の性質**

・**酸素の同素体**：酸素O_2、オゾンO_3

・**硫黄の同素体**：斜方硫黄S_8、単斜硫黄S_8、ゴム状硫黄

◇**硫黄の化合物**

・**硫化水素（H_2S）**：腐卵臭、有毒な気体、水に溶け酸性を示す。還元力あり。

・**二酸化硫黄（SO_2）**：刺激臭、有毒な気体、水に溶け酸性を示す。還元力を持ち、漂白剤として使われる。

◇**硫酸（H_2SO_4）**

・**濃硫酸の性質**①不揮発性②吸湿性③脱水性④酸化作用⑤溶解熱の発生

・**希硫酸の性質**①強酸性

・硫酸の工業的製法：接触法と呼ばれる。

◇**15族**：N（窒素）、P（リン）

◇**単体の性質**

・**窒素（N_2）**：不燃性の気体で、空気中に体積割合で約80％を占める。

◇**リンの同素体**

・**黄リンP_4**：正四面体構造、有毒、空気中で自然発火するため水中に保存する。

・**赤リン**：無毒、層状高分子

◇**窒素の化合物**

・**アンモニア（NH_3）**：塩基性の気体。工業的製法は、窒素と水素を鉄の化合物を触媒として合成する。ハーバー・ボッシュ法という。

・**一酸化窒素（NO）**：無色、有毒、水に溶けない気体。酸素と反応して二酸化窒素となる。

・**二酸化窒素（NO_2）**：赤褐色、水に溶ける気体。水溶液は酸性を示す。有毒。

・**硝酸（HNO_3）**：無色、発煙性の気体、強酸性を示し、酸化力も持つ。工業的製法はオストワルト法と呼ばれる。

◇**14族**：C（炭素）、Si（ケイ素）

◇**単体の性質**

・**炭素の同素体**：ダイヤモンド、黒鉛

・**ケイ素の単体**：正四面体構造。地殻中に含まれる元素で、酸素に次いで二番目に多い元素。

◇**気体の発生反応**

気体	化学反応式
O_2	$2KClO_3 \rightarrow 2KCl + 3O_2$
Cl_2	$MnO_2 + 4HCl \rightarrow MnCl_2 + 2H_2O + Cl_2$
NH_3	$Ca(OH)_2 + 2NH_4Cl \rightarrow CaCl_2 + 2NH_3 + 2H_2O$
HCl	$NaCl + H_2SO_4 \rightarrow NaHSO_4 + HCl$
H_2S	$FeS + H_2SO_4 \rightarrow FeSO_4 + H_2S$
SO_2	$Cu + 2H_2SO_4 \rightarrow CuSO_4 + 2H_2O + SO_2$
NO	$3Cu + 8HNO_3 \rightarrow 3Cu(NO_3)_2 + 4H_2O + 2NO$
NO_2	$Cu + 4HNO_3 \rightarrow Cu(NO_3)_2 + 2H_2O + 2NO_2$
CO_2	$CaCO_3 + 2HCl \rightarrow CaCl_2 + H_2O + CO_2$

◇アンモニアソーダ法

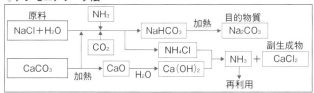

◇気体の捕集方法

- **水上置換**：水に溶けない気体の捕集方法。
- **上方置換**：水に溶け、空気より軽い気体の捕集方法。分子量が29より小さい気体。
- **下方置換**：水に溶け、空気より重い気体の捕集方法。分子量が29より大きい気体。

◇乾燥剤

- **十酸化四リン (P_4O_{10})**：塩基性の気体には使えない。中和反応を起こすため。
- **濃硫酸**：塩基性の気体には使えない。さらにH_2Sとも酸化還元反応をする。
- **塩化カルシウム ($CaCl_2$)**：アンモニアには使えない。
- **酸化カルシウム (CaO)**：塩基性の乾燥剤で酸性の気体には使えない。
- **ソーダ石灰**：酸化カルシウムと水酸化ナトリウムの混合物。酸性の気体は不可。

◆金属元素

◇アルカリ金属：ナトリウム (Na)、カリウム (K)

◇単体の性質：銀白色、価電子が1個で、1価の陽イオンになりやすい。水と常温で反応し、水素を発生し水酸化物になる。炎色反応を示す。Na（黄）、K（赤紫）

◇ナトリウムの化合物

- **水酸化ナトリウム ($NaOH$)**：白色の固体。空気中の水分を吸収する潮解性を持つ。水によく溶け、強塩基性を示す。
- **炭酸ナトリウム (Na_2CO_3)**：白色固体。水に溶け塩基性を示す。
- **炭酸水素ナトリウム ($NaHCO_3$)**：白色固体。水に溶けにくい。加熱すると炭酸ナトリウムになる。
- **アンモニアソーダ法**：塩化ナトリウム水溶液に二酸化炭素と、アンモニアを加えて炭酸水素ナトリウムを沈殿させ、これを加熱して炭酸ナトリウムを生成する方法（上図）。

◇2族：マグネシウム (Mg)、カルシウム (Ca)、バリウム (Ba)

◇単体の性質：銀白色。価電子は2個で、2価の陽イオンになる。マグネシウムはアルカリ土類金属に含まれない。アルカリ土類金属元素は炎色反応をする。Ca（橙赤）、Ba（黄緑）

◇カルシウムの化合物：

- **水酸化カルシウム ($Ca(OH)_2$)**：白色粉末。水に

わずかに溶け強塩基性を示す。消石灰とも呼ばれ、水酸化カルシウムの水溶液を石灰水という。石灰水に二酸化炭素を加えると、炭酸カルシウムが沈殿するが、さらに加え続けると、炭酸水素カルシウムになって溶ける。

- **炭酸カルシウム ($CaCO_3$)**：石灰石の主成分。強熱すると二酸化炭素を発生し、酸化カルシウム (CaO) になる。酸化カルシウムは、生石灰とも呼ばれる。

◇両性元素：Al（アルミニウム）、Zn（亜鉛）、Sn（スズ）、Pb（鉛）

〈酸とも強塩基とも反応する金属〉

Alと酸との反応→Al^{3+}の発生
Alと強塩基との反応→$[Al(OH)_4]^-$（テトラヒドロキソアルミン酸イオン）の発生
Znと酸との反応→Zn^{2+}
Znと強塩基との反応→$[Zn(OH)_4]^{2-}$（テトラヒドロキソ亜鉛（II）酸イオン）の発生
Al_2O_3、$Al(OH)_3$、ZnO、$Zn(OH)_2$…
すべて白色沈殿

- **Al^{3+}とZn^{2+}の相違点**：少量のアンモニアにはともに水酸化物の沈殿を生じるが、多量のアンモニアを加えると、$Zn(OH)_2$は$[Zn(NH_3)_4]^{2+}$（テトラアンミン亜鉛（II）イオン）になって溶解。$Al(OH)_3$は溶けない。

◇Pbの化合物と色：$PbCl_2$(白)、$PbSO_4$(白)、PbS (黒)、$Pb(OH)_2$(白)、$PbCrO_4$(黄)

◇遷移元素

◇銅：赤色の金属、熱伝導性、電気伝導性に優れる。1価と2価のイオンがある。亜鉛との合金を黄銅（ブラス）、スズとの合金を青銅（ブロンズ）という。

- **銅の化合物と色**：$Cu(OH)_2$(青白)、CuO(黒)、CuS (黒)、$CuSO_4$(白)、$CuSO_4 \cdot 5H_2O$(青色結晶)
  過剰のアンモニア水には$[Cu(NH_3)_4]^{2+}$（深青色）（テトラアンミン銅（II）イオン）になって溶ける。

◇銀：最も電気伝導性の大きい金属。1価のイオンになる。

- **銀の化合物と色**：$AgCl$(白)、$AgBr$(淡黄)、AgI(黄)、Ag_2O(褐色)、Ag_2S(黒)、Ag_2CrO_4(赤褐色)
  過剰のアンモニアには$[Ag(NH_3)_2]^+$（無色）になって溶ける。

◇鉄：2価と3価のイオンになる。

◇Fe^{2+}とFe^{3+}の見分け方

試薬	Fe^{2+}	Fe^{3+}
NaOH	$Fe(OH)_2$(緑白)	$Fe(OH)_3$(赤褐)
$K_4[Fe(CN)_6]$	—	濃青色沈殿
$K_3[Fe(CN)_6]$	濃青色沈殿	
KSCN(＊)		血赤色溶液

＊KSCN：チオシアン酸カリウム

有機化学

このテーマでは、異性体、炭化水素、脂肪族化合物の性質、芳香族化合物の反応経路をまとめる。後半で高分子について考える。

◆有機化学の基礎知識

◇**有機化合物の性質**：有機化合物とはCO_2, CO, 炭酸塩を除く炭素の化合物全般を指す。主な構成元素は、C, H, O, Nなどで、特徴は以下の通り。
①主に共有結合による分子である。
②そのため融点、沸点は低い。
③異性体があるため、構成元素の種類は少ないが、化合物の数は非常に多い。
④多くが水に溶けにくい。

◇**炭素原子の結合による分類**
①**鎖式化合物**：炭素が鎖のように並んだもの。その中で、すべて単結合のものを飽和化合物、炭素間の二重結合や三重結合を含むものを、不飽和化合物という。
②**環式化合物**：炭素が環状の構造のもの。その中で、ベンゼン環を含むものを、芳香族化合物、それ以外を脂環式化合物という。

◇**官能基による分類**

官能基	官能基の名前	一般名
R-OH	ヒドロキシ基	アルコール
		フェノール
R-O-R'	エーテル結合	エーテル
R-CHO	アルデヒド基	アルデヒド
R-CO-R'	ケトン基	ケトン
R-COOH	カルボキシル基	カルボン酸
R-COO-R'	エステル結合	エステル

◇**異性体**：分子式が同じで、構造式が違ったり、立体構造の異なるものどうし。
①**構造異性体**：構造式が異なるもの。
②**立体異性体**：幾何異性体と光学異性体がある。
・**幾何異性体**：炭素間に二重結合があると、回転ができないため、立体構造の異なる物質が存在することになる。シス型とトランス型に区別される。

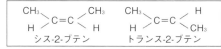

シス-2-ブテン　　　　トランス-2-ブテン

・**不斉炭素原子**：炭素原子に結合する置換基の種類が、すべて異なるもの。
・**光学異性体**：不斉炭素原子を持つ化合物では、偏光に対する性質の異なる異性体が存在する。これを光学異性体という。（右図）

◆脂肪族炭化水素

鎖式の炭化水素を脂肪族炭化水素という。

◇**アルカン**：鎖式飽和炭化水素のグループ。分子式C_nH_{2n+2}で表される。
　CH_4：メタン　C_2H_6：エタン　C_3H_8：プロパン　C_4H_{10}：ブタン
・**アルカンの性質**：反応性が低く置換反応をする。
◇**アルケン**：C＝C結合を1個持つ化合物。
　C_2H_4：エチレン　C_3H_6：プロペン　C_4H_8：ブテン
・**アルケンの性質**：付加反応をする。
　$CH_2＝CH_2 + H_2O → CH_3CH_2OH$
◇**アルキン**：C≡C結合を1個持つ化合物。
　C_2H_2：アセチレン
・**アルキンの性質**：付加反応をする。

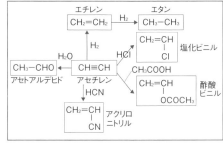

◇**分子構造の比較**：メタン→正四面体構造。エチレン→平面構造。アセチレン→直線構造。

◆酸素を含む脂肪族化合物

◇**アルコール**：炭化水素のH原子を－OH基に置き換えた物質。

CH_3OH：メタノール　C_2H_5OH：エタノール

◇OH基が結合している炭素原子の違いによる分類

第一級アルコール　第二級アルコール　第三級アルコール

- **アルコールの性質**：炭素数の少ないアルコールは水に溶ける。
- **アルコールの反応**：Naと反応して水素発生。アルコールの検出反応。
- **酸化反応**
  第一級アルコール→アルデヒド→カルボン酸
  第二級アルコール→ケトン
  第三級アルコール　酸化されにくい
- **脱水**
  $130 \sim 140℃$　エタノール→ジエチルエーテル
  $160 \sim 170℃$　エタノール→エチレン

◇**エーテル**

エーテルはアルコールと異性体の関係にある。引火性があり、水には溶けない。麻酔性がある。

- **エーテル結合をもつ化合物**
  CH_3OCH_3：ジメチルエーテル
  $C_2H_5OC_2H_5$：ジエチルエーテル

◇**アルデヒド**

- **アルデヒド基を持つ化合物**
  $HCHO$：ホルムアルデヒド
  CH_3CHO：アセトアルデヒド
- **アルデヒドの性質**：還元性を持つ。
- **還元性の確認反応**：①銀鏡反応（銀の析出）
  ②フェーリング反応（酸化銅（Ⅰ）の沈殿）

◇**ケトン**

- **ケトン基を持つ化合物**
  CH_3COCH_3：アセトン

◇**カルボン酸**

- **カルボキシル基を持つ化合物**
  $HCOOH$：ギ酸　CH_3COOH：酢酸
- **カルボン酸の性質**：酸性を示す。ギ酸は還元性も持つ。純度の高い酢酸を氷酢酸という。アルコールと反応してエステルになる。

◇**エステル**：エステル結合をもつ化合物。水に溶けにくく、果実の香りがする。

- **エステルの性質**：酸を加えて加熱すると、カルボン酸とアルコールに分解する。これを加水分解という。酸の代わりに塩基で分解することを、けん化という。
- **油脂**：グリセリンと高級脂肪酸のエステル。常温で固体の油脂が脂肪、液体が脂肪油である。

◆芳香族化合物

ベンゼン環を持つ化合物を芳香族化合物という。

◇**芳香族炭化水素**：水に溶けず、有機溶媒に溶ける。置換反応が主な反応。

ベンゼン　トルエン　o-キシレン（オルト）　m-キシレン（メタ）　p-キシレン（パラ）

◇ベンゼンの置換反応

◇**フェノール類**：ベンゼン環に直接－OH基がついた化合物。弱酸性を示し、$FeCl_3$水溶液で紫色の呈色をする。（フェノール類の検出反応）

フェノール　o-クレゾール　サリチル酸

◇フェノールの合成反応

◇サリチル酸の反応

ナトリウムフェノキシド　サリチル酸ナトリウム　サリチル酸

- **サリチル酸メチル**：消炎湿布剤
- **アセチルサリチル酸（アスピリン）**：解熱鎮痛剤

◇**アニリン**：塩基性の物質。さらし粉で紫色を呈色（アニリンの検出反応）。

＜練習問題＞

練習問題1

次の化学反応式において、下線部の物質が酸化剤として働いているものはどれか。

① $N_2 + 3\underline{H_2} \rightarrow 2NH_3$

② $\underline{H_2O_2} + SO_2 \rightarrow H_2SO_4$

③ $Ca(OH)_2 + 2\underline{HCl} \rightarrow CaCl_2 + H_2O$

④ $2\underline{H_2S} + SO_2 \rightarrow 3S + 2H_2O$

⑤ $Cu + 2\underline{H_2SO_4} \rightarrow CuSO_4 + SO_2 + 2H_2O$

（1）①，④ 　　（2）②，③ 　　（3）③，⑤
（4）③，④ 　　（5）②，⑤

練習問題2

次の文中の（　　）に適する語句の組合せを選べ。

1気圧の下で固体を加熱していくと、図のようなグラフが得られた。

このグラフでは、A～B間の状態は（ ① ）であり、D～E間では（ ② ）である。B～C間に加える1molあたりの熱量を（ ③ ）という。また、t_1の温度を（ ④ ）という。t_2の温度は、水では（ ⑤ ）℃である。

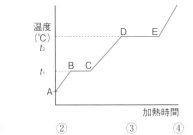

	①	②	③	④	⑤
（1）	固体	液体と気体	融解熱	融点	0
（2）	固体	液体と気体	融解熱	融点	100
（3）	固体と液体	液体	蒸発熱	沸点	0
（4）	固体と液体	気体	蒸発熱	沸点	100
（5）	液体	気体	蒸発熱	三重点	273

練習問題1 　　　　　［解答］（5）
①Hの酸化数は0→＋1に変化している。水素は、自分が酸化されたので、相手を還元する還元剤として働く。
②過酸化水素中の酸素原子の酸化数は、－1から－2に変化しており、酸化剤として働く。
③この反応は、酸と塩基の中和反応であり、酸化還元反応ではない。
④硫化水素の硫黄原子の酸化数は、－2から0に変化し、還元剤として働く。
⑤硫酸中の硫黄原子の酸化数は、＋6から＋4（SO_2中の硫黄原子）に変化している。それで硫酸は酸化剤として働いている。

練習問題2 　　　　　［解答］（2）
図において、A～B間が固体、B～C間が固体と液体の共存状態、C～D間が液体、D～E間が液体と気体の共存、E～が気体の状態である。t_1が融点、t_2が沸点であり、1気圧の下では水の融点は0℃、沸点は100℃である。
また、B～C間の状態変化に必要な熱量を融解熱といい、D～E間で必要な熱量を気化熱（蒸発熱）という。

練習問題3

次の文章の正誤の組合せの正しいものを選べ。

①ブレンステッドの定義では、塩基とはH$^+$を受け取る物質である。

②金属元素の酸化物は、酸性酸化物と呼ばれ、塩基と反応する。

③pHは水素イオン指数と呼ばれ、この値が大きいほど水素イオンの濃度が高く、酸性が強い。

④中和反応において、酸から生じるH$^+$と、塩基から生じるOH$^-$は、1：1の物質量比で反応する。

⑤酸と塩基が反応してできるイオン性の物質を塩といい、その水溶液の液性は中性である。

	①	②	③	④	⑤
（1）	正	正	正	誤	誤
（2）	正	誤	正	正	誤
（3）	誤	正	正	正	誤
（4）	正	誤	誤	正	誤
（5）	誤	正	誤	正	正

練習問題4

次の①～③の問いで、答えの組合せの正しいものを選べ。

$$CH_4 + 2O_2 \rightarrow CO_2 + 2H_2O$$

原子量はH：1.0、C：12、O：16とする。

①3.2gのメタンと反応する酸素の標準状態での体積（L）

②3.2gのメタンが完全燃焼すると、何gの二酸化炭素が生じるか。

③ある質量のメタンを完全燃焼すると、7.2gの水が生じた。反応したメタンは何gか。

	①	②	③
（1）	4.5	4.4	1.6
（2）	9.0	4.4	1.6
（3）	4.5	8.8	1.6
（4）	9.0	8.8	3.2
（5）	18	8.8	3.2

練習問題3　　　　［解答］（4）

②× 金属元素の酸化物は塩基性酸化物と呼ばれ、水と反応して水酸化物に変わったり、酸と反応したりする。しかし、両性金属の酸化物は酸とも強塩基とも反応するので、両性酸化物と呼ばれる。

③× pHが大きいと水素イオン濃度は小さく、その値が7を超えると塩基性になる。pHは水素イオン濃度の逆数の常用対数（log）を取っているからである。

⑤× 塩はその種類によって酸性、中性、塩基性に分かれる。

練習問題4　　　　［解答］（4）

3.2gのメタンの物質量は、メタンの分子量が16なので、3.2/16＝0.20molである。化学反応式の係数比より、メタンと酸素は1：2の物質量比で反応するので、反応した酸素は2×0.20＝0.40mol　その体積は、標準状態で0.40×22.4＝8.96（L）となる。

②同様にメタンと二酸化炭素の物質量比は1：1なので、生成する二酸化炭素も0.20molである。分子量が44なので、0.20×44＝8.8gとなる。

③7.2gの水は分子量18で割ると、7.2/18＝0.40molである。メタンと水の物質量比は1：2なので、反応するメタンの物質量は、0.40÷2＝0.20molであり、その質量は0.20×16＝3.2gである。

練習問題5

次の2つの金属イオンを含む水溶液が、別々の試験管に入れてある。これらを見分ける方法として、説明文の操作が正しいものをすべて選べ。

（1）Ag^+とCu^{2+}……塩酸を加えて沈殿が生じた方がAg^+
（2）Al^{3+}とZn^{2+}……水酸化ナトリウム水溶液を過剰に加え、沈殿が溶けた方がAl^{3+}
（3）Fe^{3+}とFe^{2+}……KSCN水溶液を加えると、赤血色溶液になるのがFe^{3+}
（4）Ca^{2+}とNa^+……炭酸アンモニウムを加えて、白色の沈殿が生じた方がNa^+
（5）Zn^{2+}とCu^{2+}……強酸性にして硫化水素を加えて、黒色沈殿が生じるのがCu^{2+}

練習問題6

次の操作の結果から、その物質を特定せよ。物質は選択肢の中から選べ。

（1）中性の物質で、金属ナトリウムを加えると気体が発生した。
（2）アンモニア性硝酸銀溶液を加えて温めると、銀が析出した。
（3）炭酸水素ナトリウム水溶液を加えると、二酸化炭素が発生した。
（4）塩化鉄（Ⅲ）水溶液を加えると、青紫色に呈色した。
（5）さらし粉を加えると、赤紫色になった。

①CH_3OH　　　② 　　　③HCHO

④CH_3COOH　　⑤ ⬡—OH

練習問題5
[解答]（1）、（3）、（5）
（1）○　鉛イオンも塩酸で塩化物の沈殿をする。
（2）×　ともに両性元素なので、過剰の水酸化ナトリウム水溶液には溶ける。両者を区別する一つの方法は、過剰のアンモニア水を加えることである。それに溶けるのがZn^{2+}側である。
（3）○
（4）×　炭酸アンモニウムを加えて、白色の沈殿が生じるのはCa^{2+}。
（5）○　Zn^{2+}は中性～塩基性で硫化水素と沈殿を起こす。ZnSは白色沈殿である。

練習問題6
[解答]（1）①　　（2）③
　　　（3）④　　（4）⑤　　（5）②
（1）金属ナトリウムと反応して水素を発生するのは、アルコールかカルボン酸であるが、中性物質とあるので、ここではアルコールのメタノール。
（2）説明は銀鏡反応。銀鏡反応は還元性を持つ物質で起きる。ホルムアルデヒドは還元性を持つ。
（3）炭酸水素ナトリウムと反応するのは、炭酸より強い酸。酢酸が反応する。
（4）塩化鉄（Ⅲ）水溶液で青紫～赤紫色に呈色するのは、フェノール類の化合物。
（5）さらし粉はアニリンの検出試薬である。

生　物

◇生物頻出問題上位

①遺伝子
②血液凝固
③生物の進化
④植物ホルモンの働き
⑤細胞の構造と働き
⑥からだの構造と機能
⑦神経とホルモン調節
⑧環境保全と生物
⑨生態系と植物連鎖
⑩DNA

生
物

細胞の構造と働き

ここでは植物細胞と動物細胞の構造とその働き、細胞をつくる物質の種類、細胞膜の透過性、細胞の分裂（体細胞分裂）について学ぶ。

◆細胞の構造と働き

◇**細胞説**：1838年にシュライデンが植物について、翌年シュワンが動物について唱えた。生物の体は細胞からできていて、細胞は生命の基本単位であるという説。

◇**細胞の大きさ**：細胞によってさまざまであるが、多くはマイクロメーター（千分の1ミリ）の単位。

◇**細胞の基本構造**

（太字は植物細胞、斜体字は動物細胞、他は共通にみられるもの）

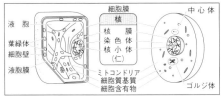

◇各部の働き

核は細胞の働きをコントロールしたり、遺伝情報を伝える。

• **染色体**：DNAを含み、遺伝情報を伝達。
• **核小体**：仁とも呼ばれ、リボソームを合成。

◇細胞質

• **細胞膜**：物質の出入りを制御。
• **ミトコンドリア**：エネルギーを作り出す。
• **小胞体**：物質の輸送路。
• **リボソーム**：アミノ酸からタンパク質を合成。
• **葉緑体**：光合成を行う。チラコイドという構造の中にクロロフィル（葉緑素）が含まれている。
• **ゴルジ体**：分泌物質の合成と貯蔵。

• **中心体**：動物細胞の分裂に関与。
• **液胞**：不要物の貯蔵、分解、解毒。植物細胞で特に発達している。
• **細胞質基質**：細胞質の形を保ち、物質の移動、細胞分裂などに重要な役割をする。

◇原核細胞と真核細胞

核を包む核膜のない細胞を原核細胞といい、細菌類とラン藻類を原核生物という。膜に包まれた核を持つ細胞を真核細胞といい、細菌類、ラン藻類以外は真核生物である。

◆細胞を構成する物質

最も多いのは水、次いでタンパク質、脂質、炭水化物である。

• **タンパク質**：アミノ酸からできる物質。生物を形成するアミノ酸は、約20種類の α-アミノ酸である。アミノ酸だけでできたタンパク質を単純タンパク質、核酸やリン酸を含むタンパク質を複合タンパク質という。生体内の触媒である酵素もタンパク質からできる。
• **脂質**：グリセリンと脂肪酸だけでできた単純脂質とリン酸を含むリン脂質などの複合脂質に分類される。リン脂質は生体膜の成分として重要であり、単純脂質（脂肪）はエネルギー源として重要である。
• **炭水化物（糖質）**：基本単位である単糖類、単糖類2分子が結合した二糖類、多くの単糖が結びついた多糖類に分類できる。糖類はエネルギー源として重要。
• **単糖類**
　五炭糖（1分子中に炭素原子を5個含む糖）リボース、デオキシリボース
　六炭糖（1分子中に炭素原子を6個含む糖）ブドウ糖（グルコース）、果糖（フルクトース）、ガラクトース
• **二糖類**：麦芽糖（マルトース）、ショ糖（スクロース）、乳糖（ラクトース）
• **多糖類**：デンプン、セルロース、グリコーゲン

◆細胞膜の構造

2重の層でできていて、主成分はリン脂質とタンパク質である。

◇細胞膜の働き

- 半透性:溶媒は通すが溶質は通さない性質。分子の大きさの違いによる。
- 選択透過性:物質を選択的に通過させる性質。
- 能動輸送:エネルギーを使って必要な物質の吸収、排出を行うこと。

◇細胞への水の出入り

- 浸透圧:濃度の異なる水溶液を図のような半透膜を取り付けたU字管の両側に高さが同じになるように入れると、し

ばらくすると濃度の低い方の水溶液から溶媒分子が移動してきて、濃度の高い方の溶液の液面が上昇する。このような現象を浸透といい、液面の差が生じないようにかける圧力を浸透圧という。
- 半透膜:セロハンや膀胱膜は小さな穴のある膜で、分子の大きさによって通過させたりさせなかったりする。このような性質の膜を半透膜という。
- 等張:2つの溶液の浸透圧が等しいとき。
- 高張、低張:2つの溶液の浸透圧の大きい側を高張、小さい側を低張という。
- 赤血球の収縮と溶血:赤血球を高張液に入れると、赤血球中の水分が出てゆき収縮する。低張液に入れると、赤血球中に水分が移動してきて、極端な場合は破裂する。これを溶血という。

◇植物細胞の水の出入り

- 原形質分離:植物細胞を高張液に入れると、細胞から水分が出ていき、細胞膜が収縮するが細胞壁はそれほど収縮できないので、細胞膜が細胞壁から離れてしまう現象。
- 膨圧:植物細胞を低張液に入れると、細胞内に水が移動し、細胞は膨らみ細胞内部が細胞壁を押す。この圧力を膨圧という。
- 吸水力:細胞が浸透圧によって水を吸い込む圧力。吸水力＝浸透圧－膨圧の関係になる。

[知っ得] ◇**生理食塩水・リンガー液** 赤血球と等張な食塩水を生理食塩水という。濃度は0.9％。食塩以外の塩の等張液をリンガー液という。

◆細胞分裂

細胞が新たな細胞に分かれることを細胞分裂と

いう。細胞分裂には、体をつくる細胞の分裂である体細胞分裂と、生殖細胞をつくる減数分裂がある。両者の最大の違いは、体細胞分裂では分裂の前後で染色体の数は変化しないが、減数分裂では半分になること。

- 母細胞:分裂する前の細胞。
- 娘細胞:分裂によってできる細胞。
- 体細胞分裂:体をつくる細胞の分裂。核分裂と細胞質分裂の2つの過程からなる。

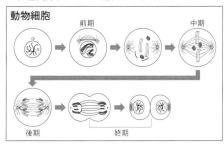

◆各期で生じること

前期:染色体の出現。紡錘体の出現。

中期:染色体が赤道面に並ぶ。

後期:染色体が二分して両極へ移動。二分された染色体を染色分体という。

終期:細胞質が分裂し、核膜、核小体が出現。

◆動物細胞と植物細胞の違い

前期	動物細胞	中心体から紡錘体ができる。
	植物細胞	中心体はなく、極帽から紡錘糸ができる。
終期	動物細胞	赤道面で細胞膜がくびれて細胞質が2つに分かれる。
	植物細胞	赤道面の中心に細胞板ができ、これが広がって細胞質が二分される。

- 相同染色体:高等な動物や植物の体細胞の核には、同じ大きさ、形の染色体が2本ずつ入っている。これを相同染色体という。
- 人の染色体:22対の相同染色体と、大きさも形も違う1対の性染色体の、合計46本の染色体がある。
- 核相:n対の相同染色体があると、染色体の本数は$2n$本になる。生殖細胞では染色体の数は半分になるのでn本である。相同染色体が対になって細胞内に含まれるときを複相、生殖細胞の様に相同染色体の片方だけを含むものを単相という。
- 細胞周期:細胞分裂から次の分裂の終了までの期間。分裂期と間期に分かれ、分裂期は前期、中期、後期、終期に分かれる。間期はDNA合成準備期間（G1期）、DNA合成期（S期）、分裂準備期（G2期）に分かれる。

生物

生殖・発生

このテーマでは、無性生殖と有性生殖の種類、減数分裂の仕組み、卵、精子の形成、植物の重複受精、および動物の器官の形成が重要事項である。

◆生殖

生物が新しい個体を作ることを生殖という。生殖の方法には、無性生殖と有性生殖がある。

- 無性生殖：配偶子によらない生殖。
- 有性生殖：配偶子による生殖。
- 配偶子：胞子や卵、精子などの生殖細胞

◇無性生殖の種類

- 分裂：個体が分かれて増える方法。細菌類、アメーバなど。
- 出芽：体の一部が芽が出るようにふくらんで、新しい個体ができる。酵母菌、ヒドラなど。
- 胞子生殖：親の体がそのまま分裂してできる胞子、遊走子による生殖。それらが放出され、そのまま個体になる。
- 胞子による生殖：シダ、アオカビなどの陸生の菌類や植物。
- 遊走子による生殖：ミズカビ、アオサなどの水性の菌類や植物（胞子の一種で、べん毛があり水中を泳ぐことができる）。

◇**栄養生殖とその例**：植物の根・茎・葉などの栄養器官から新しい個体ができる方法。サツマイモ（塊根）、ジャガイモ（塊茎）、オニユリ（むかご）、グラジオラス（球根）

◇有性生殖の種類

- 同形配偶子接合：大きさや形の同じ配偶子の合体。アオミドロなどの接合はその例。
- 異形配偶子接合：大きさや形の違う配偶子の合体。このうち、卵と精子の合体を受精という。
- 卵：大型で細胞質に栄養を貯えた配偶子。運動性がない。
- 精子：小型でべん毛を持ち、運動性を持つ配偶子。

◇生殖法の比較

生殖法	遺伝子の組み合わせ	環境変化への適応能力	増殖の効率
無性生殖	親と同じ	対応しにくい	よい
有性生殖	新しい組み合わせ	対応しやすい	悪い

◆減数分裂

生殖細胞をつくるときの分裂。第一分裂、第二分裂が続いて生じ、1つの母細胞が4つの娘細胞になる。第一分裂で染色体数が半分になる。

◇各期で生じる変化

（第一分裂）

前期：相同染色体どうしが縦裂したまま（染色分体形成）対合して、二価染色体を形成。

中期：二価染色体が赤道面上に並び、紡錘体ができる。

後期：4本の染色分体が2本ずつに分かれて両極へ移動する。

終期：染色体が両極に達する。

（第二分裂） 前期が第一分裂の終期と重なるので、中期から始まる。

中期：染色体が赤道面に並ぶ。

後期：2本の染色分体が縦裂面で分かれて、両極へ移動する。

終期：染色体が両極に達し、4つの娘細胞ができる。

◇**二価染色体**：相同染色体どうしが対合してできた染色体。

◇減数分裂とDNA量の変化

核1個あたりのDNA量は、間期に複製されるので生殖母細胞で普通の細胞の2倍量になり、第一分裂で半分になり、さらに第二分裂でその半分になる。（左図）

◆動物の配偶子の形成

◇**精子の形成**：精巣内の始原生殖細胞（$2n$）は、体細胞分裂により多くの

◇減数分裂と体細胞分裂の比較

減数分裂	体細胞分裂
1つの母細胞から単相(n)の娘細胞4つができる	母細胞と同じ複相($2n$)の娘細胞ができる
相同染色体が対合し、二価染色体をつくる	相同染色体は対合しない
染色体数が半分になる	染色対数は母細胞と同じ

精原細胞($2n$)に分裂する。これらが一次精母細胞($2n$)になり、減数分裂を行って精細胞(n)になる。精細胞は変形して運動性に特化した精子になる。

◇**卵の形成**：卵巣で一次卵母細胞まで増殖、変化した後、減数分裂を行う。このとき4個の娘細胞のうち1個だけに多量の細胞質が集中し、残りは極体になる。

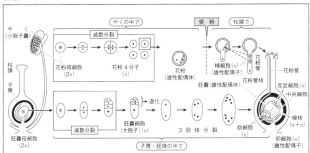

◇**植物の配偶子の形成：重複受精**

　被子植物では、おしべのやくの中の花粉母細胞とめしべの胚珠の中の胚嚢母細胞が減数分裂を行ない、花粉母細胞は4個の花粉四分子になり、これが花粉になる。胚嚢母細胞からは3つが退化し、1つの胚嚢細胞ができる。胚嚢細胞はさらに3回分裂して、卵細胞1個、助細胞2個、反足細胞3個、中央細胞（極核2個を持つ）胚嚢に変わる。

　花粉が受粉すると花粉管が伸び、花粉内の雄原細胞が2個の精細胞になる。これが胚嚢に達すると、そのうちの1個が卵細胞と受精し、もう1個は中央細胞と受精する。2組の受精が同時に起こるので、これを重複受精という。受精後、卵細胞は胚に、中央細胞は胚乳になる。

◇**有胚乳種子・無胚乳種子**

　胚嚢と周辺の組織を含めて胚珠といい、これが発達したものが種子である。種子が発芽すると、胚が成長して幼植物になる。胚乳が発達して栄養分を貯えるものを有胚乳植物という。これには、カキ、イネ、ムギなどがある。一方、胚乳が発達せず、子葉に栄養分を貯えるものを無胚乳植物という。ソラマメ、エンドウ、アブラナなどがその例である。

◆**動物の発生**

◇**卵割**：受精卵の初期の分裂では、細胞の大きさが小さくなり数が増える。これを卵割という。

◇**卵割の種類**：卵黄は卵割を妨げるので、卵黄の分布の違いにより卵割の仕方が異なる。

• **等黄卵**：卵黄が少なく、均等に卵割が起きる。ウニ、ホ乳類。
• **端黄卵**：卵黄が多く、植物極側に偏る。動物極側で卵割が起こる不等割になる。両生類。
• **盤割**：端黄卵でも特に卵黄の多いものでは、一部だけが分割される部分割が起きる。これを盤割という。魚類、ハ虫類、鳥類。
• **心黄卵**：卵黄が卵の中心部に集中し、表面が分割する。昆虫

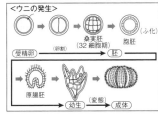

の空洞を胞胚腔という。

• **原腸胚**：胞胚の植物極側が内部に落ち込んで（陥入）原腸ができる時期の胚。原腸の入り口を原口という。原腸から中胚葉、内胚葉に分化する。
• **幼生**：独立生活ができるようになった胚。
• **神経胚**：外胚葉で神経板ができ、やがて神経管へと変化する。中胚葉からは体節、腎節、側板が分化し、内胚葉からは腸管ができる。その後さらに特定の器官へ変化する。

◇**各胚葉から分化する主な器官**

外胚葉	感覚器官、神経系
中胚葉	骨格、心臓、血管、腎臓、生殖器官
内胚葉	肺、胃、肝臓、すい臓、腸

★★★フォローアップ★★★
次の文章の正誤を答えよ。
問　無性生殖には、分裂、出芽、胞子生殖、接合などがある。

◇**解答**
×　接合は有性生殖である。

生物

遺伝

このテーマでは、メンデルの遺伝の法則、種々の形式の遺伝、さらに組換え、伴性遺伝について取り上げる。加えて遺伝情報を伝える実体のDNAについて基本的な点をおさえる。

◆メンデルの遺伝法則
◇関連する用語
- 形質：生物の形や大きさ、色などの性質。
- 対立形質：対になる形質。
- 遺伝子：形質を表すもとになる因子。染色体に含まれる。
- 遺伝子記号：遺伝子の構成をアルファベットで表したもの。
- 遺伝子型：個体の遺伝子の構成を遺伝子記号で表したもの。
- 表現型：表面に現れる形質。
- 優性：ヘテロにおいて発現する側の形質。
- 劣性：ヘテロにおいて発現しない側の形質。
- ホモ：一つの形質の遺伝子の形が同じ組合せのもの。
- ヘテロ：一つの形質の遺伝子の形が違う組合せのもの。
- 純系：すべての遺伝子がホモであるもの。
- 一遺伝子雑種：1対の対立形質だけに注目し、純系の親どうしから生まれた雑種。
- 二遺伝子雑種：2対の対立形質に注目し、純系の親を掛け合わせて生まれる雑種。
- 雑種第一代（F_1）：純系の両親（P）の交雑で生まれた一代目の雑種。
- 雑種第二代（F_2）：F_1どうしの交雑で生まれた二代目の雑種。

◆メンデルの遺伝法則
◇優性の法則：対立形質をもつ純系の親を交雑すると、F_1には優性な形質のみが現れる。（図①）
◇分離の法則：生殖細胞ができるとき、対立遺伝子は互いに分離して別々の生殖細胞に入る。
◇独立の法則：2対以上の対立遺伝子が存在する場合でも、生殖細胞ができるとき各遺伝子はそれぞれ独立して生殖細胞に入るため、遺伝子の任意の組み合わせの生殖細胞が等しい割合で生じる。（図②）

（図1）

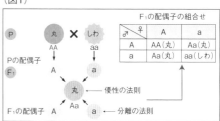

◇検定交雑：優性形質を持つ個体の遺伝子型は、外見では区別できないので、これを見分けるために劣性ホモと掛け合わせる方法。

（図2）

◆種々の形式の遺伝
◇不完全優性：対立形質間で優劣の差が小さい遺伝。ヘテロ型が中間雑種になる。
[例] マルバアサガオ（図③）

（図3）

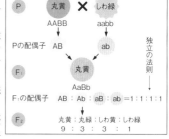

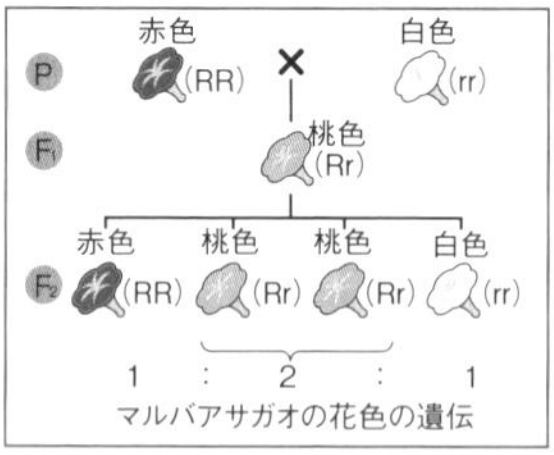

マルバアサガオの花色の遺伝

◇致死遺伝子：ある遺伝子がホモになると、個体が死ぬ場合、これを致死遺伝子という。致死遺伝子はふつう劣性で劣性ホモになると死ぬ。
[例] ハツカネズミ
◇複対立遺伝子：1組の対立する形質に、3つ以上の遺伝子が関係する場合、それらを複対立遺伝子という。
[例] ヒトの血液型

◇血液型と遺伝子型

表現型 (血液型)	遺伝子型
A型	AA、AO
B型	BB、BO
AB型	AB
O型	OO

(図4)

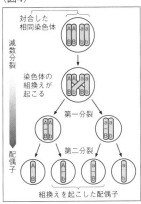

対合した相同染色体

減数分裂

染色体の組換えが起こる

第一分裂

第二分裂

配偶子

組換えを起こした配偶子

染色体には多くの遺伝子が相乗りしている。同一染色体にある遺伝子は行動を共にするため、メンデルの独立の法則に従わない。このような遺伝現象を連鎖という。

◇**組みかえ**：減数分裂時に相同染色体が対合して分かれるとき、染色体の部分的な入替え（のりかえ）が生じる。組みかえの割合を組みかえ価という。（図④）

$$組換え価＝\frac{組みかえによって生じた配偶子の数}{配偶子の総数}×100$$

$$＝\frac{組みかえの起こった総個体数}{検定交雑によって得た総個体数}×100$$

配偶子で組換えが生じているかは判断できないので、F1と劣性ホモとの検定交雑で判断する。
F1の配偶子がAB：Ab：aB：ab＝n：1：1：nになったと仮定すると、検定交雑の結果、子の表現型の分離比もn：1：1：nとなる。よって組みかえ価は

$$\frac{(1+1)}{(n+1+1+n)}×100＝\frac{1}{(n+1)}×100$$

で計算できる。
完全連鎖では、組みかえ価は0%
不完全連鎖では、組みかえ価は0〜50%

ヒトのABO式血液型では、A、B遺伝子はともに優性で、O遺伝子は劣性である。子供がABの遺伝子型になったとき、その血液型はAB型になる。

◇**補足遺伝子**：互いに補足しあって1つの形質を現す遺伝子。[例]スイートピーの花の色

◇**抑制遺伝子**：ある優性遺伝子の発現を抑制するように働く遺伝子。[例]カイコのまゆの色

◆連鎖と組みかえ

◇**連鎖**：1本の

◆伴性遺伝

◇**性染色体**：多くの生物で雄、雌で形の異なる遺伝子があり、これを性染色体と呼ぶ。性染色体以外の染色体を常染色体という。

◇**ヒトの性染色体と性の決定**：ヒトの性染色体にはXとYの型があり、遺伝子型がXXとなると女、XYでは男になる。

◇**伴性遺伝**：性染色体にある遺伝子による遺伝。Y染色体に対立遺伝子が存在しない場合、X染色体の遺伝子だけで子の形質が発現する。

◇**ヒトの色覚の遺伝**：赤と緑の区別ができない色覚。Y染色体に対立遺伝子がないため、女性では劣性ホモで色覚になるが、男性ではX染色体に劣性遺伝子があれば、色覚になる。

◇**血友病の遺伝**：色覚と同様X染色体の劣性遺伝子に左右される遺伝の例である。

A：正常遺伝子	a：色覚異常遺伝子
X^AX^A　女：正常	X^AX^a　女：正常
X^aX^a　女：色覚	
X^AY　男：正常	X^aY　男：色覚

◆DNA

遺伝子の実態はDNA（デオキシリボ核酸）である。DNAには自己複製能力と遺伝情報を発現させる能力がある。

◇**核酸**：核酸にはDNAとRNA（リボ核酸）がある。

◇**DNAの構造**：塩基と五炭糖のデオキシリボースとリン酸からなるヌクレオチドが、多数つながった高分子化合物である。構成塩基はアデニン（A）、グアニン（G）、シトシン（C）、チミン（T）である。二重らせんの構造をしている。

◇**RNAの構造**：ヌクレオチドを構成する糖がリボースであり、構成塩基がチミンに変わってウラシル（U）でできた高分子化合物。1本の鎖でできている。

ヌクレオチド

水素結合

S：デオキシリボース

◆突然変異

染色体や遺伝子に生じた永続的な変異。

◇**染色体突然変異**：染色体の構造の一部が変化する。染色体の数が変化する例として、ダウン症候群がある。

◇**遺伝子突然変異**：DNAの変化によって生じる。その例は、白化個体（アルビノ）や鎌形赤血球貧血症などである。

生物

代謝と酵素／生態系

このテーマでは、物質の代謝（同化と異化）とエネルギーの代謝（ATP）について考慮する。また、酵素の性質とはたらきを取り上げる。後半では生態系を取り上げる。

集中レッスン

◆酵素

自分自身は変化せず、化学反応の速度を速める働きをするものを触媒といい、生体内で触媒作用を行う物質を酵素という。酵素の主成分はタンパク質である。

◇**α-アミノ酸**：カルボキシル基の付く炭素原子にアミノ基が結合したアミノ酸。タンパク質は20種類のα-アミノ酸の組み合わせでできている。

$$\begin{array}{c} \text{R–CH–COOH} \\ | \\ \text{NH}_2 \end{array}$$

◇**タンパク質**：α-アミノ酸がペプチド結合で結合してできる物質。

◇**タンパク質の一次構造**：α-アミノ酸の種類と配列を一次構造という。多数のアミノ酸が連なった鎖状の高分子をポリペプチドと呼ぶ。

◇**二次構造**：ポリペプチドが分子内で水素結合し、らせん構造（α-ヘリックス）になったり、分子間でシート状構造（β-構造）になったりする。

◇**タンパク質の変性**：タンパク質は、熱、酸、アルカリ、アルコールなどを加えると凝縮して元に戻らなくなる。生卵を熱するとゆで卵になるのはその例。これを変性という。酵素はタンパク質からできるので、変性を受ける。

◆酵素の特性

◇**基質特異性**：酵素のはたらく相手の物質を基質といい、ある酵素は特定の基質にしか働かない。酵素が基質と結合する部分を活性部位という。この作用を基質特異性という。この関係は鍵と鍵穴の関係に例えられる。（図①）

◇**最適温度**：化学反応は温度が高いほど反応速度が速くなるが、酵素は高温では変性が起こり、

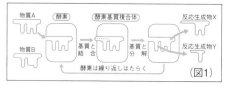

（図1）

その働きを失う。これを失活という。一般的に酵素が働く最適温度は、30〜40℃付近である。

◇**最適pH**：酵素の働く最適なpHは、中性付近（pH＝7）である。酸やアルカリで酵素が変性するため。しかし胃酸の中で働くペプシンなどは、最適pHが2付近である。

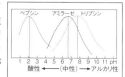

◇酵素の種類と働き

加水分解酵素	アミラーゼ	デンプン→麦芽糖
	マルターゼ	麦芽糖→ブドウ糖
	スクラーゼ	ショ糖→ブドウ糖+果糖
	リパーゼ	脂肪→グリセリン+脂肪酸
酸化還元酵素	オキシダーゼ	基質を酸化する
	デヒドロゲナーゼ	基質からHを取る(酸化)
	カタラーゼ	過酸化水素を分解

◇**基質濃度と酵素**：酵素の反応速度は、基質濃度が増加すると速くなるが、一定濃度を超えると速度が変わらなくなる。

◆代謝

◇**物質の代謝**：生体内での物質の化学変化。

◇**同化**：生物が外界から取り入れた物質を、体物質や有用な物質に変化するはたらき。エネルギーを必要とする過程。同化には、炭素同化（光合成）、窒素同化などがある

◇**異化**：同化された物質を分解して、エネルギーを取り出す過程。異化には好気呼吸、嫌気呼吸などがある。

◇**消化**：細胞内外でエネルギーの放出を伴わずに起こる分解反応。

◇**エネルギー代謝**：物質の代謝に伴い、エネルギーが出入りすることをエネルギー代謝という。

◇**ATP**：アデノシン三リン酸の略。ATPは、アデニンとリボースが結合したアデノシンに、リン

酸が3分子結合したもので、リン酸どうしの高エネルギーリン酸結合が切れて、ADP（アデノシン二リン酸）とリン酸に分かれるとき、エネルギーを放出する。この反応は可逆反応で、呼吸で生じたエネルギーを使ってADPをATPに変換してエネルギーを貯える。

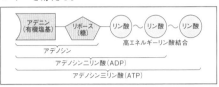

◆内呼吸

◇**好気呼吸**：有機物の分解に酸素を用いるもの。

◇**好気呼吸のしくみ**：好気呼吸は3つの過程からなる。

①**解糖系**：第一段階は解糖系と呼ばれ、ブドウ糖が2分子のピルビン酸に分解される。この反応は細胞質基質内で生じる。ここでは酸素は必要でなく、脱水素酵素などの働きで反応が進む。その際生じる水素原子は、水素受容体（NAD）によって電子伝達系に運ばれる。

②**クエン酸回路**：第二段階はクエン酸回路と呼ばれ、ピルビン酸から水素原子と二酸化炭素に分解される。水素原子は電子伝達系に運ばれる。分解の際2分子のATPが生成。この反応はミトコンドリアのマトリックスで行われる。

③**水素伝達系**：第三段階は、先の2つの段階で発生した水素原子から、酵素反応により大量のATPを作り出す過程である。これはミトコンドリアのクリステで行われる。最終的にブドウ糖1molから38molのATPが生じる。

◇**嫌気呼吸**：酸素を用いないで有機物を分解する過程。嫌気呼吸には発酵と解糖があり、発酵にはアルコール発酵、乳酸発酵などがある。

◇**嫌気呼吸のしくみ：アルコール発酵**：酵母菌の働きで、ブドウ糖がピルビン酸を経てアルコールになる反応。

◆同化

◇**光合成**：植物の葉緑体で二酸化炭素と水を原料に、光エネルギーにより有機物と酸素を合成する反応。

◇**葉緑体の構造**：植物の葉緑体内の偏平な袋状の構造をチラコイドといい、その中にクロロフィルなどの光合成色素が含まれる。チラコイドが数多く重なった部分をグラナという。チラコイド以外の部分をストロマという。

◇**光合成のしくみ**

光合成はチラコイド内での反応と、ストロマ内での反応の2つの過程からなる。ストロマ内での反応をカルビン・ベンソン回路という。

◇**光の強さと光合成速度**：光合成量は光の強さに比例するが、ある強さ以上になると光合成量は一定になる。この状態を光飽和といい、その時の光の強さを光飽和点という。

◇**見かけの光合成速度**：植物は光合成を行う一方で呼吸もしており、測定されるCO₂量の変化は、光合成で消費された分と呼吸で放出された分の差になる。これを見かけの光合成速度という。

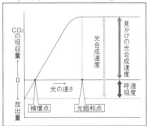

◇**補償点**：光合成速度と呼吸速度が同じとき、CO₂量の変化は0になる。この時の光の強さを補償点という。

◆生態系

ある範囲の地域で、光、温度、水、大気などの無機的環境と生物集団が関連性を持ち特色を示すとき、これらをまとめて生態系という。

◆生態系の構造

◇**無機的環境（非生物的環境）**：光、温度、大気、水などの気候要因と、土壌粒子の大きさ、pH、保水性などの土壌要因。

◇**生産者**：光合成を行う植物や細菌類など。自分で自分の栄養を生産している独立栄養生物のこと。

◇**消費者**：植物を食べる一次消費者と、一次消費者を食べるさらに高次の消費者からなる。

◇**分解者**：細菌類、菌類など、遺骸や排出物を分解して無機物に変える生物。

◇**炭素の循環**：二酸化炭素は光合成により有機物になり、生態系内で消費されて、最終的に排出物や遺骸となって、分解者により分解され再び二酸化炭素に戻る。

◇**窒素の循環**：空気中の窒素は、土壌細菌のアゾトバクターやマメ科の根粒菌によって窒素固定される。

植物は根から硝酸塩、アンモニウム塩の形で窒素を吸収し、タンパク質の合成に用いる。これが消費者に消費され、遺骸、枯死体、排出物の分解でアンモニウム塩、硝酸塩に変わる。再び植物がこれを利用する。

生物

刺激と反応

ここでは、ヒトの刺激を受け取る仕組みを、目と耳を中心に学ぶ。加えて刺激を伝達する仕組みや、脳と神経系に注目する。さらに動物の行動や反射について考える。

◆刺激の受容

◇**刺激**：生物を取り巻く周囲の変化。圧力や温度、光、電流などの物理的な刺激と、においや味、化学物質などの化学的な刺激がある。

- **興奮**：刺激に対する反応。
- **受容器（感覚器）**：刺激を受け取る器官。

◇**適刺激**：光は目で、音は耳で反応するように、ある受容器が受容できる特定の刺激を適刺激という。

◇**限界刺激（閾値）**：興奮を引き起こす最小の刺激。これ以下の刺激の強さでは、興奮は起こらない。

> ※**全か無かの法則**：閾値以下の刺激では興奮は起こらず、以上の強さになると興奮が起こる現象をいう。

◇**刺激から反応までの経路（脊椎動物）**
刺激の受容→伝達→認識→伝達→反応
受容器→神経系（調整器）→効果器

◆ヒトの視覚器の構造と働き

光の刺激は角膜を通り瞳孔、水晶体、ガラス体を経て網膜の視細胞に達し、視細胞が興奮すると、その興奮は視神経に伝わり、大脳へ伝達される。

◇**視細胞**：光に対する感度は弱いが、色の区別ができる「すい体細胞」と、色の区別はできないが、光に対する感度は大きい「かん体細胞」がある。

- **盲斑（盲点）**：視神経の束が出てゆく部分で、視細胞がなく、ここに像が映っても見えない。
- **黄斑（黄点）**：網膜の中心にあり、水晶体を通って入った光が集まる点。最も多くの視細胞が集まっており、光に対して最も敏感である。
- **明暗順応**：暗所から明所に出ると、はじめはまぶしいが、徐々に慣れる。これを明順応といい、逆に明所から暗所に出るときの順応を暗順応という。
- **明暗調節**：虹（こう）彩を動かす筋肉が反応して、瞳孔を小さくしたり（明るいとき）、大きくしたり（暗いとき）する。
- **遠近調節**：水晶体（レンズ）の厚さを調整して、焦点距離を変化させ網膜上に像が正しく映るようにする。

眼球の構造（右目真上から）

◆ヒトの聴覚器の構造と働き

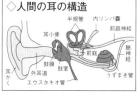

人間の耳の構造

ヒトの耳は外耳、中耳、内耳の3つの部分に分けられる。耳殻で集められた音は、外耳道を通り鼓膜を振動させる。振動は耳小骨で増幅し、内耳に伝わりうずまき管内のリンパ液を振動させ、これが基底膜、コルチ器、聴細胞、大脳を経て聴覚を生み出す。

- **ヒトの平衡器**：内耳の前庭は傾き、半規管は回転方向の知覚を行う。

◇**効果器（作動体）**：神経やホルモンによって刺激され、反応する器官や組織。効果器には筋肉やべん毛、繊毛、分泌腺などがある。

（味覚の場所）

◆筋肉とその働き

筋肉は表に示すような3つの種類がある。

	種類	形状	運動	持久性
骨格筋	横紋筋	繊維状	随意筋	低い
心筋	横紋筋	網目状	不随意筋	高い
内臓筋	平滑筋	紡錘状	不随意筋	高い

◇**刺激の伝達**

- **ニューロン（神経単位）**：神経組織を構成する細胞をニューロンといい、細胞体、樹状突起、軸索からなる。軸索は神経鞘で包まれ、軸索と神経鞘を合わせて神経繊維という。

◇ニューロン（神経単位）

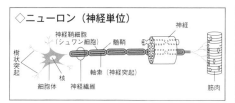

・**静止電位**：ニューロンも細胞膜で覆われていて、膜の外側はNa$^+$が多く、内側はK$^+$が多い。両イオンの膜の通過しやすさに差があり、膜の内側が−の電荷、外側が＋の電荷になっている。刺激を受けていないときの、膜の内と外の電位差を静止電位という。

◇活動電位

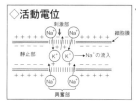

・**活動電位**：刺激を受けると、細胞膜の透過性が変化し、Na$^+$が急激に膜内に流れ込み、電位が瞬間的に内側が＋、外側が−に逆転する。この時の電位の変化を活動電位という。活動電位の発生が興奮である。

・**シナプス**：ニューロン間の接続部分。興奮が軸索の末端まで伝わると、神経伝達物質がシナプス小胞から分泌され、次のニューロンに興奮が伝達される。

◆ヒトの神経系と働き

◇**脳（中枢）**：脊ツイ動物の中枢神経系は脳と脊髄からなり、脳は大脳、間脳、中脳、小脳、延髄に分かれる。

◇**脊髄（中枢）**：脊ツイ骨の背側の脊柱のなかにあり、脳の延髄につながる。

大脳	運動、感覚、思考、記憶、言語などをつかさどる
間脳	自律神経の中枢。血糖値、体温調節の中枢
中脳	視覚と関係が深い。姿勢を保つ中枢
小脳	体の平衡を保つ中枢
延髄	呼吸、心臓拍動の調節中枢
脊髄	脳への刺激の伝達。脊髄反射の中枢

◇**灰白質と白質**：大脳の表面に近い部分（大脳皮質）は細胞体が集合して灰色に見えるので灰白質という。中心部（大脳髄質）は軸索が集合し白色に見えるので白質という。脊髄では外側が白質で、内側が灰白質になっている。

◆動物の行動

◇**走性**：生物が刺激に対して方向性のある反応を

すること。例には、ガや昆虫が集光灯に集まる走光性、魚が流れの上流に向かう走流性など。刺激に向かう走性を正の走性、遠ざかるのを負の走性という。

・**反射**：刺激に対して無意識に起こる反応。

・**反射弓**：刺激を受けてから反射が起こるまでの経路。大脳を経由しない。

◇**反射中枢**：脊髄、延髄、中脳に反射中枢がある。

脊髄反射：膝蓋腱反射、熱いものに触ると手を引く（屈筋反射）、排便、排尿など。

・**延髄反射**：食べ物を見るとだ液が出る（唾液分泌反射）、心臓の運動、呼吸など。

・**中脳反射**：虹彩調節を行う瞳孔反射や、正常な体位に戻そうとする立ち直り反射など。

◇**本能行動**：生まれながらに動物が備え持つ個体維持や種族維持のための行動。防御本能、母性本能、生殖本能などがある。

◇**学習による行動**：動物が経験することによって新しい行動ができるようになることを学習という。学習には条件反射や刷り込みなどがある。

◇**パブロフの犬**：イヌに肉片を与える前にベルの音を聞かせ続けると、ベルの音を聞くだけでだ液を分泌するようになる。パブロフ博士の研究による。

◇**刷り込み**：カモ、ガチョウなどのひなは、最初に見た動くものの後を追って動く。これを刷り込みと名付けたのは、ローレンツ博士。

【知っ得】◇**ミツバチのダンス**　蜜の場所を教えるために、ミツバチはダンスで仲間に情報を伝達する。近くにあるときは円形ダンス、遠くのときは8の字ダンスをし、ダンスをする角度で蜜の方向も伝えている。本能行動の一種である。

★★★フォローアップ★★★

各説明文の意味する用語を答えよ。

(1) ニューロンの接続部の名称
(2) 興奮を引き起こす最小の刺激
(3) 自律神経の中枢
(4) 大脳や脊髄で灰色に見える部分
(5) 刺激に対して無意識に起こる反応

◇**解答**
(1) シナプス　(2) 閾値　(3) 間脳
(4) 灰白質　(5) 反射

生物

恒常性

体液の恒常性と免疫について、肝臓と腎臓のつくりと働き、さらに自律神経とホルモンによる体の調整の例として、体温調節のしくみについて考える。

◆体液とその働き

体液には血液、組織液、リンパ液がある。

- 組織液：毛細血管の壁から細胞の間にしみだした血しょうの成分。
- リンパ液：リンパ管内を流れる体液。組織液の一部がリンパ管に吸収されたもの。
- 恒常性（ホメオスタシス）：体内の内部環境を一定の状態に維持する性質。

◇ヒトの血液の組成と働き

名称	形状	働き
赤血球	円盤状、無核	酸素運搬
白血球	アメーバ状、有核	食菌作用、免疫
血小板	不定形、無核	血液凝固
血しょう	液体成分	物質運搬

◇血液の循環：肺に行く肺循環と体の各部に行く体循環がある。

- 肺循環：右心室→肺動脈→肺の毛細血管→肺静脈→左心房
  ＜二酸化炭素を放出、酸素を受け取る＞
- 体循環：左心室→大動脈→全身の毛細血管→大静脈→右心房
  ＜酸素と栄養分を全身に運搬、二酸化炭素や老廃物を集める＞
- 免疫：特定の病原体や毒素を非自己と識別し、排除する現象

◇肺循環と体循環

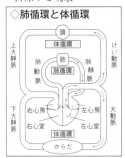

- 抗原：体外から侵入し、免疫反応を起こさせるもの
- 抗体：抗原が入り込むと、リンパ球がその抗原とだけ反応する物質をつくる。この物質を抗体という。
- 抗原抗体反応：抗体は抗原を溶かしたり、凝集、沈殿させてその働きを弱める。
- 免疫記憶：一度抗体を産生すると、2度目に同じ抗原が侵入してきても、すぐに抗体が産生できる。

◆腎臓と肝臓

体内で生じる老廃物は、二酸化炭素とアンモニアである。二酸化炭素は肺から排出されるが、アンモニアはヒトでは尿素に変えて弱毒化し尿として排出している。

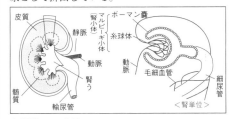

＜腎単位＞

◇腎臓のつくり

腎臓はソラマメのような形をしており、2つの対称な器官である。皮質、髄質、腎うの3つの部分に分かれており、皮質には腎小体が無数にある。

- 腎小体：マルピーギ小体とも呼ばれ、糸球体とボーマン嚢からなる。

◇腎臓の働き：糸球体を流れる血管から、水やブドウ糖、無機塩類、尿素など低分子量の物質がボーマン嚢にこし出される。これを原尿という。原尿からはブドウ糖や塩類など有用な物質が再吸収され、残った尿素を含む液体が尿である。尿は輸尿管を経て膀胱に運ばれる。

◇肝臓の働き

- グリコーゲンの合成：小腸で吸収されたブドウ糖をグリコーゲンに合成して蓄え、必要に応じて血液中にブドウ糖を放出する。
- 尿素の合成：毒性の強いアンモニアを、毒性の弱い尿素に変える。この反応の代謝回路をオルニチン回路と呼ぶ。
- 胆液（胆汁）の合成：脂肪の消化を助ける胆液を合成する。胆液は胆のうに蓄えられる。

- 体温発生：代謝による熱が体温維持に役立つ。
- 解毒作用：有害物質は血液に溶け込んで肝臓に運ばれ、そこで解毒される。

◆自律神経とホルモン

◇自律神経
内臓、皮膚、血管などに分布し、意志に無関係に自律的な調整をする神経。交感神経と副交感神経がある。これらは対抗的（拮抗的）に働く。その中枢は間脳の視床下部にある。
- 交感神経：体を活動的にさせる。
- 副交感神経：体を疲労回復に向かわせる。平常な状態では、副交感神経が主に働いている。

◇ホルモンの種類と働き
特定の器官でつくられ、体液中に分泌され、体の他の部分に作用し調整する物質をホルモンといい、ホルモンを分泌する器官を内分泌腺という。

◇交感神経と副交感神経

	交感神経	副交感神経
瞳孔	拡大	縮小
心臓拍動	促進	抑制
呼吸運動	拡張	収縮
血糖	上昇	低下
膀胱	拡張	収縮
顔面血管	収縮	拡張
血圧	上昇	低下

◇ホルモンの相互作用
- 脳下垂体と視床下部：脳下垂体は間脳の視床下部にぶら下がった器官で、種々のホルモンを分泌する。視床下部からの指令が、これらの分泌をコントロールする。

◇甲状腺
脳下垂体の前葉から甲状腺刺激ホルモンが分泌されると、甲状腺からチロキシンが分泌される。血液中のチロキシン濃度が高くなりすぎると、視床下部が感知し、甲状腺刺激ホルモンの分泌を抑制する。この働きをフィードバックという。

◇体温の調節
外界の温度が低下したとき：2つの手段で対応する。1つは代謝を促し発熱量を増加させる。

◇主なホルモンとその働き

内分泌腺		ホルモン	働き
脳下垂体	前葉	成長ホルモン	タンパク質の合成促進、骨、筋肉などの成長促進
		甲状腺刺激ホルモン	チロキシンの分泌促進
		副腎皮質刺激ホルモン	糖質コルチコイドの分泌促進
	後葉	バソプレシン	腎臓の集合管における水分の再吸収促進、血圧の上昇
甲状腺		チロキシン	代謝の促進、成長・変態（両生類）の促進
すい臓のランゲルハンス島	A細胞	グルカゴン	血糖量増加
	B細胞	インスリン	血糖量減少
副腎	皮質	糖質コルチコイド	血糖量増加
	髄質	アドレナリン	血糖量増加

2つ目は熱の放射量を抑える。

発熱量を増加させるために、
①視床下部→交感神経→副腎髄質→アドレナリン分泌→心臓拍動増加・代謝促進、②視床下部→脳下垂体前葉→甲状腺刺激ホルモン→甲状腺→チロキシン分泌→代謝促進、③視床下部→脳下垂体前葉→副腎皮質刺激ホルモン→副腎皮質→糖質コルチコイド分泌→代謝促進のルートがある。

熱の放散を減少させるためには、視床下部→交感神経→皮膚→血管収縮・立毛筋収縮のルートをとる。

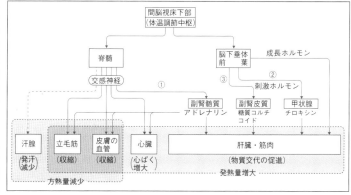

◇植物のホルモン
- オーキシン：成長ホルモン。細胞の成長・分裂の促進、発根促進など。
- ジベレリン：細胞の分裂・成長促進、種子の発芽促進。
- サイトカイニン：細胞分裂の促進、細胞の老化抑制、気孔を開いて蒸散を促す作用。
- アブシシン酸：気孔を閉じさせる作用、種子の発芽抑制。
- エチレン：果実の成熟促進。

＜練習問題＞

練習問題1

次の各文の正誤の組合せのうち、正しいものを選べ。

（1）中心体は動物細胞に特有であり、細胞分裂に関与する。

（2）タンパク質は主にアミノ酸からできており、脂質のうちリン脂質は生体膜の成分に用いられる。

（3）デンプンの分解酵素はアミラーゼであり、この酵素の働きによりデンプンはグルコースに分解される。

（4）赤血球を高張液に入れると、溶血する。

（5）体細胞分裂の中期に、染色体が赤道面上に並んだ後、後期には二分して染色分体が両極へ移動する。

	(1)	(2)	(3)	(4)	(5)
A	正	正	誤	正	誤
B	正	正	誤	誤	正
C	正	誤	誤	正	誤
D	誤	正	正	誤	正
E	誤	誤	正	正	正

練習問題2

減数分裂が生じる順序に合わせて次の記述を並べると、3番目に来るのはどれか。

ただし、いくつかの段階は省略してある。

A　染色体が両極に達し、4つの娘細胞ができる。

B　相同染色体どうしが対合し、二価染色体を形成する。

C　2本の染色分体が分かれて、両極へ移動する。

D　二価染色体が赤道面上に並び、紡錘体ができる。

E　4本の染色分体が2本ずつに分かれて、両極へ移動する。

（1）A

（2）B

（3）C

（4）D

（5）E

練習問題1　　　　　　　［解答］B

（1）○　植物では中心体はなく、紡錘糸は極帽から生じる。

（2）○　脂肪酸からできる脂質が油脂と呼ばれ、リン酸を含む脂質がリン脂質と呼ばれる。

（3）×　デンプンはアミラーゼで麦芽糖（マルトース）まで分解される。

（4）×　赤血球を高張液に入れると、赤血球内の水分が出て収縮する。低張液に赤血球を入れたとき、内部に水分が入り極端な場合は溶血する。

（5）○

練習問題2　　　　　　　［解答］（5）

　減数分裂の順序は、B→D→E→C→Aになる。3番目の段階はEである。

　減数分裂では、第一分裂に引き続き第二分裂が生じる。第一分裂の前期で相同染色体が縦裂したまま、対合して二価染色体を形成する。中期には、二価染色体が赤道面に並び、紡錘体ができる。後期には、4本の染色分体が2本ずつに分かれて、両極へ移動する。終期には、染色体が両極に達する。

　第二分裂の前期は第一分裂の終期と重なるので、その後第二分裂の中期が始まる。中期には、染色体が赤道面に並び、後期に2本の染色分体が縦裂面で分かれ、両極へ移動を開始する。終期には、染色分体が両極に達し4つの娘細胞が完成する。

練習問題　3

次の問いに答えよ。

　ある植物でAとa、Bとbが対立遺伝子であり、A、Bが優性である。今、遺伝子型がAaBbのものを、劣性ホモ（aabb）と交雑した結果、表現型の比が［AB］：［Ab］：［aB］：［ab］＝7：1：1：7になった。

（1）AaBbからできる配偶子の遺伝子型と、その比を答えよ。

（2）A（a）とB（b）の組み換え価を求めよ。

練習問題　4

（　）に当てはまる適切な用語の組み合わせを答えよ。

　呼吸には、酸素を必要とする好気呼吸と、必要としない嫌気呼吸がある。前者は3つの過程に分かれ、はじめにグルコース1分子からピルビン酸2分子が生じる（　（1）　）、次にミトコンドリアのマトリクス内で行われる（　（2）　）、最後に多量のATPをつくりだす（　（3）　）からなる。後者には、酵母菌による（　（4）　）と（　（5）　）がある。嫌気呼吸の解糖は、筋肉内でブドウ糖が分解される反応で、その過程は(5)と同じである。

	(1)	(2)	(3)	(4)	(5)
A	解糖系	水素伝達系	クエン酸回路	アルコール発酵	乳酸発酵
B	解糖系	クエン酸回路	水素伝達系	乳酸発酵	アルコール発酵
C	クエン酸回路	乳酸発酵	アルコール発酵	解糖	乳酸発酵
D	解糖系	クエン酸回路	水素伝達系	アルコール発酵	乳酸発酵
E	アルコール発酵	クエン酸回路	水素伝達系	乳酸発酵	解糖

練習問題3　　　　　　　　［解答］

（1）　AB：Ab：aB：ab＝7：1：1：7

検定交雑の子の表現型の分離比は、親の配偶子の分離比に等しい。

（2）　表現型の分離比が、n：1：1：nのとき、組み換え価は

$$\frac{(1+1)}{(n+1+1+n)} \times 100$$ で求まる。

よって

$$\frac{(1+1)}{(7+1+1+7)} \times 100$$

$$=12.5\%$$

になる。

練習問題4　　　　　　　　［解答］D

　有機物の分解に酸素を用いるものを、好気呼吸という。好気呼吸は、解糖系、クエン酸回路、水素伝達系の3つの過程からなる。好気呼吸により、多くのATPが作り出され、エネルギーを貯えることができる。運動などでエネルギーが必要なとき、ATPのリン酸を切り離すことでエネルギーを放出でき、これを用いる。酸素を用いない呼吸を嫌気呼吸という。嫌気呼吸は、酵母菌によるアルコール発酵と乳酸菌による乳酸発酵に分けられる。

生物

練習問題 5

脳の各部とその働きについての以下の文章のうち、間違いを含むものはいくつあるか。その数を答えよ。

（1）大脳……運動、感覚、思考、記憶、言語をつかさどる。
（2）間脳……視覚と関係が深い部分。
（3）中脳……自律神経の中枢。
（4）小脳……体の平衡を保つ中枢。
（5）延髄……膝蓋腱反射の中枢。

A　0個
B　1個
C　2個
D　3個
E　4個

練習問題 6

次の文章の（　　）に適する語の組み合わせを選べ。

血糖値が上昇すると（　（1）　）の視床下部が感知し、（　（2）　）神経を通じてすい臓のランゲルハンス島に指令を出し、（　（3）　）を分泌させる。すい臓自身も高血糖を感知し、（3）を分泌する。（3）は細胞でのブドウ糖の分解を促進する。

血糖値が低下すると視床下部が感知し、（　（4）　）神経を通じて副腎髄質から（　（5）　）を分泌させる。（5）は肝臓や筋肉に蓄えられているグリコーゲンを分解し、ブドウ糖にするように促す。

	（1）	（2）	（3）	（4）	（5）
A	小脳	運動	糖質コルチコイド	感覚	アドレナリン
B	中脳	交感	アドレナリン	副交感	糖質コルチコイド
C	間脳	交感	アドレナリン	副交感	インスリン
D	中脳	副交感	インスリン	交感	アドレナリン
E	間脳	副交感	インスリン	交感	アドレナリン

練習問題5　　　　　　　　［解答］D
（1）○
（2）×　視覚と関係が深いのは中脳である。
（3）×　自律神経の中枢は、間脳である。
（4）○
（5）×　膝蓋腱反射の中枢は、脊髄である。延髄の主な働きは、呼吸、血液循環の中枢としての働き。

練習問題6　　　　　　　　［解答］E
高血糖時には、間脳の視床下部から副交感神経を通じてすい臓のランゲルハンス島 β 細胞に指令が出され、インスリンが分泌される。インスリンは細胞でのブドウ糖の分解を促し、肝臓や筋肉でブドウ糖をグリコーゲンに変換するよう促す。

低血糖時には、副腎髄質から、アドレナリンが分泌され、グリコーゲンがブドウ糖に変えられる。さらに視床下部は脳下垂体前葉を刺激し、副腎皮質刺激ホルモンの分泌を促し、副腎皮質から糖質コルチコイドを分泌させる。この働きで、タンパク質や脂質をブドウ糖に変える。

地　学

◇地学頻出問題上位

①大気圏
②天気図
③岩石の種類と特徴
④恒星の明るさの等級
⑤地形にかかわる現象
⑥地球と太陽の働き
⑦地球の運動
⑧惑星の特徴
⑨地殻の構成
⑩地震

地
学

地球の内部構造と地震

ここでは、地球の形、大きさ、地震の震源からの距離、地球の内部構造と地震波の関係、プレートテクトニクスに至る説とその証拠をまとめる。

◆地球の形

地球の形は、赤道方向に少しふくらんだ回転楕円体である。

◇地球の大きさ

赤道半径	約6378km
極半径	約6356km
表面積	約5.1×10^8km^2
海洋部分	約70%
平均水深	約3800m
陸地部分	約30%
平均高度	約840m

・地球の表面を平らにならすと、海面で覆われ、その深さは約2700mになる。

- **ジオイド**：地球全体を平均海水面で覆ったときにできる球面で示した地球の形。
- **重力**：地球と物体の間に働く万有引力と、地球の自転で生じる遠心力の合力。
- **重力異常**：地球の形を地球楕円体としたときの重力を標準重力という。実際の重力はいくらか異なり、この差を重力異常（ブーゲー異常、フリーエア異常がある）という。

知っ得 ◇**エラトステネス**　ギリシャの地理学者エラトステネスは、紀元前230年ごろ地球の大きさを、シエネとアレクサンドリアの2地点間の距離と、太陽の高度を測定し、円周と中心角から地球の半径を約7350km程度とした。

◆地震波

- **P波（Primary wave）**：観測点に最初に到達する波。縦波で、固体、液体、気体中のすべてで伝わる。初期微動はP波による。地表付近での速さは、5～6km/s。
- **S波：（Secondary wave）**：主要動を引き起こす波。横波で、固体中のみ伝わる。地表付近での速さは3～3.5km/s。
- **初期微動継続時間**：観測点には速度の速いP波が最初に到達する。P波による振動は小さい。遅れてS波が到達し、主要動が伝わる。P波の到達からS波の到達までの時間を、初期微動継続時間という。

◇地震の波形

◇地震波の記録

P波到着　S波到着
初期微動
継続時間
初期微動　主要動

〈震源からの距離〉
　P波の速さ：Vp（km/s）、S波の速さ：Vs（km/s）、震源から観測点までの距離：d（km）

初期微動継続時間 $t(\mathrm{s}) = \dfrac{d}{Vs} - \dfrac{d}{Vp}$

◇大森公式

初期微動継続時間の計算式を変形して、

$\dfrac{Vp\,Vs}{Vp - Vs} = k$ とすると、$d = kt$ と示される。

これを大森公式という。

日本付近ではkの値は約7.4で、初期微動継続時間を計測すれば、震央までの距離が求まる。

- **表面波**：弾性体の表面を伝わる波で、地表を伝わる波を表面波、もしくはL波という。減衰が少なく、遠方まで到達する。
- **震度**：地震の揺れの程度を表す基準。0～5弱、5強、6弱、6強、7までの10段階に分けられる。
- **マグニチュード**：地震のエネルギーの大きさを表す数値。マグニチュードが1違うと、地震のエネルギーは約32倍異なる。マグニチュード7.9以上の地震は、巨大地震と呼ばれる。

◆地球の内部構造

- **地殻**：0～50km部分。固体の岩石からなる。
- **マントル**：50～2900km。固体の層で、かんらん岩質でできている。固体だが対流する。
- **外核**：2900～5100km。高圧、高温のため鉄、ニッケルが融解した液体の層。
- **内核**：5100～6400km。鉄、ニッケルでできる固体の層。
- **モホロビチッチ不連続面**：地殻とマントルの境界面。モホ面と呼ぶこともある。
- **グーテンベルグ不連続面**：マントルと外核の境界面。
- **レーマン不連続面**：外核と内核の境界面。
P波は液体部分も伝わるが、S波は伝わらないので、外核部分に達したS波は震央距離（中心角）

が103°以遠には伝わらない。また、P波も外核での屈折率がマントル部と異なるため、143°以遠にしか現れない。

◇**シャドーゾーン**：S波は外核部分を伝わることができず、P波も屈折し、震央距離103°〜143°の間の地域には伝わらない。そのためこのゾーンでは地震の揺れは観測されない。

◇**地殻の構造**：地殻は高い山の部分では厚く、海などの低い部分では薄い。

①**大陸地殻**：陸地部分の地殻で、厚みは場所によって異なり、30km〜50kmである。上層部は花崗岩質、下層部は玄武岩質の岩石からなる。

②**海洋地殻**：海洋部分の地殻で、厚みは5〜10km程度である。花崗岩質の岩石の層はなく、玄武岩質の岩石の層のみからなる。

◇**アイソスタシー**：地殻上部の花崗岩質部分の密度（約2.7g/cm³）は、下部の玄武岩質部分の密度（約3.0g/cm³）より小さいので軽い。地殻はその下のマントルに浮かんだ状態と推定されていて、厚みの厚いところと、薄いところの重さは釣り合っていると考えられている。これをアイソスタシー（地殻平衡）と呼ぶ。

◆プレートテクトニクス

- **大陸移動説**：現在5つに分かれている大陸は、かつては1つの巨大な大陸（パンゲア大陸）であり、それが分裂、移動して現在の姿になったとする説（1912年にウェゲナーが提唱）。
- **海洋底拡大説**：海嶺で噴き出したマグマは、海嶺の両側に押し出され移動して、新しい海底となる。一方、海溝では地殻がマントルに沈み込むという説。
- **海嶺**：海底にある山脈。マグマの吹き出し部分。
- **海溝**：海底と大陸が衝突する部分で、海底部分が大陸の下に沈み込む。

◇**大陸移動説の証拠**：古地磁気学の発達により証明された。

玄武岩が固まるとき、それに含まれる磁鉄鉱がその当時の磁場の方向を記録する。大陸が移動していなければ、その方向は各大陸で同じ方向を示すはずであるが、実際には磁場は移動しており、かつ各大陸で移動方向が一致しない。このことから現在の大陸は、別々の方向に移動したと推定された。

◇**海洋底拡大説の証拠**

①**古地磁気の縞模様**：海嶺から噴き出したマグマが冷えて固まるとき、磁場の方向が記録される。磁場は周期的に逆転するので、場所によって磁場の方向が異なる。海嶺を中心にほぼ左右対称に古地磁気が縞模様になっていることが発見され、海洋底の移動が確かめられた。

②**ホットスポット**：マグマが大量に吹き出す地点で、火山ができる。ハワイ諸島では連なった火山列が形成されている。これは海底がホットスポットの上を移動しているために形成されたと考えられる。

◇**プレートテクトニクス**：地球の表面がプレートと呼ばれる固い岩盤で覆われていて、それぞれのプレートが移動するという考え方。プレート同士がぶつかるところでは山脈ができ、沈み込むところでは海溝ができ、規模の大きな地震が生じる。プレートは1年に数cmの速さで移動している。

- **マントル対流**：マントルは固体であるが、対流をしている。このマントルの移動がプレートの移動を生じさせている。

◇**日本付近のプレート**：日本付近には北米プレート・ユーラシアプレート・太平洋プレート・フィリピン海プレートの4つがある。

海洋プレートは大陸プレートの下側にもぐり込み、大陸プレート側の地殻やマントルの上部で岩石に歪みのエネルギーが蓄積される。これが限界を超えると、岩石の破壊が生じ、地震となってエネルギーが放出される。プレートの歪みによる地震の規模は大きく、大きな被害が出る。

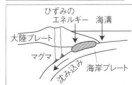

★★★フォローアップ★★★
次の（　）に入る適切な語を答えよ。
(1) 地震波にはP波とS波があり、P波は（　）波である。
(2) 地殻の下にある層は（　）呼ばれ、（　）体の層である。
(3) 日本付近には（　）つのプレートがある。

◇**解答**　(1) 縦　(2) マントル　固　(3) 4

地学

火山・岩石・流水の働き

このテーマでは、岩石の分類（火成岩、堆積岩、変成岩）と特徴を中心に学ぶ。またマグマと火山、風化作用、および流水の3つの働きについて河川、海水、氷河に分けてまとめる。

◆マグマ・火山

◇**マグマ**：地下で溶解している岩石のもとになる物質。マグマが火成岩を作り出す。マグマはマントルの上部で生じ、上昇して地殻のマグマ溜りで蓄えられる。マグマ溜りの圧力が上昇すると、火山の噴火などの形で地表に吹き出す。

◇**火山噴出物**

①**火山ガス**：大半が水蒸気で、その他に二酸化炭素や二酸化硫黄、硫化水素が含まれる。

②**火山砕屑物**：噴火で飛び散る岩石のことで、粒子の直径が32mm以上のものを火山岩塊、32〜4mmのものを火山れき、4mm以下のものを火山灰という。

③**溶岩**：マグマが地表に噴出したもの。冷えて固まると火山岩になる。

◇溶岩の性質と噴火の形式

①**静穏的な噴火の形式**（粘性の小さい溶岩・溶岩流が発生しやすい）

• **ハワイ式噴火**：玄武岩質溶岩が割れ目から噴出
　　⇒溶岩台地や楯状火山を形成。

• **ストロンボリ式噴火**：溶岩が小規模な爆発を繰り返す。
　　　　⇒成層火山を形成→富士山

②**爆発的な噴火の形式**（粘性が大きい）

• **ブルガノ式噴火**：噴火で、数千メートルの高さまで火山灰や火山れきなどを舞い上げる。
　　　⇒安山岩質溶岩の溶岩流が生じる→浅間山

◇**火山の形**

成層火山　　溶岩台地　　楯状台地

◇**カルデラ・溶岩ドーム**　火口周辺が陥没したり、爆発で吹き飛んだり、侵食されたりして直径2km以上のくぼ地になったものをカルデラという。マグマの粘性が大きく、火山ガスの噴出が少なく、大規模な噴火を起こさずに、溶岩を火口から押し出すようにして小山のような地形になったものを溶岩ドーム（溶岩円頂丘）という→昭和新山

◆岩石

(1)火成岩：マグマが地表に噴出して冷えて固まったり、地下深くでゆっくりと固まってできる岩石。火山岩と深成岩を含めて火成岩という。

• **火山岩**：マグマが地表に噴出、または地表に近いところで急激に冷えて固まってできた岩石。細かな結晶やガラス質（石基）の間に、大きな鉱物粒（斑晶）が含まれる（斑状組織という）。

• **深成岩**：マグマが地下深くでゆっくりと固まってできる岩石。含まれる鉱物粒は大きく、粒の大きさがそろっている（等粒状組織という）。

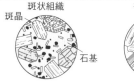

斑状組織　　　　等粒状組織
斑晶
石基

◇**主な火山岩と深成岩の名称と特徴**

		酸性岩	中性岩	塩基性岩
斑状（組織）等粒状	火山岩	流紋岩	安山岩	玄武岩
	深成岩	花崗岩	閃緑岩	斑れい岩
造岩鉱物	無色鉱物	石英	斜長石	
		正長石		輝石
	有色鉱物	黒雲母	角閃石	かんらん石 その他
		白っぽい	←（色）→	黒っぽい

　火成岩をつくっている主要な鉱物には表に挙げた、白色、もしくは無色の石英、長石があり、黒色もしくは黒緑色のものに黒雲母、角閃石、輝石、かんらん石がある。

◇**岩石の風化**：岩石が長い時間をかけて細かな粒に破壊されたり、化学変化を起こしたりすること、以下の2種類がある。

①**物理的風化**：水が割れ目に浸み込み、凍結して岩石を砕いたり、風が岩石を砕いたり、気温の変化によって岩石が膨張、収縮を繰り返して破

壊されたりする現象。

②**化学的風化**：水に岩石の成分が溶け出したり、水に含まれる物質と反応したり、火山ガス中の酸性物質や還元性を持つ気体と反応する現象。

> ◇**鍾乳洞・鍾乳石**：石灰石の主成分である炭酸カルシウムは、二酸化炭素を含む水に溶けて、炭酸水素カルシウムになる。この反応は可逆反応であり、温度が上昇するなどの変化により、逆方向の反応が進むと再び炭酸カルシウムが生成する。石灰石が溶ける変化により、地中に鍾乳洞ができ、石灰石の析出により鍾乳石や石筍ができる。これらの地形をカルスト台地という。

(2)堆積岩：風化や侵食でできた細かな岩石が、運搬され堆積してできる岩石。

◇**堆積岩の分類と名称**
①**砕屑岩**：風化、浸食によりできたれき、砂、泥が堆積したもの。
・**れき岩**：粒子の直径が2mm以上のもの。
・**砂岩**：粒子の直径が2〜1/16mmのもの。
・**泥岩**：粒子の直径が1/16mm以下のもの。
②**生物岩**：生物の遺骸が堆積したもの。
・**石灰岩**：炭酸カルシウムを主成分とする。貝殻、サンゴ、フズリナなどからできている。
・**チャート**：海水中のケイ酸分が主成分。放散虫、珪藻土などからできている。
・**石炭**：植物からできている。
③**化学岩**：水中に溶けている成分が沈殿し、堆積したもの。岩塩、セッコウなど。

(3)変成岩：堆積岩や火成岩が地下で高温に接したり、高圧を受けて変化した岩石。

接触変成作用：マグマが貫入してきて、周囲の岩石がマグマの熱によって受ける変成作用。
広域変成作用：造山運動の際の広域での高圧、高温による変成作用。
①**接触変成岩**
・**結晶質石灰岩**：大理石ともいう。石灰岩が変成作用を受けてできる。
・**ホルンフェルス**：泥岩や砂岩が変成作用を受けてできる。
②**広域変成岩**
・**片麻岩**：高温低圧の変成作用でできる岩石。
・**結晶片岩**：低温高圧の変成作用でできる岩石。

> ◇**変成岩の特徴**：細かな板状の鉱物が一定方向に並んだ構造（片理）で、板状にはがれる。光沢があり、化石は含まない。

◆**流水の働き**
◇**河川の働き**：河川は侵食、運搬、堆積の3つの働きをする。

①**侵食による地形**
河川の上流部では勾配が大きく、川底が侵食されV字谷を形成する。
河川の中流域では、河床が隆起し、その後侵食作用により川底が削られて河岸段丘ができる。
河川の下流域では、川の蛇行が生じ始めると、蛇行の外側の流水の速度が内側より大きくなるため、外側の川岸が削られ、内側の川岸には堆積が生じ、蛇行がますます進む。蛇行が進んだ河川に、洪水などで大量の水が流れることがあると、河川は再びまっすぐに流れ、残された部分に三日月湖ができる。

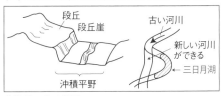

②**堆積による地形**
河川の中流部では、山間部から平野部に出る部分で、土砂が扇形に堆積し扇状地ができる。
河川の下流域では、河口付近に三角州ができる。また、河川の川岸に自然堤防ができたり、河床が周りより高くなる天井川ができたりする。
◇**海水の働き**：海水では波による侵食、沿岸流による運搬、堆積などの作用が見られる。
①**侵食による地形**
・**海食崖**：激しい波の侵食作用で海岸が削られて崖になった地形。侵食の及ぶ範囲は海面下数mまで。
・**海食台**：海食崖の下に広がる台地状地形。
②**堆積による地形**
・**砂し**：沿岸流で運ばれた土砂が堆積し、くちばし状の地形になったもの。
・**砂州**：砂しが発達した地形。さらに発達すると三角州になる。

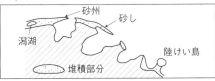

◇**氷河による地形**
・**カール**：氷河の移動の際の侵食でできる馬蹄形のくぼ地。
・**U字谷**：氷河の侵食でできたU字形の谷。
・**フィヨルド**：U字谷に海水面の上昇で海水が入り込んでできた複雑な入江。
・**モレーン**：氷河に削られ、運搬された岩石の堆積物。

地学

地層・海洋・地球環境

ここでは、前半では地層に関する種々の用語、化石と地質時代、後半では海洋について、さらに地球環境に影響を及ぼす種々の問題について考える。

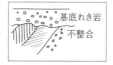

集中レッスン

◆地層

◇**地層累重の法則**：地層は堆積するとき、下から上に重なるので、上側の地層の方が下側より年代が新しいという法則。この法則が成り立つのは、大きな地殻変動がない場合である。

◇**層理面**：地層と地層の境界面。

• **級化層理**：流れのない水底に地層が堆積してできる場合、粒の大きいものほど下位になる。

級化層理	
泥	
砂	
小石	
泥	
砂	
小石	

• **斜交層理**：砂岩層に多くみられる細い筋状の模様（ラミナ）が交差したもの。上位の切っている方が新しくできたラミナ。

斜交層理
上
ラミナ
下

• **漣痕**：波の化石のこと。これが見られると、かつて海面下にあった地層が隆起した時期があったことがわかる。波の山の方が上位。

漣痕
上
下

• **整合**：層理が連続して堆積したもの。

• **不整合**：地層が隆起し、風化・侵食をうけた後再び沈降して、新しい地層が堆積するときの地層間の関係。不整合面は侵食を受け凹凸が見られる。また、不整合面を境にして、上下の地層に含まれる化石の種類に大きな違いが見られることが多い。

◇**基底れき岩**：不整合面には不規則な凹凸が生じ、その上にれき岩の層が見られる。これを基底れき岩という。不整合面の凹凸は、地層が隆起したのち、風化・侵食を受けて

生じる。

◇**かぎ層**：他の地層とたやすく区別できる地層。区別の目安になるのは、火山灰層や凝灰岩層、示準化石を含む層などである。

◇**断層**：地層が地殻変動によって破壊され、ある面を境にずれたもの。

〈**断層の種類**〉
①**正断層**：張力によってできる断層。上盤側がずり落ちている。
②**逆断層**：圧力によってできる断層。上盤側がずり上がっている。
③**横ずれ断層**：水平方向に地層がずれたもの。

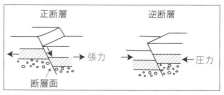

◇**褶曲**：地層が長い間、横方向からの圧力を受け続け、波状に曲げられたもの。

• **向斜**：褶曲の波形の谷の部分。
• **背斜**：褶曲の波形の山の部分。

◇**活断層**：地質年代の第4紀に動いた断層で、今後も動く可能性のある断層。

> ◇**日本の代表的な活断層の例**
> ①**中央構造線**：関東から西南日本を縦断し、九州に至る日本最大級の断層群。活断層も含まれる。
> ②**糸魚川～静岡構造線**：新潟県糸魚川市から諏訪湖を経由し、静岡市に至る巨大な断層。

◆化石と地質年代

地質時代の生物の遺物を化石という。化石には生物の遺体や足跡、糞などの生痕がある。

◇**示準化石**：特定の時代の地層にだけ発見される。地層の年代決定に用いられる。

• **示準化石の条件**：①その生物の生存期間が短い　②数多く発見される　③地理的分布が広い。

◇**地質年代と主な示準化石**

地質時代	代	先カンブリア時代	古生代						中生代			新生代		
	紀	地球の誕生時代（生物の始まり）	カンブリア紀	オルトビス紀	シルル紀	デボン紀	石炭紀	二畳紀	三畳紀	ジュラ紀	白亜紀	古第三紀	新第三紀	第四紀
												第三紀		
		水中生物時代												
生物界		下等動物時代（生物の無脊椎）？	無脊椎動物時代						脊椎動物時代					
			三葉虫時代		魚類時代	両生類時代			ハ虫類時代			ホ乳類時代		
				クサリサンゴ		フズリナ			アンモナイト					人類
		藻類・菌類時代		シダ植物時代			裸子植物時代			被子植物時代				

◇**示相化石**：その時代の環境が推定できるような化石。陸地だったか海だったか、当時の気温、水温、気候、水深などが推定できる。

• 示相化石の条件：①生息条件が限定される　②現生種と比較して、生息環境がある程度推定できる　③化石が流水などで運搬されない。

◇**放射性元素による年代測定**
　放射性元素は放射線を放出しながら、別の元素に変化する。その際、放射性元素の量が半分になるのに要する時間が元素によって決まっている。これを半減期という。化石中の放射性元素の量と現在の放射性元素の量を比較することで、その生物が生存していた時代を推定することができる。

◆**海洋**
◇**海水の成分**：海水中に溶けている主な物質は塩化ナトリウムや塩化マグネシウムなどの塩分であり、海水1kg中に含まれるすべての塩類の質量を塩分という。海水1kg中には約35gの塩分が含まれている。
◇**海流**：海洋の表面の海水の流れ。海流は水温や塩分量の差によって海水の密度に差が生じることで発生したり、風によって発生したりする。

◇**潮汐と潮流**：海面の高さは約12時間25分周期で高くなったり（満潮）、低くなったり（干潮）を繰り返す。これを潮汐という。満潮から干潮に移るときには引き潮が生じ、干潮から満潮に変化するときには満ち潮になる。これを潮流という。潮汐は月の引力による現象である。潮汐を引き起こす力を起潮力という。
◇**海洋の役割**
①**熱の貯蔵**：海水は比熱が大きいため、暖まりにくく冷めにくい。そのため、多くの熱を蓄えている。この熱は海流によって、高緯度地域に運ばれたり、大気を暖めたりしている。
②**二酸化炭素の吸収**：海水中には多くの二酸化炭素が溶け込んでいる。それらは海水中の植物によって光合成に使われたり、サンゴや貝類により使われる。
　しかし、海水による二酸化炭素の吸収の速度は遅く、急激な増加には対応できない。
◇**エルニーニョ現象**：ペルー沖の海水温が平年より上昇すると、日本の気候は梅雨が長引いたり、冷夏になったり、暖冬になる。この現象をエルニーニョ現象という。

◆**環境問題**
　人間の経済活動の結果、種々の環境問題が引き起こされてきた。
◇**地球温暖化**：工場や車の排気ガスから放出される二酸化炭素を主な原因として、地球の温暖化が問題視されている。
　二酸化炭素は赤外線を通過させないため、地球の熱放射が遮断され気温が上昇すると考えられている。
◇**オゾン層の破壊**：冷却剤や洗浄剤に含まれるフロンガスが大気中に放出され、上空に巻き上げられると、オゾン層が破壊される。オゾンは太陽からの有害な紫外線を除去しているので、これに穴（オ

ゾンホール）が開くと紫外線が直接地表に達するようになる。その結果、皮膚ガンや目の障害などが引き起こされる。
◇**フロン**：フロンはメタン（CH_4）の水素原子をフッ素や塩素に置き換えた物質で、オゾン層に達するとオゾンを破壊する。この反応は連鎖的に起こる。
◇**酸性雨**：ガソリンの燃焼などで生じる硫黄酸化物や窒素酸化物が、光化学反応で硫酸や硝酸に変化し、雨に溶けて地表に降り注ぐ。この雨を酸性雨という。
　酸性雨の影響で、湖沼のプランクトンが死滅し、食物連鎖が破壊されたり、土壌のアルミニウムなどが溶け出し植物に被害が及んだりしている。

地学

235

大気と地球の熱収支

地球を取り巻く大気がどのような構造になっているか、太陽から受けるエネルギーの量と地球の熱収支、それによる気象現象を考察する。また湿度の計算方法についても取り上げる。

集中レッスン

◆大気圏
◇大気圏の構造
- 対流圏：地表～約11km上空まで。
  大気の対流が活発で気象現象が起こる。高度が上昇すると気温も下がる。その割合は100mにつき、約0.65℃低下する。
- 成層圏：約11km～約50kmの範囲。
  20km付近までは気温はほぼ一定であるが、その後は高度とともに気温が上昇する。20～30km付近にオゾン層があり、ここで太陽の紫外線が吸収されるため、気温が上昇する。
- 中間圏：約50km～80kmの範囲。
  高度とともに気温は低下し、80～90km付近で最低気温（約-85℃）になる。
- 熱圏：約80km～大気圏の終わりまで。
  高度とともに気温は急激に上昇する。大気の一部が紫外線でイオンになっており、電波を反射する。この層を電離層という。オーロラが出現するのも熱圏の範囲内である。
- 外気圏：熱圏より外側の部分。
- 圏界面：対流圏と成層圏の境目。
◇電離層：熱圏では電離したイオンの密度の高い部分が存在する。この層は地上からの電波を反射するので電離層と呼ばれる。地表に近い側から、E層、F_1層、F_2層がある。
- 大気の組成：窒素（約78%）、酸素（約21%）、その他の気体（アルゴン、二酸化炭素など）。

◆地球の熱収支
◇太陽放射：太陽からのエネルギーは紫外線、可視光線、赤外線の形で地球に伝わるが、このうち最大のエネルギーは可視光線による。紫外線、可視光線は短波長の電磁波であり、赤外線は長波長の電磁波である。
- 電磁波：電気的な振動と磁気的な振動が伝わる現象。可視光線より波長の短いのが紫外線で、X線はさらに短い。可視光線より長いものは赤外線で、さらに長いものが電波である。
◇太陽定数：地球の大気圏の外側で、太陽光線に

垂直な1㎡の面積が1秒間に受ける太陽光線のエネルギーを太陽定数という。その値は$1.4kW/m^2$である。

- 地球の受ける太陽放射の割合：太陽放射のエネルギーの総量は1秒当たり$4.0×10^{26}J$であり、地球全体が受ける太陽のエネルギーの和は1秒当たり$1.8×10^{17}J$になる。よって地球は太陽の放射する全エネルギーの約22億分の1を受け取っている。
- 太陽高度とエネルギー量：地球の緯度が高くなると、太陽高度（図の角度）が変化し、地表面の受けるエネルギーの量も異なる。

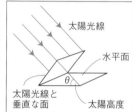

◇地球の熱収支
地球は太陽から熱を受け取るだけでなく、自らも赤外線を放射して熱を放出している。また、地球の大気や雲も太陽放射を吸収したり、反射したり、自らも熱を放射したりしている。このような熱の出入りを熱収支といい、地球の熱収支はつり合っている。

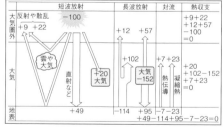

上図で重要なのは、大気圏外からの熱と、大気圏外に放出される熱はつり合い、大気圏での熱もつり合っていて、地表面の熱も同様につり合っていて、各部分で熱収支のバランスが保たれていること。

◇熱収支の緯度による違い
緯度によって太陽高度が異なるため、地表の受け取る太陽放射のエネルギーも異なる。一方、地球の放射するエネルギーは緯度による変化は少ない。

そのため熱収支にアンバランスが生じる。低緯度地域では熱が過剰で、高緯度地域では不足する。

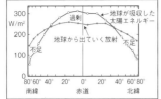

• **熱の移動**：低緯度地域の熱は高緯度地域へ大気の循環、海流、水蒸気（潜熱）によって運ばれる。

◇**水の循環**：水は固体、液体、気体と状態を変化するときに熱の出入りを伴い、これが地球上で熱を運ぶ役割をしている。

◇**水の状態変化と熱**：物質は固体、液体、気体の三態の間で変化するとき、熱の出入りを生じる。これを潜熱という。気体から液体に変わるとき凝縮熱（凝結熱）が放出され、液体から気体に変わるときには蒸発熱（気化熱）が吸収される。他にも融解熱や凝固熱、昇華熱も潜熱である。

◇**飽和水蒸気圧**：一定温度で単位体積当たりに含まれる水蒸気の量には限界があり、限界に達した状態を飽和状態という。このときの圧力を飽和水蒸気圧という。

◇**蒸気圧曲線**：温度と飽和水蒸気圧の関係を示したグラフ。飽和水蒸気圧はその温度における、水蒸気の示す最高の圧力なので、右図のように冷却していくと曲線と水蒸気圧が交わるところで飽和になる。この時の温度を露点という。

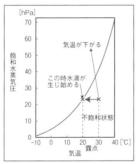

◇**湿度（相対湿度）**：ある温度での飽和水蒸気圧に対する実際の水蒸気圧の割合を百分率で示したもの。空気の湿り具合の目安である。次の式で求められる。

$$相対湿度 = \frac{実際の水蒸気圧}{その温度での飽和水蒸気圧} \times 100$$

$$= \frac{実際の水蒸気量}{その温度での飽和水蒸気量} \times 100$$

◇**相対湿度の計算例**

（**問題**）30℃の空気1m³中に12.5gの水蒸気が含まれている。30℃の飽和水蒸気量を30.4gとして、湿度を求めよ。

（**解答**）上の公式より

$$\frac{12.5}{30.4} \times 100 = 41.1 \ (\%)$$

◇**断熱変化**：気体は熱の出入りがなくても、体積が膨張すると温度が下がり、圧縮すると温度が上がる。これを断熱変化という。

◇**乾燥断熱減率**：断熱変化で温度が下がる割合は、不飽和の状態では、100m高度が上昇すると約1℃の低下になる。

◇**湿潤断熱減率**：飽和状態では100m上昇で、0.5℃の温度低下になる。これは飽和している水蒸気が凝結し、潜熱を放出するため温度の減率が小さくなるためである。

◇**フェーン現象**：海から暖かく湿った空気がやってきて山の斜面を上昇すると、ある高度から飽和になった水蒸気が雨となる。雨を降らせた空気は、乾燥し山頂から下るときには乾燥断熱減率で温度が上昇するため、高温の風となって吹き下る。これをフェーン現象といい、東北の日本海側や北陸地方でよくみられる。

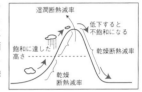

◇**雲**：微小な水滴や氷が雲粒となって大気中に浮かんでいるものが雲である。雲は水平方向に広がるもの（8種類）と垂直方向に発達するもの（2種類）の10種雲形に分類されている。

◇**凝結高度**：水蒸気を含む空気が上昇すると、乾燥断熱減率で気温が低下し、ある高さで飽和水蒸気量に達すると凝結（凝縮）が起こる。この高さを凝結高度という。

◇**飛行機雲ができる理由**

水蒸気が凝結するとき、空気中の塵や海水からの塩分の結晶などが核となる。これを凝結核という。凝結核がないと、飽和に達しても水滴が生じない。この状態を過飽和という。飛行機雲は過飽和の状態の中を飛行機が飛び、排気された物質が凝結核となり水滴ができることで生じる。

◇**雲の種類**：水平方向に広がる雲を層状雲、垂直方向に広がる雲を対流雲という。層状雲には巻積雲（うろこ雲）や乱層雲（雨雲）、対流雲に積乱雲（入道雲）がある。

◇**雨粒**：雲粒が集まって成長すると雨粒になる。これが地表に落ちてきたものが雨である。雲粒の直径は0.01mm程度、雨粒の直径は1mm程度、霧粒の直径は0.1mm程度である。

知っ得 ◇**台風のエネルギー** 台風は熱帯地方の海の上で発生する。これは海面で蒸発した水蒸気が潜熱を吸収し、エネルギーを得るためである。

気象

ここでは、風の流れ、大気の循環について考え、気団と前線の特徴とそれによる気象現象を取り上げる。また、日本付近の気象についてもまとめる。

集中レッスン

◆風

　大気の流れを風といい、風が吹く原因は大気中に生じる気圧の差である。風は気圧の高い方から低い方に向かって吹く。等圧線の間隔が狭いほど、風は強い。

・**気圧傾斜力**：水平方向の2地点の気圧差によって働く力を気圧傾斜力といい、これで風が生じる。

◇**気圧**：単位面積当たりの大気の重さのこと。気圧は標高が高くなると小さくなる。

・**大気圧の大きさ**：1気圧は1013hPa（ヘクトパスカル）、760mmHg（ミリ水銀柱）に相当。
・**760mmHgとは**：一端を閉じたガラス管に水銀を満たし水銀だめの中で倒立させると、ガラス管の上方に真空（トリチェリーの真空）ができ、水銀柱の高さは760mmで静止する。これだけの水銀による圧力が大気圧とつり合うためである。これを1気圧として、水銀柱の高さで圧力を示す。その際、圧力の単位は、mmHgである。

◇**熱対流**：温度差によって生じる大気の循環。

◇**熱対流による風**

〈**海陸風**〉日中に海から山に向かって吹き、夜間は山から海に吹く風。水は暖まりにくく、冷めにくいので、昼間は海より陸地の方が温度が高くなる。そのため陸地で上昇気流が生じ、対流が起こって地表付近では海からの風が吹く。一方夜間は海の方が温度が高いのでこの逆の現象が生じ、陸側から海に風が吹く。

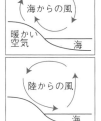

〈**季節風**〉夏には海洋から大陸に向かって吹き、冬には大陸から海洋に向かって吹く風。夏は陸地の方が暖かく、陸地で上昇気流が生じ、対流により風は海から吹く。冬は海洋の方が温度が下がりにくいので、陸地からの風が吹く。

〈**転向力**〉地球の自転が原因で物体に見かけ上働く力。

コリオリの力ともいう。転向力は、北半球では物体の進行方向に対して右向きに働く。南半球では進行方向の左向きに働く。転向力の大きさは、赤道では0で、緯度が高くなるほど大きくなる。

〈**地衡風**〉地表から約1km上空で等圧線に平行に吹く風。気圧傾斜力と転向力が等しくなるため。

軌跡：右向きに曲がる
ボールを転がす
回転　　円盤

◇**大気の大循環とモデル**：地球は低緯度地帯で熱が余り、高緯度地帯で不足している。そのため温度差が生じ、大気が循環する。大気の大循環は、3つの循環と考えることができる。

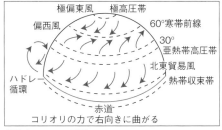

極偏東風　極高圧帯
偏西風　　　　　60°寒帯前線
　　　　　　　　30°
　　　　　　　　亜熱帯高圧帯
　　　　　　　　北東貿易風
ハドレー　　　　熱帯収束帯
循環
　　　　　赤道
コリオリの力で右向きに曲がる

①**緯度0°〜30°付近**

　赤道付近で上昇した大気が緯度30°付近で（亜熱帯高圧帯）下降し、低緯度地帯への北東貿易風（南半球では南東貿易風）が吹く。この循環をハドレー循環という。

②**緯度30°〜60°付近**

　亜熱帯高圧帯で下降した大気は、一方で高緯度地帯に偏西風となり、寒帯前線で上昇する。

③**緯度60°〜90°付近**

　極高圧帯から東風（極偏東風）が吹き出し、緯度60°付近で偏西風とぶつかって寒帯前線をつくる。

◆気団と前線

◇**高気圧**：周囲より気圧の高いところ。下降気流

知っ得｜◇**台風の呼び名**　北太平洋東部、南太平洋西部、西大西洋ではハリケーン。インド洋ではサイクロン。

が生じる。一般に天気は良い。

◇**低気圧**：周囲より気圧の低いところ。上昇気流が生じるため、雲が発達し、天気は悪い。熱帯地方で生じるものを熱帯低気圧といい、そのうち最大風速が17m/s以上のものを台風という。熱帯地方以外で生じるものを温帯低気圧という。

◇**日本付近の台風の進路**：日本の南の海上で発生した台風は、太平洋高気圧の縁を回って移動する。高気圧の南側では、北西に進み、北側では偏西風に乗って北東に進む。8〜9月ごろが最も日本に接近する台風が多い。

◇**気団**：大陸や海洋上に長期間とどまる高気圧。地表の影響を受け、広い範囲で均一な性質の空気のかたまりになる。

◇**日本付近の気団の例**
・**シベリア気団**：冬にみられる気団で、シベリアの大陸上で発生する。低温・乾燥が特徴。
・**小笠原気団**：夏の気団で、小笠原付近の海上で発生し、高温・多湿が特徴。
・**オホーツク気団**：梅雨の時期や秋の長雨の時期にみられる。オホーツク海で発生し、低温・多湿が特徴。
・**揚子江気団**：春や秋にみられる気団。中国大陸の揚子江付近で発生。高温・乾燥が特徴で、移動性。

◇**前線とその種類**：2つの異なる気団の境界面にできる厚さ1kmほどの層を前線面という。前線面が地表面と交わる線が前線である。
①**温暖前線**：暖かい空気（暖気）が冷たい空気（寒気）の上にゆるやかに上昇し、寒気を押し上げながら移動する前線。温暖前線が通過すると、広い範囲でおだやかな雨が長時間降る。前線通過後は気温が上昇し、天気は回復する。

②**寒冷前線**：寒気が暖気の下にもぐり込み、暖気を押し上げながら移動する。寒冷前線が通過すると積乱雲が発生し、にわか雨や落雷、ひょうが降ることもある。強い雨が狭い範囲に降る。前線の通過後は、気温が急激に下がる。
③**停滞前線**：寒気と暖気の勢力がほぼ等しいとき、両方の気団が動かず停滞する。この時の前線をいう。
④**閉塞前線**：寒冷前線が温暖前線に追いついたもの。前線が2つの寒気に閉じ込められる。

◆**日本の天気**
◇**冬**：シベリア上空に高気圧（シベリア気団）が発達し、日本の東海上に低気圧が生じて、西高東低

の気圧配置になる。等圧線が南北に走り、間隔は狭く強い北風が吹く。日本海側に大雪が降る一方、太平洋側は乾燥した晴天が続く（図①）。

◇**春**：揚子江付近から移動性高気圧がやって来て、天気は周期的に変化する。晩春の夜間に高気圧が通過すると、放射冷却により気温が下がり、遅霜が生じたりする（図②）。

◇**夏**：小笠原高気圧が日本列島を覆い、大陸には低気圧が生じる南高北低の気圧配置になる。高温多湿で南寄りの風が吹く。局地的に雷雨が発生する（図④）。
◇**秋**：春と同じく移動性高気圧で、天気は周期的に変化する。北からの冷たい風が流れ込み、空気は澄む（図②）。

◇**梅雨**：北のオホーツク高気圧と南の小笠原高気圧の間に、停滞前線が生じ雨が続く。この前線を梅雨前線という。前線上に低気圧が発生し、湿った空気が流れ込むと豪雨になることもある。小笠原高気圧の勢力が強まると、前線が押し上げられ、梅雨が明ける（図③）。

◇**台風**：夏から秋にかけて、台風が太平洋高気圧の縁を回って日本列島に接近、上陸する。
◇**秋雨**：9月中旬から10月上旬に梅雨の時期に似た気圧配置が現れる。秋雨前線と呼ばれる停滞前線が発生、この時期の悪天候を秋雨（秋りん）という。

◇**天気図の記号**

快晴	晴	曇	雨	雷	霧	雪	みぞれ	ひょう	あられ
○	①	◎	●	⊙	≡	⊛	⊘	▲	△

温暖前線	寒冷前線	停滞前線	閉塞前線
▲▲▲▲	▼▼▼▼	▲▼▲▼	▲▲▲▲

天体

このテーマでは、天体の日周運動、地球の自転，公転について、ケプラーの法則、太陽と太陽系の惑星についてまとめる。

◆地球の自転・公転

◇天体の日周運動

天体は約1日の周期で、東から西へ移動するように見える。この運動を日周運動という。日周運動は地球が自転していることが原因である。日周運動の周期は23時間56分4秒である。

- **天球**：地球を中心とした天体を映す球を仮定し、これを天球という。
- **天の赤道**：地球の赤道を延長した天球上の円。
- **天の黄道**：天球上での太陽の移動する道筋。太陽は1年かけて西から東に1周する。
- **天の北極**：地球の北極の延長線が天球と交わる点。天の北極の付近の恒星は、天の北極を中心として、反時計回りに1時間に約15°の速さで回転する。
- **天頂**：地上の観測者の真上の点。
- **天の子午線**：天の北極、南極、天頂を結ぶ円。
- **南中**：恒星が点の子午線を通過すること。南中時の南の地平線からの高度を南中高度という。

◇**南中高度の求め方（北半球）**：春分、秋分の日の太陽は天の赤道上にあるので、南中高度は（90°−観測点の緯度）となる。夏至の日の太陽では、太陽が天の赤道から23.4°北にずれるので、90°−（緯度−23.4°）となる。冬至の日では、南に23.4°ずれるので、90°−（緯度+23.4°）となる。

◇**周極星・出没星**：北半球で地平線に没することなく、常に地平線上で日周運動する恒星を、北の周極星という。（南半球では南の周極星）それに対し、東の地平線から出て、西の地平線に没する恒星を出没星という。

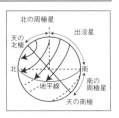

◇地球の自転の証拠

地球は23時間56分4秒で西から東へ1回転する。これを1恒星日という。地球の自転軸を地軸といい、地軸は地球の公転面と垂直な方向から23.4°傾いている。自転の証拠には次のようなものが挙げられる。

◇**フーコーの振り子**：長い針金に重いおもりをつるして振り子を振ると、振り子の振動面が北半球では時計回りに移動する。これは振動面は変化していないが、観測者が地球の自転で移動しているため、振動面が移動していると感じることが原因である。赤道上では振動面は回転せず、北極上では1日に1回転する。

◇**コリオリの力**：地球の自転による、運動方向に対して垂直方向に見かけの力。北半球では運動の向きが右寄りに反れてゆく。偏西風などの原因となる。

◇地球の公転の証拠

地球は太陽の周りを365.25日かかって一周する。これを1恒星年という。公転の向きは、天の北極から見て反時計回りである。地球の公転の証拠には次のようなものがある。

〈**年周視差**〉近くの恒星は、遠くの恒星と比べると季節によって見える位置が異なる。これは地球が公転しているために生じる。この時の図に示す角度を年周視差という。

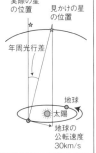

〈**年周光行差**〉地球が移動しているので、恒星からくる光は実際の方向より、斜め前からくるように見える。恒星の真の方向と、見かけの方向の角度を年周光行差という。

◇月の運動

　前日と同時刻に月を観察すると、約13°東に移動している。これは月が27.32日かかって地球の周りを公転していることから生じる、見かけの運行である。月は地球を1回公転する間に、自らも1回自転するため、いつも地球に対して同じ面を向けており、月の裏側を観察することはできない。

◆太陽・惑星

◇**太陽**：太陽は気体からできている。体積％で水素が約82％、ヘリウムが約17％である。太陽も自転しており、極では約29.5日、赤道では約25日である。

- **半径**：地球の約109倍
- **質量**：地球の約33万倍

◇**太陽のエネルギー源**：太陽の中心温度は1000万Kを超え、この高温で、4つの水素原子が核融合反応を起こし、1つのヘリウム原子に変わる。その際、わずかに質量が失われ、これがエネルギーに変換される。

◇太陽の構成

- **光球**：サングラスなどをして見える円盤の部分。表面温度は約6000K（ケルビン）。
- **黒点**：光球面に現れる黒い斑点。周囲より温度は低い（約4000K）。
- **彩層**：光球の外側の厚さ約1000kmの層。
- **プロミネンス（紅炎）**：彩層から出る炎のような突起。
- **コロナ**：彩層の外側の層。温度は100万K以上。

◇**フレア・デリンジャー現象**：フレアとは黒点付近の彩層が急に燃え上がる現象。多量の紫外線、X線、荷電粒子などが放出され、地球では電離層が乱れて通信障害が起きる。これをデリンジャー現象という。

◇太陽系の惑星

- **地球型惑星**：水星、金星、地球、火星
- **木星型惑星**：木星、土星、天王星、海王星

◇主な惑星の特徴

〈**水星**〉大気がなく、昼の温度は430℃、夜の温度は−170℃にもなる。表面に多数のクレーターがある。

〈**金星**〉二酸化炭素の雲に覆われ、強烈な温室効果のため、表面温度が470℃に達する。自転周期は約243日。

〈**火星**〉赤茶けた惑星で、大気は薄く、極冠と呼ばれる氷が存在する。かつては水が流れていた。自転周期はほぼ地球と同じ。

〈**木星**〉最大の惑星。質量は地球の約320倍。水素とヘリウムを主成分とする大気に覆われている。

〈**土星**〉環を持つ惑星。

◇**恒星・惑星・衛星**：自ら光を発する星を恒星という。恒星の周りを公転する星を惑星といい、惑星の周りを公転するものを衛星という。

◇**惑星の視運動**：ほぼ黄道に沿って西から東の移動を順行、東から西は逆行という。

◆ケプラーの法則

◇**第1法則**：惑星は太陽を1つの焦点とする楕円軌道をとる。これを楕円軌道の法則ともいう。

◇**第2法則**：惑星と太陽を結ぶ線分が一定時間に描く面積は常に一定の値をとる。太陽の近く（近日点付近）では、惑星の公転速度は速く、遠く（遠日点付近）では、遅くなる。これを面積速度一定の法則という。

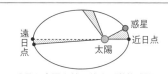

惑星と太陽を結ぶ線分が単位時間に
一定面積を描くように動く

◇**第3法則**：惑星と太陽の平均距離の3乗はその惑星の公転周期の2乗に比例する。これを調和の法則という。

◆恒星

◇恒星の明るさ

- **実視等級（見かけの明るさ）**：肉眼で見た時の明るさ。1等級から6等級の6段階に分けられる。
- **絶対等級**：天体の明るさは、地球からの距離の2乗に反比例するので、地球から同じ距離（32.6光年）に置いたときの明るさで比較する。これを絶対等級という。
- **恒星の色と表面温度**：青白く見える恒星が表面温度が最も高く10000〜50000K程度であり、黄色では5000〜6000K程度、赤色では3300K程度である。

【知っ得】◇**ビッグバン・ブラックホール**　宇宙はある時点で、宇宙の物質が1点に凝縮されていて、これが大爆発（ビッグバン）を起こし、膨張して現在に至っているとする考え。
　太陽の質量の30倍を超える星では、自分の重力で収縮しさらに重力が増す。ついに光も出られなくなったものをブラックホールという。

◇**銀河**：多くの恒星や星間物質からなる小宇宙。太陽系の属する銀河を銀河系という。

- **銀河群**：数十個の銀河の集団。
- **銀河団**：銀河群が数十から数百集まったもの。
- **超銀河団**：銀河団の集合。

地学

＜練習問題＞

練習問題1

次の空欄に適する語句の組合せのうち、正しいものはどれか。

　地球の内部構造は、地表から順に、地殻、（　①　）、外核、内核に分類される。①は固体であるが（　②　）をしており、プレートを移動させる原動力となる。外核は（　③　）で、地震波のうち（　④　）波は通過できない。内核は鉄、ニッケルで出来た固体の層である。①と外核の境界面を（　⑤　）という。

	①	②	③	④	⑤
(1)	ジオイド	対流	固体	L	モホ面
(2)	マントル	対流	液体	P	レーマン不連続面
(3)	ジオイド	振動	固体	S	グーテンベルグ不連続面
(4)	マントル	振動	液体	P	レーマン不連続面
(5)	マントル	対流	液体	S	グーテンベルグ不連続面

練習問題2

次の空欄に入る語句の組合せが間違っているものはどれか。

　マグマが冷えて固まった岩石を（　①　）といい、地表近くで急激に冷えてできるものを（　②　）、地下深くでゆっくり冷えてできるものを（　③　）という。このうち、（　④　）組織をもつものは②である。

　①や堆積岩が高温、高圧の影響を受けて変化してできた岩石を、（　⑤　）という。

①－火山岩　　②－火成岩　　③－深成岩

④－斑状　　⑤－変成岩

（1）①、②

（2）①、②、④

（3）②、③、④

（4）③、⑤

（5）④、⑤

練習問題1　　　　　　［解答］（5）

　マントルは固体であるが、対流をしており、マントル上に乗っているプレートを移動させる原動力になる。プレート同士が沈み込む付近では、歪みのエネルギーが溜り、それが放出されると巨大地震が発生する。外核は融解した鉄などの金属からなる液体であり、横波のS波は通過できない。モホ面は地殻とマントルの境界面の名称であり、レーマン面は外核と内核の境界面を指す。

練習問題2　　　　　　［解答］（1）

　①は火成岩、②が火山岩である。火山岩では斑状組織が見られ、深成岩では等粒状組織が見られる。変成作用にはマグマの熱による接触変成と、地殻変動の圧力による広域変成があり、変成作用によってできた岩石を変成岩という。

練習問題 3

次の語句の説明として組合せで正しいものはどれか。

①正断層…張力によってできる断層で、上盤側がずり落ちる。

②褶曲…砂岩層に多くみられる細い筋状の模様が交差した地形。

③示準化石…その時代の環境が推定できる化石。

④示準化石の条件…その生物の生存期間が短く、数多く発見されること。

⑤酸性雨…窒素酸化物や二酸化炭素が雨に溶け込んで、酸性を示す雨。

（1）①、②

（2）①、④

（3）②、③

（4）③、⑤

（5）④、⑤

練習問題 4

次の文書の下線部が間違っているものはどれか。

①地球が太陽から受けるエネルギーのうち、最も多くのエネルギーを伝えるのは<u>紫外線</u>である。

②地球をとりまく大気は、いくつかの層に分けられる。そのうち、オゾン層を含むのは<u>成層圏</u>である。

③太陽から受け取る熱と地球が放出する熱は、全体では釣り合っているが、緯度によってはアンバランスになっている。これを解消するため、大気の循環、海流、<u>水蒸気</u>などで熱が運ばれる。

④気温が低下すると、空気中の水蒸気が水滴になる。この時の温度を<u>融点</u>という。

⑤海からの暖かく湿った空気が山の斜面を上昇し、雨を降らせた後、山を越え反対側の斜面を下るとき、高温の風となって吹き下る。この現象を<u>ハドレー循環</u>という。

（1）①、②、③

（2）②、④、⑤

（3）①、④、⑤

（4）③、④、⑤

（5）①、②、⑤

練習問題3　　　　　　　[解答]（2）

②斜交層理の説明文である。褶曲は地層が長い期間に渡って横方向からの圧力を受け、波状に曲げられた地形である。

③示相化石の説明文である。示準化石は特定の時代の地層にだけみられる化石で、地層の年代を決定するのに用いられる化石である。

⑤二酸化炭素は酸性雨の原因物質ではない。普段の雨でも、二酸化炭素が溶け込んで酸性の雨になっているが、酸性雨は窒素酸化物や硫黄酸化物が溶け込んで、さらに強い酸性になった雨のことである。

練習問題4　　　　　　　[解答]（3）

①地球が太陽から受けるエネルギーのうち、最も多くのエネルギーを伝えるのは可視光線である。

④空気中の水蒸気が水滴になる時の温度を露点という。

⑤この現象は、フェーン現象である。ハドレー循環とは、赤道付近で上昇した大気が、緯度30°付近で下降し、低緯度地帯へ風が吹く。この緯度0〜30°地帯での大気の循環をいう。

地学

練習問題 5

次の記述で正しい組合せはどれか。

①日中は海より陸の方が気温が高いため、陸から海に向かって風が吹く。

②緯度30～60°付近では、西寄りの風が吹く。これを偏西風という。

③高気圧は周囲より気圧が高いところで、上昇気流が生じる。

④温暖前線では、暖気が寒気の上にゆるやかに上昇し、広い範囲でおだやかな雨になる。

⑤春や秋に好天をもたらす移動性高気圧は、揚子江気団と呼ばれる。

	①	②	③	④	⑤
(1)	正	正	誤	正	正
(2)	正	誤	誤	正	誤
(3)	誤	正	正	正	正
(4)	誤	正	誤	正	正
(5)	正	誤	誤	誤	正

練習問題 6

次の空欄に適する語の組合せで、正しいものはどれか。

①近くの恒星は遠くの恒星に比べて、季節によって見える位置が異なる。この時の角度を（　　）という。

②地球の自転による、運動方向に対して垂直方向への見かけの力を（　　）という。

③太陽の明るく光る部分を（　　）という。

④ケプラーの第3法則は、（　　）の法則と呼ばれる。

⑤恒星の表面温度は、赤色に見える星が最も（　　）。

	①	②	③	④	⑤
(1)	年周視差	フーコーの力	コロナ	面積速度一定	高い
(2)	年周光行差	転向力	彩層	調和	高い
(3)	年周視差	コリオリの力	彩層	楕円軌道	低い
(4)	年周光行差	転向力	光球	面積速度一定	高い
(5)	年周視差	コリオリの力	光球	調和	低い

練習問題5　　　　　[解答]（4）

①日中は水の温まりにくい性質で、陸の方が早く気温が上がり、上昇気流が生じる。この部分に海から空気が流れ込み、海から陸への風が吹く。

②正しい。

③高気圧は気圧が高いので、空気を低圧部に向かって吹き出す。そのため下降気流が生じる。

④正しい。温暖前線の通過後は天気が回復する。

⑤正しい。

練習問題6　　　　　[解答]（5）

①年周視差の説明。地球の公転により、観測位置が異なることが原因。

②コリオリの力。転向力ともいう。偏西風などの原因になる。

③太陽の明るく光る部分を光球、光球の外側を彩層、さらにその外側がコロナである。

④ケプラーの第1法則は、楕円軌道の法則。第2法則が面積速度の法則、第3法則が調和の法則である。

⑤恒星の表面温度は赤色、黄色で低く、白色、青色で高い。

判断推理

◇判断推理頻出問題上位

①命題
②軌跡
③対応関係
④順序関係
⑤立方体の切断・回転・移動
⑥位置関係
⑦カード
⑧試合
⑨数量
⑩整数

発言表

まず，与えられた条件で確定可能な分の対応表を作り，空欄が確定するか考える。次に，設問と照らし合わせ，正解が決まらなければ表の空欄をいくつかのパターンに場合分けする。

例題－1

A～Dの4人が6日間の仕事をした。1日2人ずつがペアになって働き，1人3日間働いた。同じペアは1日しかなかった。次のア～オのことが分かっているとき，正しいものはどれか。

ア：6日間の天気は，晴れ，曇り，雨のいずれかであった。

イ：Aは，曇りの日に2回働いた。

ウ：BとCがペアを組んだ日は晴れだった。

エ：Cは，晴れの日に2回，曇りの日に1回働いた。

オ：Dは，雨の日に2回働いた。

1. AとBがペアの日は晴れだった。
2. BとDがペアの日は晴れだった。
3. AとCがペアの日は曇りだった。
4. AとDがペアの日は曇りだった。
5. CとDがペアの日は曇りだった。

◆解答のポイント

リーグ戦のような対戦表を考える。

◆解き方

エからCは雨の日に働いていない。よって，オからDが雨の日に働いたペアはAとBである。すると，イからAが曇りの日に働いたペアはBとCである。よって，この時点で3が正しい。対戦表は以下の様になる。

	A	B	C	D
A	\	曇り	曇り	雨
B	曇り	\	晴れ	雨
C	曇り	晴れ	\	晴れ
D	雨	雨	晴れ	\

正解　3

例題－2

あるパーティーに出席した女性についてバッグとヒールの色を調べたところ，次のア～オのようになった。これらのことから確実にいえることはどれか。ただし，出席した女性は全員ヒールを履いて，バッグを1つずつ持っていた。

ア：バッグとヒールの色はシルバー，ゴールド，白で，それぞれ何人かずついる。

また，この3色以外の色はない。

イ：バッグとヒールがともにゴールドの人はいない。

ウ：白いヒールの人はすべてシルバーのバッグを持っている。

エ：白いバッグの人はゴールドのヒールを履いていない。

オ：バッグとヒールが同じ色の人が3人いる。

1. ゴールドのヒールを履いている人のバッグの色は2種類である。
2. シルバーのヒールを履いていてゴールドのバッグを持っている人がいる。
3. シルバーのヒールを履いている人のバッグの色は2種類である。
4. シルバーのヒールを履いていて白のバッグを持っている人はいない。
5. シルバーのヒールを履いてシルバーのバッグを持っている人はいない。

◆**解答のポイント**

バッグの色とヒールの色の対応表を考える。

◆**解き方**

ウから，白のヒールの人はゴールドと白のバッグを持っていない。イから，ゴールドのヒールの人もゴールドのバッグを持っていない。しかし，アからゴールドのバッグを持っている人がいるはずで，それはシルバーのヒールを履いている人ということになる。この時点で2が正しい。対応表は以下の様になる。ただし，Bはバッグ，Hはヒールの略である。

B＼H	シルバー	ゴールド	白
シルバー	○	○	○
ゴールド	○	×	×
白	○	×	×

正解　2

例題－3

A～Dの4人が，みかん，梨，りんご，柿の4種類の果物の中から，好きな果物を2種類ずつ選んだところ次のア～エの様になった。

ア：選んだ果物の組合せは4人とも異なっていた。
イ：みかんを選んだのは3人，柿を選んだのは1人であった。
ウ：AとBはりんごを選んだ。
エ：BとCの選んだ果物に同じ種類のものは無かった。

このとき，Dが選んだ果物の組合せとして正しいのはどれか。

1. みかんと梨
2. みかんと柿
3. 梨とりんご
4. 梨と柿
5. りんごと柿

◆**解答のポイント**

人と果物の対応表を考える。

◆**解き方**

まずアとイから，みかんと梨，みかんとりんご，みかんと柿を選んだ3人がいて，残りの1人はウから梨とりんごを選んでいる。次にウとエから，Aがみかんとりんご，Bが梨とりんご，Cがみかんと柿を選んでいて，Dはみかんと梨を選んだことになる。対応表は以下の通りである。

	みかん	梨	りんご	柿
A	○		○	
B		○	○	
C	○			○
D	○	○		

正解　1

位置関係

一列・並列・円形・平面のパターンがあるが，条件によって固定可能ないくつかのパーツを作り，それを組み合わせてゆく。また，円形の場合は誰か一人の場所を適当に決める。

例題－1

A～Fの6人が横1列に並んでおり，この6人の並び順について，次のア～エのことが分かっているとき，確実にいえるものはどれか。

ア：AとFは隣り合っている。

イ：BとCは隣り合っている。

ウ：CはDの左側にいて，間に2人が並んでいる。

エ：Eの位置は端ではない。

1. AとCは隣り合っている。
2. AとDは隣り合っている。
3. BとEは隣り合っている。
4. Dの位置は端である。
5. Fの位置は端である。

◆解答のポイント

いくつかのかたまりを作って組み合わせる。

◆解き方

まずイとウから，BとCとDの並び順は，BC○○DかCB○Dであるが，アからAとFの並び順はAFかFAとなり前者は○○のところに入れるしかなく，エに反する。よって後者の○にEを入れることになり，この時点で3が正しい。条件を満たす並び順は，AFCBED か FACBED か CBEDAF か CBEDFA である。

正解　3

例題－2

図のようなア～ケの土地にA～Iの9棟のビルが建てられている。9棟のビルは高さも幅もすべて等しいので，縦，横，斜めの位置で端どうしにあるビル（例えばアとケ，イとク）は互いに見ることはできない。以下のことが分かっているとき，確実にいえるものはどれか。

・Aはクの土地に建てられている。

・BからC，D，Hのビルを見ることはできない。

・Eからはすべてのビルを見ることができる。

・Iからは，Fを見ることはできるが，Gを見ることはできない。

ア	イ	ウ
エ	オ	カ
キ	ク	ケ

1. Bはウに建てられている。
2. Cはケに建てられている。
3. Dはアに建てられている。
4. Fはイに建てられている。
5. Gはエに建てられている。

◆**解答のポイント**

場所が特定できなくても，位置関係が特定できるか考える。

◆**解き方**

まず，すべてのビルを見ることができるEは，明らかに真ん中のオである。また，互いに3つのビルが見えないB，C，D，Hは，四隅のア，ウ，キ，ケである。さらに，互いに見えないIとGは一直線上の端どうしで，Aがクなので，IとGはエとカであり，残ったFはイである。配置は右の表の通りである。

ア	イ	ウ
B, C, D, H	F	B, C, D, H
エ	**オ**	**カ**
I, G	E	I, G
キ	**ク**	**ケ**
B, C, D, H	A	B, C, D, H

正解　4

例題－3

図のような丸テーブルがあり，A，B，Cの3人の男性と，D，E，Fの3人の女性が座っている。以下のことが分かっているとき，「Eの夫」と「Bの真向かいの女性」の組合せとして確実にいえるのはどれか。

・Aの左隣の女性は，Bの右隣に座っている。

・Dの左隣にはEの夫が座っている。

・Eの座っている席は夫の隣ではない。

・Cの真向かいにはFが座っている。

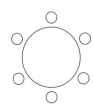

```
　　　Eの夫　Bの真向かいの女性
　1.　　A　　　　　　D
　2.　　A　　　　　　E
　3.　　B　　　　　　D
　4.　　B　　　　　　E
　5.　　C　　　　　　D
```

◆**解答のポイント**

まず誰かをどこかの席に固定する。

◆**解き方**

まず，図の様に円卓の座席に名前を付ける。

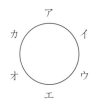

向かい合ったCとFについて，Cをア，Fをエに固定すると，女性をはさむAとBは，Aがウ，Bがオとなるしかない。残りのDとEについては，Dがカだと，アのCがEの夫となり，イにいるEの隣になり不適である。よって，Dがイで，Eの夫はAであり，Eがカである。また，オのBの真向かいの女性はイのDである。

正解　1

試合

トーナメント戦（勝ち抜き戦）では，1位以外の順位の決め方に注意する。リーグ戦（総当り戦）では，各チームにおける試合数と，勝ち数・負け数・引き分け数の合計は，必ず一致する。

例題－1

A～Dの4人がトーナメント戦をして，Aが優勝した。順位のつけ方は自分が対戦して負けた相手の次になるとする。図Iの場合，Aは1位，BとDは2位，Cは3位となる。では，A～Pの16人が図IIでトーナメント戦を行うと，2位の者は何人になるか。

1. 1人
2. 2人
3. 3人
4. 4人
5. 5人

◆解答のポイント
優勝するまでの試合数に注目する。

◆解き方
16人のトーナメント戦で優勝した者は4連勝した者である。よって，優勝者に負けた者は4人いることになり，この4人が2位となる。仮にAが優勝した場合，各人の順位は以下の通りである。

図I　　　　図II

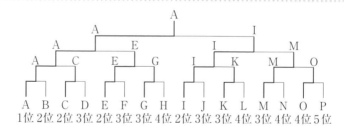

A	B	C	D	E	F	G	H	I	J	K	L	M	N	O	P
1位	2位	2位	3位	2位	3位	3位	4位	2位	3位	3位	4位	3位	4位	4位	5位

正解　4

例題－2

A～Dの4人が1対1のテニスの試合を行い，次のように1位から4位までを決めた。

・1回戦は，くじで対戦相手を決める。
・1回戦で勝った者どうしで2回戦を戦い，そこで勝った者を1位とする。

・1回戦で負けた者どうしで2回戦を戦い，そこで負けた者を4位とする。
・1回戦で勝ち2回戦で負けた者と，1回戦で負け2回戦で勝った者とが対戦し，そこで勝った者を2位，負けた者を3位とする。

試合結果について，AとCが2回対戦し，

Aが自身の最後の試合に勝ち，Bが1回戦で勝ったことがわかっているとき，1位と3位の組合せとして正しいのはどれか。

	1位	3位
1.	A	B
2.	A	C
3.	A	D
4.	B	C
5.	B	D

◆**解答のポイント**

　順位の決め方をよく考える。

◆**解き方**

　AとCが2回対戦したということは，まず1回戦で対戦し，勝った者は2回戦で負け，負けた者は2回戦で勝ち，再び2位決定戦で戦ったことになる。よって，自身の最終戦に勝ったAが2位でCが3位。また，優勝者は一度も負けていないので，1回戦で勝ったBが1位，残ったDが4位である。

正解　4

例題－3

　A～Fの6人が，リーグ戦で卓球の試合を行ったところ，Eは3勝2敗，Fは1勝4敗であった。引き分けがないとき，A～Dの4人の成績としてあり得るのはどれか。

　1. Aは全勝で，残る3人は2勝3敗であった。
　2. AとBは全勝であった。
　3. Aは全敗で，残る3人は4勝1敗であった。
　4. Aは全敗で，残る3人の勝敗数は同じであった。
　5. AとBは同じ勝敗数で，CとDも同じ勝敗数であった。

◆**解答のポイント**

　全試合数と全勝敗数を考える。

◆**解き方**

　6人のリーグ戦であるから，1人は5人と対戦する。よって全試合数は$5 \times 6 \div 2 = 15$であり，全勝数も全負数も15である。いま，EとFの勝敗数から，A～Dの勝敗数の合計は11勝9敗である。これより各設問を考える。

　1. はAが5勝でB～Dが2勝3敗だと，計11勝9敗となり適する。
　2. はAとBの対戦があるのであり得ない。
　3. はAが5敗でB～Dが4勝1敗だと，計12勝8敗となり不適である。
　4. はAが5敗すると，B～Dの勝敗数の合計は11勝4敗となり，3で割り切れないから不適である。
　5. はAとCの勝敗数の合計はA～Dの勝敗数の合計11勝9敗の半分になるはずだが，2で割り切れないので不適である。

　よって，1が正しい。

正解　1

順序関係

一列・並列の位置関係における右・左が，順序関係における上位・下位になっただけである。条件によって固定可能ないくつかのパーツを作り，それを組み合わせていく。

例題－1

A～Eの5人で徒競走をした。競技が終わってから，順位についてA，B，C，Eの4人が次のように言った。

A：「私の直前にBがゴールした。」
B：「私は1位でも2位でもなかった。」
C：「Dは私よりも前にゴールした。」
E：「私はCに負けたが，最下位ではなかった。」

同着の者はなく，4人の言っていることがすべて正しいとき，2位と3位の組合せとして正しいのはどれか。

	2位	3位
1.	C	B
2.	C	E
3.	D	B
4.	D	C
5.	D	E

◆解答のポイント

順番が分かる何人かのパーツを作り，組み合わせる。

◆解き方

まず，AとBの発言から「BA」というパーツができて，順位は3位・4位か4位・5位である。次に，CとEの発言から「D～C～E」というパーツができて，順位は1位～4位である。この2つのパーツを組み合わせるには「DCEBA」しかない。よって，2位はCで3位はEである。

正解　2

例題－2

ある高校の実力試験で，A～Dの4人が英語と数学の2科目で，それぞれ1位～4位を独占し，その順位について次のア～エのことが分かっている。

ア：英語でのAの順位は，数学で4位だった者より1つ下であった。
イ：数学でのBの順位は，英語で2位だった者より1つ下であった。
ウ：英語で3位だった者の数学の順位は，Cより1つ下であった。
エ：数学で1位だった者の英語の順位は，Dより1つ下であった。

以上のことから，英語と数学の1位の者について正しいのはどれか。ただし，英語と数学が同順位の者はいなかったものとする。

```
   英語    数学
1.  B      A
2.  B      C
3.  C      A
4.  D      A
5.  D      C
```

◆解答のポイント

英語と数学の両方のパーツを考える。

◆解き方

数①は数学の順位が1位の者を表す。まずアとエより，英語の順位のパーツは「数④A」と「D数①」であり，次にイとウより，数学の順位のパーツは「英②B」と「C英③」である。すると，Bは数①にはなれないので，数①がCで数④がBと確定し，数学の順位は「C英③英②B」となる。よって，英語の順位は「BADC」，数学の順位は「CDAB」となって，英語の1位はB，数学の1位はCである。

正解　2

例題－3

A～Eの5人が5問のクイズに答え，その正解数について以下のことが分かっている。

ア：AとEは2問差だった。
イ：Bは最も正解数が多かった。
ウ：CとDは2問差だった。
エ：EはDの2倍以上正解であった。
オ：全問不正解の者はおらず，正解数が同じ者もいなかった。

このとき，確実にいえることはどれか。ただし，クイズは正解か不正解のいずれかであった。

1. AはCより正解数が少なかった。
2. Bは4問正解だった。
3. CはEより正解数が少なかった。
4. Dは最下位だった。
5. Eは2問正解だった。

◆解答のポイント

上下関係の分かる条件に注目する。

◆解き方

まず，エとオからDが1問正解だったとすると，ウからCは3問正解となり，アからAとEは一方が2問正解で他方が4問正解となり，Bは5問正解となる。同様にDが2問正解だったとすると，Cは4問正解，Eは5問正解，Aは3問正解となり，Bの条件に反する。また，エからDが3問以上正解することはない。よって，正解数の多い順に並べると「BACED」か「BECAD」であり，4が正しい。

正解　4

命題・暗号

命題では，論理記号を用いて，否定・対偶による繋がりを考える。暗号では，漢字・平仮名・ローマ字の文字数と，暗号の文字数を対応させて，文字の種類を特定する。

例題－1

あるコンビニエンスストアーで，客の買った商品について調査したところ，次のことが分かった。このとき，正しいのはどれか。

・パンを買った客はお茶も買った。
・太巻を買わなかった客は雑誌を買った。
・お茶を買った客は雑誌を買わなかった。

1. パンを買った客は太巻を買わなかった。
2. お茶を買わなかった客は雑誌を買った。
3. 雑誌を買った客はパンを買わなかった。
4. 太巻を買った客は雑誌を買わなかった。
5. 太巻を買わなかった客はお茶を買った。

◆解答のポイント

与えられた条件を，論理記号で表す。

◆解き方

条件は，①パン⇒お茶と，②太巻⇒雑誌と，③お茶⇒雑誌である。これより，選択肢を考える。

1. はパン⇒太巻で，①③の後が繋がらない。よって誤り。
2. はお茶⇒雑誌で，①の対偶の後が繋がらない。よって誤り。
3. は雑誌⇒パンで，③の対偶①の対偶と繋がる。よって正しい。
4. は太巻⇒雑誌で，①も②も③も使えない。よって誤り。
5. は太巻⇒お茶で，②③の対偶の後が繋がらない。よって誤り。

正解　3

例題－2

表と裏に色の付いた紙A～Eがあり，図の様に置かれている。このとき，命題「表が青ならば，裏は黄または赤である」が正しいかどうか確認するために，表または裏にひっくり返さなければならない紙はどれとどれか。

	A	B	C	D	E
表	青		赤		
裏		黄		白	赤

1. AとB
2. AとD
3. AとE
4. BとC
5. BとD

◆**解答のポイント**

　与えられた命題を，論理記号で表す。

◆**解き方**

　命題は，「表青⇒(裏黄∪裏赤)」であり，対偶の命題は，「(裏黄∩裏赤) ⇒表青」である。

　よって，もとの命題を確認するには表が青のA を，対偶の命題を確認するには裏が黄でも赤でもないD をひっくり返す必要がある。

　　　　　　　　　　　　　正解　2

〔**ステップアップ**〕

◎**論理記号**

　「ならば」は「⇒」

　「または」は「∪」

　「かつ」は「∩」

　「○○でない」は「$\overline{○○}$」

◎**ド・モルガンの定理**

　$\overline{A \cap B} = \overline{A} \cup \overline{B}$

　$\overline{A \cup B} = \overline{A} \cap \overline{B}$

◎**対偶**

　「A⇒B」の対偶は「$\overline{B} ⇒ \overline{A}$」であり，もとの命題と対偶の命題の真偽 (正しいか誤りであるか) は一致する。

例題－3

　ある暗号で「沖縄」は「5A2B1E1J」,「秋田」は「1A2B1D」で表されるとき，同じ暗号の法則で「1H1G1E2C」は何を表しているか。

　1.　山梨

　2.　山口

　3.　山形

　4.　岡山

　5.　和歌山

◆**解答のポイント**

　文字数に注目し，漢字，かな，ローマ字のどれを暗号化したものか考える。

◆**解き方**

　沖縄，おきなわ，OKINAWAの文字数はそれぞれ2, 4, 7であり，暗号は8文字である。

　秋田，あきた，AKITAの文字数はそれぞれ2, 3, 5であり暗号は6文字である。

　よってこの暗号は，かな1文字が暗号2文字 (数字とアルファベット) に該当すると考えられる。すると，使用している数字は1～5，アルファベットはA～Jであるから，50音において，数字はア段～オ段，アルファベットはア行～ワ行とすれば条件に適する。よって，求める暗号を見ると，1H：や，1G：ま，1E：な，2C：し，つまり，山梨である。

　　　　　　　　　　　　　正解　1

空間把握

様々なパターンがあるが，図形の変形では図形の定義，軌跡では動点の描く図形が円か直線か，立体の切断では切断面とできる立体の形，展開では辺・頂点の対応，道順では重複の有無，……に注意する。

例題－1

　薄いゴム膜の上に，図のような方眼とひし形を描いた。ゴム膜は，縦か横の一方に均等に収縮させることができるが，斜めに収縮させることはできない。ゴム膜を収縮させることによって，ひし形を変形できるが，このとき作ることのできる図形のみを，次のア～ウのうちからすべて選んであるものはどれか。

　ア：正方形
　イ：長方形（正方形を除く）
　ウ：平行四辺形（長方形，ひし形を除く）

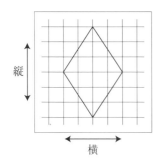

1．ア
2．ウ
3．ア，イ
4．ア，ウ
5．ア，イ，ウ

◆解答のポイント

　四角形の分類の定義をよく考える。

◆解き方

　ひし形は，4辺が等しい四角形で対角線が直交するから，対角線方向に収縮しても4辺の長さは等しいままである。よって，横に1.5倍すれば正方形は作ることができる。長方形は4角が等しい四角形であるから，正方形を除くと4辺が等しいことはない。よって，長方形を作ることはできない。また，平行四辺形もひし形を除くと4辺が等しいことはない。よって，平行四辺形を作ることは出来ない。以上より，作ることができるのはアのみである。

正解　1

〔ステップアップ〕
◎平行四辺形の成立条件

　四角形が平行四辺形になるには，

1．2組の対辺が平行である。（定義）
2．2組の対辺が等しい。
3．2組の対角が等しい。
4．1組の対辺が平行かつ等しい。
5．対角線が中点で交わる。

例題－2

周の長さが60cmの正三角形A，正方形B，正五角形C，正六角形Dがある。これらの図形の周りを，半径5cmの円を滑らずに転がして1周するとき，円の中心が描く軌跡の長さをそれぞれℓA，ℓB，ℓC，ℓDとおく。ℓA，ℓB，ℓC，ℓDの大小関係として正しいものはどれか。

1. ℓA ＜ ℓB ＜ ℓC ＜ ℓD
2. ℓA ＞ ℓB ＞ ℓC ＞ ℓD
3. ℓA ＝ ℓD ＜ ℓB ＜ ℓC
4. ℓA ＜ ℓB ＝ ℓD ＜ ℓC
5. ℓA ＝ ℓB ＝ ℓC ＝ ℓD

◆解答のポイント

直線上で円を転がすと，円の中心が描く軌跡は，その直線と平行な直線となる。

◆解き方

まず，円が辺上を転がるとき，軌跡は辺と平行な線分となる。よって，このときの軌跡の長さは，どの図形でも周の長さ60cmである。次に，円が頂点を転がるとき，軌跡は図のように頂点を中心とする円の一部を描き，この軌跡を繋げると半径5cmの円になる。

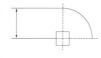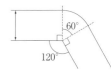

よってℓA，ℓB，ℓC，ℓDはすべて等しく，$(60 + 10\pi)$ cmとなる。

正解　5

例題－3

正十二面体の各頂点の周りで，次の図のように，その頂点に集まる3辺の中点を結んだ線に沿って三角すいを切り落としていったとき，後に残った立体の頂点の数はいくらか。

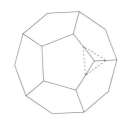

1. 12
2. 18
3. 24
4. 30
5. 36

◆解答のポイント

各面の作る正多角形の頂点の数を考える。

◆解き方

残った立体は，三角すいを切り落としたときにできる正三角形が20面と，もとの面の正五角形の隣り合う辺の中点を結んでできる正五角形が12面でできている。よって，残った立体の頂点に集まる面の数は4であることから，残った立体の頂点の数は

$(20 \times 3 + 12 \times 5) \div 4 = 30$ となる。

正解　4

＜練習問題＞

258

練習問題1

A〜Hの8人が試験を受けて，そのうち1人だけが追試となった。誰が追試となったかについて聞いたところ，次のような返事であった。

　A：「DかGです。」
　B：「AかCです。」
　C：「私です。」
　D：「CとEではありません。」
　E：「私ではありません。」
　F：「CかGです。」
　G：「Dの言っていることは本当です。」
　H：「Cです。」

このとき，4人が本当のことを言い，4人がうそをついているとすると，確実にいえるのはどれか。

1. AかBが追試となった。
2. AかCが追試となった。
3. AかDが追試となった。
4. AかEが追試となった。
5. AかFが追試となった。

練習問題2

A〜Eの5人の家がある。その位置関係について，次のア〜エのことが分かっているとき，確実にいえるのはどれか。

　ア：AとDの家の距離は，DとEの家の距離よりも短い。
　イ：Bの家はCの家の真南にある。
　ウ：Cの家はEの家の真西にある。
　エ：Eの家はDの家の真東にある。

1. Bの家より北には，4人の家がある。
2. Cの家より西には，2人の家がある。
3. Dの家より東には，3人の家がある。
4. Eの家より西には，4人の家がある。
5. Dの家とEの家の間には，1人の家がある。

練習問題1　　　　　[解答]（3）

◇**解答のポイント**

　人の発言と追試対象者との対応表を考える。

◇**解き方**

　各人が追試対象者と発言した者に○を付けると表のようになる。

追\言	A	B	C	D	E	F	G	H
A				○			○	
B	○		○					
C			○					
D	○	○				○	○	○
E	○	○	○			○	○	○
F				○			○	
G	○	○		○		○	○	
H			○					

　実際に本当のことを言っているのは4人なので，縦に○が4つ付いている者が追試対象者の候補ということになり，AとDである。

練習問題2　　　　　[解答]（4）

◇**解答のポイント**

　方角が指定されただけでは，距離が分からないことに注意する。

◇**解き方**

　まずイとウから，Cの東にE，南にBの家がある。次にエから，Dの家が①CE間にある場合と，②Cの西にある場合が考えられる。

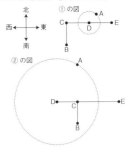

　またAの家の位置は，アの条件から，Dを中心とする点線の円上のどこか，としかいえない。2つの図について選択肢を考える。

練習問題3

A～Dの4人が試合をした。試合は個人戦で，総当たりになるように3ラウンドを行う。各ラウンドは1対1の対戦が2組である。次のことが分かっているとき，正しくいえるのはどれか。

・Bの第1ラウンドの対戦相手は，第3ラウンドでDと対戦した。

・Dの第2ラウンドの対戦相手は，第3ラウンドではAと対戦していない。

1. AとBは第3ラウンドで対戦した。
2. AとCは第1ラウンドで対戦した。
3. AとDは第3ラウンドで対戦した。
4. BとCは第1ラウンドで対戦した。
5. BとDは第3ラウンドで対戦した。

練習問題4

A～Eの5人の年齢について以下のことが分かっている。

ア：最年長は20歳のEで，AとCの年齢の和はEよりも大きい。

イ：最年少は8歳のBである。

ウ：Dは3年後に今のAの年齢と同じになる。

このとき確実にいえるのは，次のうちどれか。

1. Aが18歳を超えることはない。
2. A，C，Dの中で最年長はAである。
3. AとCの年齢の和と，BとEの年齢の和の大小は分からない。
4. AとBの年齢の和はEの年齢よりも大きい。
5. CはDよりも年下である。

1. は②の図で満たさない可能性がある。
2. は①の図を満たしていない。
3. は①の図を満たしていない。
4. は①，②の図ともに満たしている。
5. は①の図で満たさない可能性がある。

よって4が正しい。

練習問題3　　　　　　［解答］（3）
◇**解答のポイント**

ラウンドを表す対戦表を考える。

◇**解き方**

最初の条件から，BとDの対戦は第2ラウンドとなり，次の条件から，AとBの対戦は第1ラウンドとなる。ここまでのラウンド番号を対戦表に太字で書き込むと，縦，横ともに1，2，3の数字が入っていなければならないため，残りの数字が確定する。

\	A	B	C	D
A	\	**1**	2	3
B	**1**	\	3	**2**
C	2	3	\	1
D	3	**2**	1	\

よって，3が正しい。

練習問題4　　　　　　［解答］（3）
◇**解答のポイント**

上下関係の分かる条件に注目する。

◇**解き方**

まず，年の順に並べるとE○A○D○Bで，Cは○のどこかに入る。これより，選択肢を考える。

1. はA＝19，D＝16，C＝9が反例となる。よって誤り。
2. はA＝12，D＝9，C＝13が反例となる。よって誤り。
3. はB＋E＝8＋20＝28であるが，A＋Cは最大で19＋19＝38，最小で12＋9＝21まであり得る。よって正しい。
4. はA＝12，D＝9のときA＋B＝12＋8＝20が反例となる。よって誤り。
5. はC＝9，D＝16もC＝13，D＝9もあり得る。よって誤り。

練習問題5

次の2つの命題から確実にいえるのはどれか。

・音楽が好きであれば，散歩が好きであるかまたは読書が好きである。

・旅行が好きであれば，音楽が好きである。

1. 音楽が好きであれば，旅行が好きである。
2. 読書が好きであれば，旅行が好きでない。
3. 読書が好きでなければ，音楽が好きでない。
4. 散歩が好きでなくかつ読書が好きでなければ，旅行が好きでない。
5. 旅行が好きであれば，散歩が好きでありかつ読書が好きである。

◇**解答のポイント**

与えられた条件を，論理記号で表す。

◇**解き方**

条件は，①音楽⇒（散歩∨読書）と②旅行⇒音楽である。これより，各選択肢を考える。

1. は音楽⇒旅行で，①の後が繋がらない。よって誤り。

2. は読書⇒旅行で，①も②も使えない。よって誤り。

3. は読書⇒音楽で，①も②も使えない。よって誤り。

4. は（散歩∧読書）⇒旅行で，①の対偶と②の対偶で繋がる。よって正しい。

5. は旅行⇒（散歩∧読書）で，②の後が繋がらない。よって誤り。

練習問題6

図のような正六角形を組み合わせた図形がある。AからBを通ってCへ最短経路で行く道順は何通りあるか。ただし，どの道も1度しか通れないものとする。

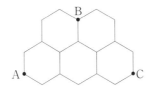

1. 3通り
2. 4通り
3. 5通り
4. 6通り
5. 7通り

練習問題6　　　　　　[解答]（3）

◇**解答のポイント**

A→BとB→Cの最短経路の数を求め，それらの対応を考える。

◇**解き方**

まず，正六角形の1辺の長さを1とすると，A→B，B→Cの最短経路の長さはいずれも5となる。

A→Bの最短経路は以下の3通りである。

B→Cの最短経路は以下の3通りである。

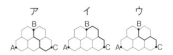

同じ道は通れないから，①のときはイのみ，②のときはア～ウ，③のときはイのみであり，計1＋3＋1＝5通りとなる。

数的推理

◇目　次

◇数的推理頻出問題上位

①割合
②面積
③濃度
④通過算
⑤覆面算
⑥三平方の定理
⑦魔方陣
⑧作業量
⑨不等式
⑩確率

数的推理

場合の数と確率

場合の数では「区別する」「区別しない」は問題で指示される，問題文に注意し樹形図・表を利用する。確率では原則としてサイコロ・カード・玉等を全て区別して考える。

例題－1

Aさんは，10円玉を2枚，50円玉を2枚，100円玉を2枚持っている。このとき，Aさんがちょうど支払える金額は何通りあるか。

1.　16通り
2.　20通り
3.　24通り
4.　28通り
5.　32通り

◆解答のポイント

所持金額と，10円の単位が何通り作れるかに注目する。

◆解き方

まず，Aさんの所持金額は$10 \times 2 + 50 \times 2 + 100 \times 2 = 320$円であり，10円台でちょうど支払えるのは10円，20円，50円，60円，70円の5通りである。すると100円台は100円も加えて6通り，200円台も同じく6通り，300円台は320円までなので3通りある。よって合計$5 + 6 + 6 + 3 = 20$通りである。

正解　2

例題－2

ある機械を1台作製するためにA社の部品1個とB社の部品1個が必要である。A社の部品には100個中3個の割合で不良品が含まれており，B社の部品には100個中2個の割合で不良品が含まれている。この機械は部品に不良品が1個でも含まれていると完成品にはならず，A社とB社の部品以外に不良品はないものとする。この機械5000台中で完成品にならないものは何台あるか。

1.　207台
2.　217台
3.　227台
4.　237台
5.　247台

◆解答のポイント

完成品ができる状況を考え，余事象の確率を利用する。

◆解き方

A社の部品とB社の部品がともに良品である確率は

$$\left(1 - \frac{3}{100}\right)\left(1 - \frac{2}{100}\right) = \frac{4753}{5000}$$

これが完成品ができる確率なので，完成品は5000台中4753台できると考えられる。

よって，完成品にならないものは
$5000 - 4753 = 247$台である。

正解　5

例題－3

　ある袋の中に赤玉が4個，青玉が2個，黄玉が3個の計9個の玉が入っている。この袋の中から1個ずつ3個の玉を取り出すとき，取り出した3個の玉が3色である確率を求めよ。

　ただし，取り出した玉は袋に戻さないものとする。

1.　$\dfrac{2}{7}$

2.　$\dfrac{1}{3}$

3.　$\dfrac{1}{21}$

4.　$\dfrac{16}{81}$

5.　$\dfrac{8}{243}$

◆解答のポイント

　全事象の場合の数と，求める事象の場合の数に注意する。

◆解き方

　まず，全ての取り出し方は$9 \times 8 \times 7$通り。次に，赤玉の取り出し方は4通り，青玉は2通り，黄玉は3通りであり，これらの玉を取り出す順番が6通りあるから，3色の玉の取り出し方は$4 \times 2 \times 3 \times 6$通り。

　よって，求める確率は
$$\frac{4 \times 2 \times 3 \times 6}{9 \times 8 \times 7} = \frac{2}{7}$$　である。

正解　1

例題－4

　0〜9の数字が一つずつ書かれた10枚のカードから，無作為に3枚取り出し左から一列に並べるとき，3桁の奇数である確率を求めよ。

1.　$\dfrac{1}{2}$

2.　$\dfrac{4}{9}$

3.　$\dfrac{3}{8}$

4.　$\dfrac{2}{7}$

5.　$\dfrac{1}{6}$

◆解答のポイント

　3桁になるには百の位は0以外であり，奇数となるには一の位が奇数である。

◆解き方

　まず，全ての並べ方は$10 \times 9 \times 8$通り。次に，3桁の奇数となる並べ方は，一の位が奇数の5通り，百の位は0と一の位に使用した数以外の8通り，十の位は一の位と百の位で使用した数以外の8通りで計$5 \times 8 \times 8$通り。

　よって，求める確率は
$$\frac{5 \times 8 \times 8}{10 \times 9 \times 8} = \frac{4}{9}$$　である。

正解　2

数的推理

平面図形と立体図形

長さ・面積・体積を求めるときには，三平方の定理や三角定規形の三角比を利用する。大小関係や面積比を求めるときには，三角形における辺と角の関係や底辺の比・高さの比を利用する。

例題－1

次の図の様に，直角三角形ABCに内接する円Oがあり，円Oと辺BCとの接点をPとすると，∠AOP＝157°である。このとき，辺ABの長さと辺BCの長さの関係として最も妥当なものはどれか。

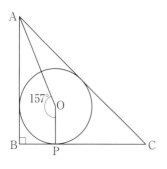

1. AB＞BC
2. AB＜BC
3. AB＝BC
4. AB≠BC
5. これだけでは決まらない

◆解答のポイント

辺ABと辺BCの大小は，∠ACBと∠CABの大小と同じである。

◆解き方

円Oと辺ABとの接点をQ，辺ACとの接点をRとおくと，∠AOQ＝157°－90°＝67°であり，∠AQO＝90°から∠QAO＝90°－67°＝23°となる。よって，∠QAO＝∠RAOであるから，∠CAB＝∠RAQ＝2×23°＝46°，∠ACB＝90°－46°＝44°となり，∠ACB＜∠CABである。

よって，AB＜BCである、

　　　　　　　　　　　　　　　　正解　2

例題－2

図の様に交差点Oで直交する2本の直線道路がある。これらの道路の両端にはA～Dの4人の家があり，次のア～エのことが分かっている。

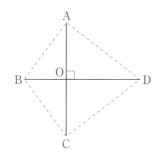

ア：OからAまでの距離とOからCまでの
　　距離は等しい。

イ：AB間の距離は15kmである。

ウ：CD間の距離は20kmである。

エ：AC間の距離は24kmである。

このとき，BD間の距離は何kmか。

1. 　15km
2. 　20km
3. 　25km
4. 　30km
5. 　35km

◆**解答のポイント**

直角三角形は，三平方の定理を利用する。

◆**解き方**

まず，四角形ABCDは対角線BDに関して線対称であるから，AB = CB = 15km，AD = CD = 20km，AO = CO = 12kmである。

よって△OAB，△OADに三平方の定理を用いると，

$BO = \sqrt{AB^2 - AO^2} = \sqrt{15^2 - 12^2} = 9$

$OD = \sqrt{AD^2 - AO^2} = \sqrt{20^2 - 12^2} = 16$

よって，BD = BO + OD = 9 + 16 = 25km である。

正解　3

例題－3

次の図の様に，△ABCの辺BC上にBD：DC = 2：3を満たす点Dがあり，線分AD上にAE：ED = 2：1を満たす点Eがある。このとき，△ABEと△CDEの面積比として正しいのはどれか。

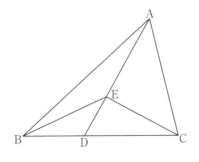

1. 　2：1
2. 　2：3
3. 　3：2
4. 　3：4
5. 　4：3

◆**解答のポイント**

底辺の等しい三角形の面積比は高さの比に等しい。高さの等しい三角形の面積比は底辺の比に等しい。

◆**解き方**

△BDEの面積を2Sとすると，△BDE：△CDE = BD：CD = 2：3 より，△CDE = 3Sとなる。また，△ABE：△BDE = AE：ED = 2：1より△ABE = 4Sとなる。

よって，△ABE：△CDE = 4S：3S = 4：3である。

正解　5

数的推理

265

算

仕事算・平均算・旅人算・鶴亀算・流水算……様々な種類があるが，内容は1次方程式か連立1次方程式の文章題である。与えられた条件に従って未知数をおいて方程式を立てる。

例題－1

ある仕事を完成させるのに必要なA～Cの3人の能力は次の通りである。

ア：AとBは同じ能力である。
イ：AとBの2人の能力を合わせてCと同じ能力になる。
ウ：Cが1人で仕事を完成させるには10日かかる。

このとき，始めの4日間はAとCの2人で仕事をして，残りをBが1人で完成させるとすると，Bは何日で完成できるか。

1.　7日
2.　8日
3.　9日
4.　10日
5.　11日

◆解答のポイント

仕事算は，全体の仕事量を1とする。

◆解き方

全体の仕事量を1とすると，条件からCが1日にできる仕事量は $\dfrac{1}{10}$ で，AとBは $\dfrac{1}{20}$ である。

始めの4日間にAとCができる仕事量は $\left(\dfrac{1}{20}+\dfrac{1}{10}\right)\times4=\dfrac{3}{5}$ であるから，残った仕事は $1-\dfrac{3}{5}=\dfrac{2}{5}$ であり，

Bは $\dfrac{2}{5}\div\dfrac{1}{20}=8$ 日かかる。

正解　2

例題－2

ある会社の社員1000人のうち，課長以上50人の平均給与は，平社員800人の平均給与を100とした指数でみるとちょうど200である。また係長150人の平均給与は，同じ指数でみるとちょうど120となる。この会社の社員全体の平均給与が32.4万円であるとき，平社員800人の平均給与はいくらか。

1.　20万円
2.　25万円
3.　30万円
4.　35万円
5.　40万円

◆解答のポイント

平均算は，「平均値×人数＝総量」である。

◆解き方

平社員800人の平均給与をm万円とすると，課長以上50人の平均給与は$2m$万円であり，係長150人の平均給与は$1.2m$万円となる。

よって社員全員の給与総額について

$800 \times m + 50 \times 2m + 150 \times 1.2m$

$= 1000 \times 32.4$

これを解くと，$m = 30$となる。

正解　3

例題－3

家から駅まで，弟は徒歩で15分，兄は自転車で5分掛かる。ある朝，弟は午前7：30に家を出て駅に向かって歩き出した。兄がその4分後に家を出て，自転車で駅に向かうと，兄が弟に追いつく時刻として正しいのは，次のうちどれか。

ただし，2人とも同じ道を通り，進む速さは一定であるものとする。

1.　7：36
2.　7：37
3.　7：38
4.　7：39
5.　7：40

◆解答のポイント

旅人算は，「道のり＝速さ×時間」である。

◆解き方

家から駅までの道のりをk（m）とすると，弟と兄の速さはそれぞれ$\frac{k}{15}$（m/分），$\frac{k}{5}$（m/分）となる。

兄が弟に追いつくまでにx分掛かったとすると，その間に進んだ道のりについて，

$\frac{k}{15} \times (4 + x) = \frac{k}{5} \times x$

が成り立ち，これを解いて$x = 2$となる。

よって，兄が家を出た7：34の2分後に弟に追いついたことになる。

正解　1

例題－4

あるデパートの子供服売り場に親子連れが買い物に来ていて，ベビーカーが11台，そのタイヤの本数が計40本であった。ベビーカーのタイヤは3本か4本のいずれかであったとき，3輪のベビーカーは何台か求めよ。

1.　1台
2.　2台
3.　3台
4.　4台
5.　5台

◆解答のポイント

鶴亀算は，一方をx他方をyとして連立方程式を作る。

◆解き方

3輪のベビーカーをx台，4輪のベビーカーをy台とおくと，台数から$x + y = 11$ … ①

タイヤの本数から$3x + 4y = 40$ … ②

であり，①×4－②から$x = 4$となる。

つまり，求める3輪のベビーカーは4台である。

正解　4

比と割合・濃度

比と割合では，要素が一つのときには連比に直し，要素が二つのときにはカルノー図
を利用する。また，比・割合と実際の数を混同しないように注意する。濃度では，天
秤算の利用が早い。

例題－1

5.0%の食塩水400gに，2.0%の食塩水を
加えたところ，3.0%の食塩水ができた。こ
の食塩水に，ある濃度の食塩水600gを加え
たところ，5.0%の食塩水ができたとすると，
後から加えた600gの食塩水の濃度はいくら
か。

1. 6.0%
2. 7.0%
3. 8.0%
4. 9.0%
5. 10.0%

◆解答のポイント
濃度の問題は，天秤算を利用する。

◆解き方
まず，2.0%の食塩水を x g加えたとすると，
天秤算から，

$$400 \times (5.0 - 3.0) = x \times (3.0 - 2.0)$$

これを解くと，$x = 800$ gとなり3.0%の食
塩水が1200 gできていることになる。
次に加えた600 gの食塩水をy%とすると，
天秤算から，

$$1200 \times (5.0 - 3.0) = 600 \times (y - 5.0)$$

これを解くと，$y = 9$%となる。

正解　4

例題－2

A～D の4人で弁当を合計180個販売した。
それぞれが販売した個数を比較すると，A：
B＝2：3，B：D＝5：6であり，CはBより
6個多く販売した。このとき，販売した個数
が最多の者と，最少の者の個数の差はいくら
か。

1. 12 個
2. 18 個
3. 24 個
4. 30 個
5. 36 個

◆解答のポイント
複数の比は，最小公倍数を用いて連比に
直す。

◆解き方

A：B＝2：3，B：D＝5：6 を合わせると，
A：B：D＝10：15：18 となる。

よってA，B，Dの販売個数はそれぞれ
10k，15k，18k とおけて，Cは15k＋6 となる。

よって，合計販売個数から

$$10k + 15k + (15k + 6) + 18k = 180$$

これを解いてk＝3，よって最多の者はDで
54 個，最少の者はAで30個となり，その差
は54－30＝24個である。

正解　3

例題－3

あるクラスの生徒にアンケートを取ったら，
ノートパソコンを持っている生徒が全体の
25％，スマートフォンを持っている生徒が全
体の50％，どちらも持っていない生徒が18
人いた。また，ノートパソコンとスマートフォ
ンの両方を持っている生徒は全体の20％で
あった。このクラスの生徒数を求めよ。

1.　36 人
2.　37 人
3.　38 人
4.　39 人
5.　40 人

◆解答のポイント

2つの要素は，カルノー図を利用する。

◆解き方

持っているを○，持っていないを×，ノー
トパソコンをNP，スマートフォンをSF と表
すことにする。

	NP○	NP×	計
SF○	**20%**	30%	**50%**
SF×	5%	45%	50%
計	**25%**	75%	**100%**

与えられた条件である太字の要素から他の
要素が図の様に決定し，NP×かつSF×の
45％が18人であることから，18÷45％＝40
人である。

正解　5

先生の黒板

〔ステップアップ〕

◎天秤算

天秤が吊り合うのは，左右において支点か
らの距離と錘の重さの積が等しくなる場合で
ある。

これを応用して，濃度計算のときに，最終
的に出来る食塩水の濃度を支点とし，その濃
度と混ぜる前の濃度との差を支点からの距離，
食塩水の重さを錘の重さと考える。

例えば，5.0％の食塩水400g に2.0％の食
塩水x gを混ぜて，3.0％の食塩水が出来たの
ならば，

$$400 \times (5.0 - 3.0) = x \times (3.0 - 2.0)$$

が成り立ち，x＝800gとなる。

数的推理

整数問題

約数の問題であるか，倍数の問題であるかに注意する。また，複数の要素があるときは最大公約数・最小公倍数を利用して問題を簡素化する。

例題－1

40人のクラスで，1日に6人ずつ出席番号順で掃除当番になる。最後の方で6人に満たなければ，また名簿の最初に戻って，必ず6人が当番になるようにする。このとき，1日目の6人が再び同じ6人で当番になるのは何日目か。

1. 15日目
2. 17日目
3. 19日目
4. 21日目
5. 23日目

◆解答のポイント

クラスの人数と当番の人数の最小公倍数を利用する。

◆解き方

40と6の最小公倍数は120であるから，延べ120人で当番をすると，最後に余りが出ずに組むことができる。よって，120÷6＝20であるから，21日目に1日目と同じ6人が当番となる。

正解　4

例題－2

あるバスターミナルから，A，B，Cの3系統の路線バスが運行されている。A系統は15分毎，B系統は25分毎，C系統は10分毎に発車している。始発のバスが発車するのはいずれも6：00であり，終バスはいずれも22時台である。1日にこの3系統のバスが同時に発車するのは何回か。

1. 6回
2. 7回
3. 8回
4. 9回
5. 10回

◆解答のポイント

3系統のバスの運転間隔の最小公倍数を利用する。

◆解き方

15と25と10の最小公倍数は150であるから，3系統のバスは150分＝2.5時間毎に同時に発車することになる。よって，6：00，8：30，11：00，13：30，16：00，18：30，21：00の計7回である。

正解　2

例題－3

a, b, cは2桁の整数である。aをbで割ると割り切れ，商は3の倍数となり，bをcで割ると割り切れ，商は2の倍数となる。また，cは11で割り切れる。このとき，a＋b＋cの値を求めよ。

1. 99
2. 110
3. 121
4. 132
5. 143

◆解答のポイント

aをb割ると割り切れ，商がpの倍数となるならば，aはpの倍数である。

◆解き方

まず，cは11の倍数であるから，$c = 11c'$と表せる。bは$11 \times 2 = 22$の倍数であり，b$= 22b'c'$と表せる。aは$11 \times 2 \times 3 = 66$の倍数であり，$a = 66a'b'c'$と表せる。（ただし，$a'$, b', c'は自然数である。）しかし，a, b, cは2桁の整数であるから，$a' = b' = c' = 1$となるしかなく，このとき$a = 66$, $b = 22$, $c = 11$であり，$a + b + c = 66 + 22 + 11 = 99$となる。

正解　1

例題－4

360の正の約数の個数とそれらの総和として正しいものはどれか。ただし，約数には1と360も含める。

	約数	総和
1.	20	810
2.	20	1170
3.	22	810
4.	22	1170
5.	24	1170

◆解答のポイント

約数の個数や総和は，素因数分解して考える。

◆解き方

$360 = 2^3 \times 3^2 \times 5$であるから，指数に注目して，正の約数の個数は

$(3 + 1)(2 + 1)(1 + 1) = 4 \times 3 \times 2 = 24$

である。この時点で5が正解であるが，総和も求めると，

$(1 + 2 + 2^2 + 2^3)(1 + 3 + 3^2)(1 + 5)$

$= 15 \times 13 \times 6 = 1170$

となる。

正解　5

数的推理

覆面算と魔方陣

和・差・積・商によって，特定可能な数値をまず求めておく。残った特定不可能な数値については，文字でおいて方程式・連立方程式を立てる。

例題－1

3桁の整数がある。百の位の数字と一の位の数字を入れ替えると，もとの数の3倍より300大きかった。このとき，もとの数の各位の数字の和はいくらか。

1.　11
2.　12
3.　13
4.　14
5.　15

◆解答のポイント

各位の数字をおいて，条件を満たす方程式を作る。

◆解き方

もとの数の百の位をa，十の位をb，一の位をcとおくと，条件から$100c + 10b + a - 300 = 3(100a + 10b + c)$

$97c = 299a + 20b + 300$

右辺は$299 + 20 + 300 = 619$以上で，左辺は$97 \times 9 = 873$以下である。

よって$a = 1$が確定し，一の位の数字の比較から$c = 7$が確定する。これらを代入して計算すると$b = 4$となり，$a + b + c = 1 + 4 + 7 = 12$となる。

正解　2

例題－2

A, B, Cは1～9までのそれぞれ異なる自然数であり，下の計算式が成り立っている。このとき，A, B, Cの和として正しいものはどれか。

```
    A B C
    A B C
+)  A B C
─────────
    B B B
```

1.　11
2.　12
3.　13
4.　14
5.　15

◆解答のポイント

数字の特定が容易であるところを見つける。

◆解き方

計算式はBBBという3桁の整数を3で割るとABCという3桁の整数になるという意味でもある。するとBは3以上の自然数であるから，$B = 3$のとき$333 \div 3 = 111$となり不適，$B = 4$のとき$444 \div 3 = 148$となり，$A = 1$，

$C = 8$とすれば計算式に適する。また，$B = 5 \sim 9$のとき適するものはない。

よって，$A + B + C = 1 + 4 + 8 = 13$となる。

正解　3

例題－3

図の○の中に1〜9までの数字を並べると，どの正方形の四隅の数字の合計も20になる。このとき，A＋Eの値を求めよ。

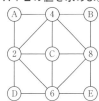

1. 10
2. 11
3. 12
4. 13
5. 14

◆解答のポイント

すべての○に数字か文字が入っているので，連立方程式を作る。

◆解き方

左上，右上，左下，右下の小正方形から，
$A + C = 14$より，$A = 14 - C \cdots$①
$B + C = 8$より，$B = 8 - C \cdots$②
$C + D = 12$より，$D = 12 - C \cdots$③
$C + E = 6$より，$E = 6 - C \cdots$④
また外側の正方形から，$A + B + D + E = 20$である。

これに①〜④を代入すると$C = 5$となり，①，④から$A + E = 10$となる。

正解　1

例題－4

A君が計算ドリルを終えて答え合わせをしたときに，答えは正しかったものの，誤ってインクで問題を汚してしまった。■の数字の合計はいくらか。

$$1\blacksquare3 \times 4\blacksquare = 5535$$

1. 7
2. 8
3. 9
4. 10
5. 11

◆解答のポイント

虫食い算は，数字の特定が容易なところから埋めていく。

◆解き方

まず，一の位に注目すると$3 \times \blacksquare = \cdots5$だから，右側の■の数字は5となる。すると，
$$1\blacksquare3 \times 45 = 5535$$
$$1\blacksquare3 = 5535 \div 45$$
$$1\blacksquare3 = 123$$
となるから，右の■の数字は2である。
よって，■の数字の合計は$2 + 5 = 7$となる。

正解　1

数的推理

＜練習問題＞

練習問題1

2つのサイコロを同時に投げて，出た目の和が奇数であるときは5点，出た目の積が奇数であるときは10点，その他の場合は0点であるとする。次のア〜ウの確率として正しいものはどれか。

ア：1回振って10点となる確率

イ：1回振って5点となる確率

ウ：2回振って得点の積が0点となる確率

	ア	イ	ウ
1.	$\dfrac{1}{2}$	$\dfrac{1}{2}$	$\dfrac{3}{4}$
2.	$\dfrac{1}{2}$	$\dfrac{1}{2}$	$\dfrac{9}{16}$
3.	$\dfrac{1}{2}$	$\dfrac{1}{4}$	$\dfrac{7}{16}$
4.	$\dfrac{1}{4}$	$\dfrac{1}{2}$	$\dfrac{7}{16}$
5.	$\dfrac{1}{4}$	$\dfrac{1}{4}$	$\dfrac{3}{4}$

練習問題2

流れの速さが一定の川の上流A地点と下流B地点との間を船が往復している。この船がB地点からA地点まで上るのに掛かる時間はA地点からB地点に下るのに掛かる時間の2倍である。川の流れの速さが2倍になったとき，上るのに掛かる時間と下るのに掛かる時間との比はいくらか。

ただし，船の速さは一定であるものとする。

1. 1：1
2. 2：1
3. 3：1
4. 4：1
5. 5：1

練習問題1　　　　　　［解答］（4）

◇**解答のポイント**

得点の積が0点となる状況を考え，余事象の確率を利用する。

◇**解き方**

まず，すべての目の出方は 6×6 通りである。目の積が奇数となる出方は，奇数×奇数の場合のみで 3×3 通り，

よってアは $\dfrac{3 \times 3}{6 \times 6} = \dfrac{1}{4}$ である。

目の和が奇数となる出方は，奇数＋偶数と偶数＋奇数の場合を考えて $3 \times 3 \times 2$ 通り，

よってイは $\dfrac{3 \times 3 \times 2}{6 \times 6} = \dfrac{1}{2}$ である。

得点の積が0点にならないのは，

$\left(\dfrac{1}{4} + \dfrac{1}{2}\right)^2 = \dfrac{9}{16}$ である。

よってウは $1 - \dfrac{9}{16} = \dfrac{7}{16}$ である。

練習問題2　　　　　　［解答］（5）

◇**解答のポイント**

流水算は，上りは「船の速さ－流れの速さ」，下りは「船の速さ＋流れの速さ」である。

◇**解き方**

流れの速さを r，静水面での船の速さを h，AB間の距離を k とすると，掛かる時間の関係から

$\dfrac{k}{h-r} = 2 \times \dfrac{k}{h+r}$ となり，

これを解いて $h = 3r$ となる。

よって流れが2倍になったとき，上りと下りの掛かる時間の比は

$\dfrac{k}{h-2r} : \dfrac{k}{h+2r}$

$= \dfrac{k}{3r-2r} : \dfrac{k}{3r+2r} = 5 : 1$ となる。

練習問題3

図のような1辺の長さがaである正三角柱を頂点A，B，Cを通る平面で切断したときにできる2つの立体のうち，大きい方の立体の体積はいくらか。

1. $\dfrac{\sqrt{3}}{6}\,a^3$

2. $\dfrac{\sqrt{3}}{12}\,a^3$

3. $\dfrac{\sqrt{3}}{18}\,a^3$

4. $\dfrac{\sqrt{3}}{24}\,a^3$

5. $\dfrac{\sqrt{3}}{30}\,a^3$

練習問題4

AとBの箱があり，それぞれの箱に赤玉と白玉が入っている。Aの箱には赤玉と白玉が2：1の割合で入っていて，Bの箱には赤玉の個数は分からないが白玉は60個入っている。いま，Bの箱からAの箱へ，Aの箱に入っている赤玉と同じ個数だけ玉を移したら，Aの箱の中にある赤玉と白玉の個数がともに50個となった。残ったBの箱を見ると，最初に入っていた赤玉と白玉の個数の比と同じであった。最初にBの箱に入っていた赤玉の個数はいくらか。

1. 15 個
2. 20 個
3. 25 個
4. 30 個
5. 35 個

練習問題3　　　　　　　　［解答］（1）
◇解答のポイント
　正三角柱から小さいほうの立体を引いて考える。
◇解き方
　まず，1辺の長さがaである正三角形の面積は，$1:2:\sqrt{3}$の三角比から高さが$\dfrac{\sqrt{3}}{2}\,a$となることから，
$\dfrac{1}{2}\times a\times\dfrac{\sqrt{3}}{2}\,a=\dfrac{\sqrt{3}}{4}\,a^2$となる。
よって，正三角柱の体積は
$\dfrac{\sqrt{3}}{4}\,a^2\times a=\dfrac{\sqrt{3}}{4}\,a^3$である。

また，小さい方の立体は，正三角形を底面とする高さがaの三角錐であるから，その体積は
$\dfrac{1}{3}\times\dfrac{\sqrt{3}}{4}\,a^2\times a=\dfrac{\sqrt{3}}{12}\,a^3$である。

よって，大きい方の立体の体積は
$\dfrac{\sqrt{3}}{4}\,a^3-\dfrac{\sqrt{3}}{12}\,a^3=\dfrac{\sqrt{3}}{6}\,a^3$である。

練習問題4　　　　　　　　［解答］（2）
◇解答のポイント
　個数が変化するときは，方程式を作る。
◇解き方
　最初にAの箱に入っていた赤玉と白玉の個数をそれぞれ$2x$，xとすると，BからAに移した玉の個数は$2x$個である。このとき，Aに入っている玉の個数から$2x+x+2x=50+50$
これを解いて$x=20$，これよりBからAに移した玉は赤が10個，白が30個となる。
　よって最初にBに入っていた赤玉をy個とすると，Bの箱の赤玉と白玉の比から
$y:60=(y-10):30$
　これを解いて，$y=20$個となる。

1から20までの20個の数字の中から5個の数字を選ぶとき，次のア，イを満たすような選び方は何通りあるか。

ア：5個の数字の和は30である。

イ：選んだ5個の数字の中に6の倍数が2つ含まれていて，それらは5個の数字を大きい順に並べて1番目と3番目である。

1. 2通り
2. 3通り
3. 4通り
4. 5通り
5. 6通り

練習問題6

1，3，5，7，9，11の6つの数字を1つずつ図の○の中に入れ，各直線ごとにその上にある3つの整数の和がすべて等しくなるようにしたい。このとき，Aに入る数字は2種類考えられるが，それらの和はいくらか。

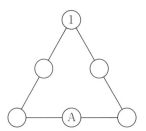

1. 6
2. 7
3. 8
4. 9
5. 10

練習問題5　　　　　　［解答］（3）
◇解答のポイント
　5個の数字の和から，まず6の倍数を絞り込む。
◇解き方
　1から20までの最小の3つの数字の和が1＋2＋3＝6であるから，残り2つの数字の和は24以下である。よって，選んだ数字の中の6の倍数は18と6か，12と6である。
　しかし，18と6だと18＋6＝24なので残りの3つの数字は3と2と1しかなく，6が3番目に大きい数字にならず不適である。
　よって条件を満たす組合せは，
(12, 7, 6, 3, 2), (12, 7, 6, 4, 1),
(12, 8, 6, 3, 1), (12, 9, 6, 2, 1)
の4通りである。

練習問題6　　　　　　［解答］（5）
◇解答のポイント
　すべて等しい和について考える。
◇解き方
　○の中に入れる6つの数字の和は36であり，3直線の和も3の倍数であるから，3頂点に入る数の和は3の倍数となる。すると1つの頂点には1が入っているので，他の頂点に入る数字は，①3と5，②3と11，③5と9，④9と11のいずれかとなる。それぞれの場合について，直線上の数の和とAに入る数字を求めると，①のとき和は15でAは7，②のとき和は17でAは3より不適，③のとき和は17でAは3，④のとき和は19で不適。よって，7＋3＝10となる。

資料解釈

◇資料解釈頻出問題上位

①分布図
②棒グラフ（年度別実績表）
③棒グラフ（地域別実績表）
④折れ線グラフ（年度別実績表）
⑤折れ線グラフ（地域別実績表）
⑥棒グラフ＋折れ線グラフ
⑦時刻表

資料解釈

表とグラフの問題

表の問題にしてもグラフの問題にしても，書かれている数値が実数であるか指数や比率であるかに注意しよう。また，表やグラフに書かれていないことは判断できない。

例題－1

下の表は，種類別運転免許保有者数をまとめたものである。これより，確実にいえるものはどれか。

(各年12月末現在)

免許種別		令和5年				令和4年	
		全体	うち男性	うち女性	構成率	全体	構成率
		千人	千人	千人	%	千人	%
第二種免許	大型	783	767	16	1.0	802	1.0
	中型	658	619	39	1.0	698	1.0
	普通	101	87	14	0.0	78	0.0
	大特	2	2	0	0.0	2	0.0
	けん引	1	1	0	0.0	1	0.0
	小計	1543	1475	68	1.9	1580	2.0
第一種免許	大型	4038	3892	146	4.9	4083	5.0
	中型	56678	28931	27747	69.2	57558	70.3
	準中型	11046	5606	5440	13.5	11084	13.5
	普通	7558	3899	3660	9.2	6529	8.0
	大特	2	1	0	0.0	2	0.0
	大二	24	19	5	0.0	20	0.0
	普二	133	95	38	0.2	130	0.2
	小特	14	5	8	0.0	14	0.0
	原付	827	319	508	1.0	840	1.0
	小計	80319	42767	37553	98.1	80260	98.1
合計		81863	44242	37621	100.0	81841	100.0

注　1. 警察庁資料による。
　　2. 2種類以上の運転免許を受けている者については、運転免許の種類欄の上位の運転免許
　　　の種類によって計上した。
　　3. 旧法普通免許は中型免許に計上した。
　　4. 単位未満は四捨五入しているため、合計（小計）が内訳と一致しないことがある。

(1) 第二種免許までの保有者における男女別の小計において，中型まで保有している者の割合は女性より男性の方が高い。

(2) 第二種免許までの保有者における男女別の小計において，普通まで保有している者の割合は女性より男性の方が高い。

(3) 第一種免許までの保有者における男女別の小計において，中型まで保有している者の割合は女性より男性の方が高い。

(4) 第一種免許までの保有者における男女別の小計において，普二まで保有している者の割合は女性より男性の方が高い。

(5) 第一種免許の中型まで保有している者全体の人数が令和2年から令和3年にかけて減少しているのは，多くの高齢者が免許証を返上したことが主な原因である。

◆解答のポイント

比率における分母と分子を正確にとらえる。

◆解き方

表はすべて実数が与えられているが，各選択肢にある比率は，分母と分子が様々であるので注意して計算していく。

(1) は男性が $619 \div 1475 = 42.0\%$ であり，女性が $39 \div 68 = 57.4\%$ であるから，女性の方が割合が高い。よって誤りである。

(2) は男性が $87 \div 1475 = 5.9\%$ であり，女性が $14 \div 68 = 20.6\%$ であるから，女性の方が割合が高い。よって誤りである。

(3) は男性が $28931 \div 42767 = 67.6\%$ であり，女性が $27747 \div 37553 = 73.9\%$ であるから，女性の方が割合が高い。よって誤りである。

(4) は男性が $95 \div 42767 = 0.2\%$ であり，女性が $38 \div 37553 = 0.1\%$ であるから，男性の方が割合が高い。よって正しい。

(5) は全体の人数は57558千人から56678千人に減っているが，この表のみで原因を判断することはできない。よって誤りである。

正解　(4)

◆表の理解

表によると，第一種中型免許取得者の人数が圧倒的に多いことに，疑問を感じた人もいるかもしれません。その理由は2つあります。

1つ目は「注2. 2種類以上の運転免許を受けている者については，運転免許の種類欄の上位の運転免許の種類によって計上した。」とあるように，この表では，中型と普通の両方の免許を取得していたら上位の中型の人数にのみカウントされるからです。

2つ目は，中型免許は平成19年6月の道路交通法改正によって登場しました。この改正以前では第一種普通免許で最大積載量が5t未満の貨物自動車（いわゆる5tトラック）まで運転が可能でしたが，改正以降は第一種普通免許で運転可能な貨物自動車の最大積載量は3t未満と厳しくなりました。ただし，それまで普通免許で5tトラックを運転していた人達が困ってしまうので，この改正以前に第一種普通免許を取得していた者は，次の免許更新時に自動的に第一種中型免許に更新されます。これを見越してこの表は「注3. 旧法普通免許は中型免許に計上した。」となっているのです。

なお，平成29年3月施行の「改正道路交通法」により準中型免許が新設され，従前の普通第一種免許保有者は5トン限定準中型免許保有者とみなされることになりました。

資料解釈

下の表は，高齢世代人口と生産年齢人口の比率をまとめたものである。これより，確実にいえるものはどれか。

| | 生産人口（15～64歳）を支え手とすると | | | 15～69歳を支え手とすると | |
	(a) 65歳以上を何人で 支えるのか	(b) 70歳以上を何人で 支えるのか	(c) 75歳以上を何人で 支えるのか	(b)' 70歳以上を何人で 支えるのか	(c)' 75歳以上を何人で 支えるのか
昭和35（1960）	11.2	18.8	36.8	19.5	38.2
45（1970）	9.8	16.4	32.2	17.1	33.6
55（1980）	7.4	11.8	21.5	12.4	22.6
平成2（1990）	5.8	8.8	14.4	9.3	15.2
12（2000）	3.9	5.8	9.6	6.3	10.4
17（2005）	3.3	4.6	7.2	5.0	7.9
22（2010）	2.8	3.8	5.7	4.2	6.3
27（2015）	2.3	3.2	4.7	3.6	5.3
37（2025）	2.0	2.4	3.3	2.7	3.6
47（2035）	1.7	2.1	2.8	2.4	3.2
57（2045）	1.4	1.7	2.4	2.0	2.7
67（2055）	1.3	1.5	1.9	1.7	2.2

資料：平成17年までは総務省「国勢調査」，平成22年は「人口推計」より内閣府作成。
　　　平成27年以降は国立社会保障・人口問題研究所「日本の将来人口推計（平成18年12月推計）」の出生中位・死亡中位仮定による推計結果。

(1) 65歳以上を支える生産年齢人口は，3000年までに1.0人を下回る。
(2) 75歳以上を支える15～69歳は，2060年に2.0人を下回る。
(3) 75歳以上を支える生産年齢人口は，2005年は1990年の約半分である。
(4) 2010年において，75歳以上の人口は65歳以上の人口の約半分である。
(5) 生産年齢人口は一貫して減ると予想されている。

◆解答のポイント
　比率によって実数が比較できるのは，分母が等しいときだけである。

◆解き方
　まず，表に書かれていない2055年より先のことは全く分からない。よって，1，2は誤りである。
　次に，各年における母集団の人数が与えられていないため，異なる年に対して比率による実数の比較はできない。よって，3，5は

誤りである。
　この時点で（4）が正解であるが一応確認する。
　（4）は同じ年で比較しているので，生産年齢人口は等しく，65歳以上を支える2.8人と75歳以上を支える5.7人を直接比較できる。すると，5.7 ÷ 2.8 = 2.035…なので約半分と言える。よって正しい。

正解　（4）

例題－3

下のグラフは，2016年と2019年の太陽電池の各国別の生産量をまとめたものである。
これより，確実にいえるものはどれか。

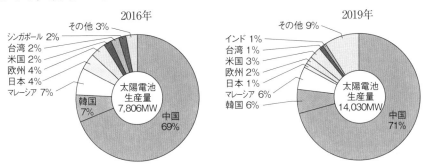

資料：平成29年度・令和2年度「エネルギーに関する年次報告」（資源エネルギー庁）より作成

(1) 2016年から2019年で，中国の生産量は2倍以上になっている。
(2) 2016年から2019年で，日本の生産量は減少している。
(3) 2016年から2019年で，マレーシアの生産量は減少している。
(4) 2016年から2019年で，台湾の生産量は増加している。
(5) 2019年における韓国・マレーシア・日本・米国・台湾の生産量はすべて500MWを
　　超えている。

◆解答のポイント
　実数と比率を正確にとらえる。
◆解き方
　2016年，2019年とも，分母となる総生産量が与えられているので，どんどん実数を計算してゆく。
　(1)は2016年が7,806×69％＝5,386MWで，2019年が14,030×71％＝9,961MWであり，5,386×2＝110,772＞9,961であるから2倍以上にはならない。よって誤り。
　(2)は2016年が7,806×4％＝312MWで，2019年が14,030×1％＝140MWであり，312＞140であるから減少している。よって正しい。

　(3)は2016年が7,806×7％＝546MWで，2019年が14,030×6％＝842MWであり，546＜842であるから増加している。よって誤り。
　(4)は2016年が7,806×2％＝156MWで，2019年が14,030×1％＝140MWであり，156＞140であるから減少している。よって誤り。
　(5)は2019年において，韓国はマレーシアと同じく842MWであるが，日本は140MW，米国は14,030×3％＝421MW，台湾は140MWであり500MWを下回っている。よって誤り。

正解　(2)

＜練習問題＞

下のグラフは，持ち家志向か借家志向かをまとめたものである。これより，確実にいえるものはどれか。

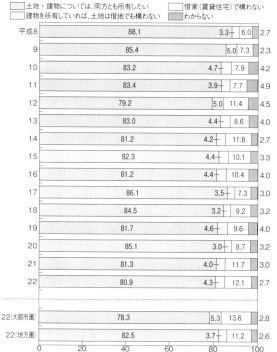

凡例：
- 土地・建物については、両方とも所有したい
- 建物を所有していれば、土地は借地でも構わない
- 借家（賃貸住宅）で構わない
- わからない

年度	両方とも所有したい	建物所有	借家で構わない	わからない
平成8	88.1	3.3	6.0	2.7
9	85.4	5.0	7.3	2.3
10	83.2	4.7	7.9	4.2
11	83.4	3.9	7.7	4.9
12	79.2	5.0	11.4	4.5
13	83.0	4.4	8.6	4.0
14	81.2	4.2	11.8	2.7
15	82.3	4.4	10.1	3.3
16	81.2	4.4	10.4	4.0
17	86.1	3.5	7.3	3.0
18	84.5	3.2	9.2	3.2
19	81.7	4.6	9.6	4.0
20	85.1	3.0	8.7	3.2
21	81.3	4.0	11.7	3.0
22	80.9	4.3	12.1	2.7
22(大都市圏)	78.3	5.3	13.6	2.8
22(地方圏)	82.5	3.7	11.2	2.6

資料：国土交通省「土地問題に関する国民の意識調査」

（1）借家で構わない人数に対する，土地・建物を両方とも所有したい人数の比率が，最も低いのは平成12年である。

（2）借家で構わない人数に対する，土地・建物を両方とも所有したい人数の比率が，最も高いのは平成8年である。

（3）年度別で，土地・建物を両方とも所有したい人数が最も少なかったのは平成12年である。

（4）年度別で，土地・建物を両方とも所有したい人数が最も多かったのは平成8年である。

（5）大都市圏の方が地方圏よりも，借家で構わないと考えている人数が多い。

練習問題　　　　　　　　［解答］（２）

◇**解答のポイント**

比率によって実数が比較できるのは，分母が等しいときだけである。

◇**解き方**

まず，各年度や大都市圏・地方圏の母集団の人数が分からないので，異なる年度や大都市圏・地方圏で，比率による人数の比較はできない。よって，3，4，5は誤りである。

次に，異なる年度でも比率の比較ならできるので，1，2の選択肢を計算する。その際，どの年度も人数は分からないが，1つの年度において母集団となる人数は同じなので，（土地・建物を両方とも所有したい人の%）÷（借家で構わない人の%）と考えてよい。

（1）は比率が低くなるのが，分母が大きく分子が小さいときであるから，分母が大きいものを計算すると，平成14年が81.2%÷11.8%＝6.88，平成21年が81.3%÷11.7%＝6.94，平成22年が80.9%÷12.1%＝6.69平成12年が79.2%÷11.4%＝6.94であり，平成22年，平成14年の方が低い。よって誤りである。

（2）は比率が高くなるのが，分母が小さく分子が大きいときであり，分母が最も小さいのは平成8年の6.0%，分子が最も大きいのも平成8年の88.1%であるから，計算するまでもなく比率は最も高い。よって正しい。

現代文・古文

内容把握・文章整序・空欄補充

「読書百遍意自ずから通ず」こそが読解力向上のための最高の武器である。この格言は難しい文章も「百遍」熟読すれば意味は自ずから分かってくるという意味で、読解力のための魔法のようなテクニックがあるという錯覚を戒めるものでもある。

| 例題－1 | （内容把握） | ＜重要度＞ ☆ ★ ★ |

次の文の主旨として、最も妥当なのはどれか。

　一九九〇年代にアメリカは、「経済大国」として復活します。経済大国になれたからこそ、アメリカは金融によって世界の経済を左右出来たようにも思われますが、もしかしたら逆かもしれません。「金融によって世界経済を支配する」という考え方を押し出したから、アメリカは世界一の経済大国になれたのかもしれないのです。そして、その方向を修正しなかったから、「金融」という錬金術の破綻で、世界中がおかしくなったのです。

　一九九〇年代のアメリカを経済戦争の勝者にしたのはコンピューターですが、このコンピューターは「物」ではありません。「物」としてのコンピューターなら、よその国でも作れます。だから、「戦略態勢」を整えた二十一世紀のアメリカは、コンピューターメーカーのIBMのパソコン部門を、中国に売り飛ばしてしまいます。「物としてのコンピューター」なら、もう発展途上国に作らせておけばよかったのです。「工業製品を作るのは、人件費の安い発展途上国」という原則は確立されていて、先進国はもう工業製品なんか作らないのです。一九九〇年代のアメリカを経済戦争の勝者に導いたのは、物にして物にあらざるもの——マイクロソフトのそれに代表されるコンピューターソフトだったのですから。

　「物としてのコンピューター」ではなく、「コンピューターの内部に存在してコンピューターを機能させるもの」——それがコンピューターソフトで、それをアメリカのマイクロソフトという会社がほぼ独占してしまうことによって、世界中のコンピューターは「同一基準」を達成します。そのことによって便利になって、コンピューターの普及は進んで、でも「コンピューターの内部」はアメリカに独占されるのです。そのことによって、アメリカに富は流れ込みます。と同時に、世界中に「アメリカ基準の思想を流通させるためのパイプ」も設置されてしまうのです。

（出典：橋本治「大不況には本を読む」中公新書ラクレ）

(1) 一九九〇年代以降アメリカが「経済大国」として復活した理由は、ハードウェアとしてのコンピューターを大量に生産し、大量に輸出したからである。

(2) 一九九〇年代以降アメリカが「経済大国」として復活した理由は、アメリカが「金融」の破綻から学び、果敢にコンピューターの生産を切り捨てたからである。

(3) 「金融」という錬金術の破綻によりアメリカ経済がおかしくなったのは、人間が思考することを捨てコンピューターの内部、つまりソフトに考えさせることを促したからである。

(4) 一九九〇年代以前のアメリカが「経済大国」として失敗した理由は、まさにハードウェアとしてのコンピューターのためではなく、その内部の質の悪さにある。

(5) 一九九〇年代以降アメリカが「経済大国」として復活した理由は、ハードウェアとしてのコンピューターのためではなく、ソフトを独占し、世界に輸出したからである。

《用語解説》
　「金融によって世界経済を支配する」＝いわゆる経済のグローバル化によって世界経済を支配するということ。
　「『金融』という錬金術」＝実体経済よりもはるかに大きな投資マネーがグローバル化の名のもと世界中に巡るシステムのこと。

◎文意をつかむ

《解説》
　1960年代の後半世界第二位の経済力をつけた日本は、70年代も80年代も世界経済の優等生であり続けた。なおかつ1985年のプラザ合意以降1991年のバブル崩壊後の93年くらいまでは世界有数の経済優等国だった。

　しかしバブル崩壊以降、日本はその後の世界の激変に対処できず、また目の前の問題が深刻化しても、問題の先送りという最悪の対処しかしなかったせいで、不良債権の処理に苦しみ、やがて失われた10年（今や20年説が

有力）をまねき、著しく経済成長を損ねた。

　小泉政権以降、懸案であった不良債権を解決し、また規則緩和を遂行するなどにより日本経済が少しマシになったかな、と思われたが、リーマンショックに襲われ、再び黒雲の中に機体を突っ込ませたのである。

　本文はそうした経緯を踏まえて、1990年代以降、弱体化した日本の代わりに、アメリカ経済が再び飛躍したのは実はコンピューターソフトによるグローバル化の結果であることを示している。さらにはグローバル化により実体経済よりもはるかに大きな投資マネーが世界中を巡るようになり、それがリーマンショックという結果につながったあたりのことも含めた文章である。

現代・古文

◆解法のカギ① 「書かれているか？」「書かれていないか！」

《ワンポイント・アドバイス》
　内容把握問題は書かれてあることがすべて。「書かれていること／書かれていないこと」を峻別しながら選択肢と本文を照らし合わせつつ読む。それに尽きる。

◆解法のカギ② 選択肢と本文を照らし合わせる

(1) 「ハードウェアとしてのコンピューターを大量に生産し、大量に輸出した」とは書かれていない。
　　輸出どころか、ハードウェアの会社は中国に売ったと書かれている。よって誤り。

(2) 「『金融』の破綻から学び」とは書かれていない。
　　「コンピューターの生産を切り捨てた」のは事実だが、それがアメリカ経済の復活の原因とは書かれていない。
　　「コンピューターの生産」自体はどうでもよいので、新興国に売り飛ばしたにすぎない。よって誤り。

(3) 「アメリカ経済がおかしくなった」理由は「人間が思考することを捨て」たからではない。そういうヒューマン・ファクターのことは書かれていない。
　　またコンピューターソフトに思考を委ねたからとも書かれていない。よって誤り。

(4) コンピューターのハードの質ではなく、「その内部の質のよさ」が経済の復興をアメリカにもたらしたとは書かれていない。よって誤り。

(5) 本文は「一九九〇年代以降アメリカが『経済大国』として復活した理由」を「ハードウェアとしてのコンピューターのためではなく」、その考え方を世界に輸出したから、というもので合致する。

正解　(5)

【思想の機軸】

〔反米・親米〕…前者は米流グローバリズムの象徴であるTPP参加への反対や日米同盟の縮小といった主張に結びつく。後者は日米の同盟堅持・価値観の等価という意識を前提にする。

〔反中国・親中国〕…前者は親米と表裏一体であり、後者は反米と表裏一体である。

〔保守・革新〕…前者は歴史と伝統に価値を置き、後者は戦後憲法の護持や市民権限の拡大を主張する。前者には親米保守と反米反中保守がある。

〔リベラルレフト〕…反ナショナリズム、市民主義を標榜、外交は基本的に親中、親韓である。

〔新自由主義〕…小さな政府と規制緩和と市場重視が軸。

〔社民主義〕…市場主義経済により発生する労働者の問題を政府の介入により解消する立場をとる。これは「リベラルレフト」でもある。

| 例題－2 | （内容把握） | ＜重要度＞ ☆ ★ ★ |

次の文の主旨として、最も妥当なのはどれか。

昭和20年8月15日、敗戦のとき、私は国民学校（現在の小学校）3年生であったが、66年の時が流れ、75歳の老人となり、老残の虚しき今は、漠然とながら死を意識している。もっとも、それは平和の中での凡庸な〈死の意識〉でしかない。

それに比べて、大東亜戦争当時、米英と直接に戦って散華された方々には、祖国のためにという〈覚悟の死〉の意識があった。

しかし、敗戦は死の問題を闇に押しやり、人々は最高の価値を平和に置いて66年、死の問題そのものを忘却していった。日本人は、いつのころからか、死を語ることを避けてきた。のみならず、「死」に代わることばを使って、死を覆い隠してきたのである。

そのことばとは「安心・安全」である。このことばを呪文のように唱えてさえおれば、死を避けられると信じてきた。いや、信じようとしてきた。

その結果、日本中に「安心・安全」ということばが溢れ、政治家は口先だけの「安心・安全の保証」を叫び続け、人々は人々で、「安心・安全」を当然と思いこんでしまった。

その悲喜劇はさらに深まる。社会保険、年金、介護、老人雇用…の完全さを無理に要求し続け、死の恐怖や不安を隠し続けてきたのであった。

その嘘・詐りの化けの皮を剥いだものこそ、この3月の東日本大震災であった。

荒涼凄然とした被災地の光景が全日本人に与えた衝撃ははかりしれなかった。だが、瓦礫は日に日に取り除かれてゆく。いつの日か再び必ず復興がなされる。

しかし、それはあくまでも外形のことである。内側の心はどうなのであろうか。

被災直後、人々は家族の名を呼び、親しい人を求め、捜し尽くしていた。けれども、その声は空しく、多くの方々は二度と帰らぬ遺体となっていた。

死―それ自体は、あらゆる地域において日々に起こっているが、今回の震災による死は、一般的な死とは異なる。天災とか人災とかといった原因論などよりも、遥かに重い意味を持っている。すなわち、〈人間は死ぬ〉という鉄則を厳しく教えたのである。

人間は必ず死ぬ―このことはだれでも知っている。しかし、それは知識や観念の上の話である。実感できるのは、〈親しき者の死〉なのである。被災者が家族や親しい人の名を叫び求める姿がそれである。

大東亜戦争の戦没者の多くは〈覚悟の死〉であった。それは、迫り来る死の恐怖への覚悟に基づく死であった。

一方、東日本大震災が教えたものは、〈死の覚悟〉であった。いつかは訪れてくる死の不安への覚悟をせよということを日本人全体に教えたのであった。日本が同震災から学んだ最大のものは、終戦以来、隠蔽し忘却してきた〈死の覚悟〉である。

（出典：産経新聞・正論「震災下の8・15」平成23年8月2日付、立命館大学教授・加地伸行執筆）

(1) 一般的に戦争は人々に「覚悟の死」を教えたとはいえ、日本の戦後は「安心・安全」のことばのベールで覆い尽くされ、普遍としての死を人々から忘れ去らせることに成功したが、東日本大震災はそのベールを剥ぎ取った。

(2) 大東亜戦争の記憶により戦後長きにわたって「覚悟の死」を奪い取られた日本人は、代わりに微温的な平和を与えられ、人の不死を信じたが、東日本大震災はその虚構を根底から突き崩した。

(3) 大東亜戦争当時の戦没者には「覚悟の死」があったが、戦後の日本は「安心・安全」を国是としたので、人は死ぬという単純な真実を一時人々から忘れさせることに成功したが、これが東日本大震災で瓦解した。

(4) 大東亜戦争当時の戦没者にあった「覚悟の死」は、戦後長く「安心・安全」のことばに入れ代わり、人は死をまぬかれないという真実を覆い隠したが、東日本大震災は日本人全体に「死の覚悟」を教えた。

(5) 大東亜戦争当時の戦没者にあった「覚悟の死」は、戦後長く無意識の中で人はなかなか死なないという虚偽と入れ代わったが、東日本大震災は日本人全体に「死の覚悟」を教えた。

《用語解説》
「散華（＝さんげ）」＝花のように散る意から、戦死の美称となる。
「大東亜戦争」＝対米対中戦争を総合して大東亜戦争と述べている。

◆**解法のカギ①**　表現されていない文章はどれか

◆**解法のカギ②**　本文に対応しない文章をつかむ

「普遍としての死」とは

(1)　「一般的に戦争は」という主語はやや違う。ここは「大東亜戦争」と明示すべき。
　「日本の戦後は『安心・安全』のことばのベールで覆い尽くされ」はいいが、「普遍としての死」は抽象的で意味が不明。よって不適切。

「与え」た主体とは

(2)　「戦後長きにわたって『覚悟の死』を奪い取られた」理由が「大東亜戦争の記憶により」とあるが、「記憶」は不必要。「大

東亜戦争」自体、あるいは「大東亜戦争に負けたこと」とすべき。

「日本人は、代わりに微温的な平和を与えられ」とあるが、そうした平和を「与え」た主体が不明。また「人の不死を信じた」とまでは書かれていない。よって不適切。

「国是」としたとは

(3) 「大東亜戦争当時の戦没者には『覚悟の死』があったが」まではよいが、「戦後の日本は『安心・安全』を国是としたので」は間違い。特に「国是」の語がそぐわない。よって不適切。

「冒頭部分」のまとめとは

(4) 「大東亜戦争当時の戦没者にあった『覚悟の死』」は冒頭のまとめとなっている。「戦後長く『安心・安全』のことばに入れ代り、人は死をまぬかれないという真実を覆い隠した」の部分も本文と対応する。

「東日本大震災は日本人全体に『死の覚悟』を教えた」ことは末尾の段落と対応する。よって適切。

「対応する部分」はあるか

(5) 「戦後長く無意識の中で人はなかなか死なないという虚偽と入れ代わった」の部分が本文とズレる。特に「無意識の中で人はなかなか死なないという虚偽」と対応する部分が本文にない。よって不適切。

正解　(4)

◆解法のカギ③　例示は著者の主張ではない

《ワンポイント・アドバイス》
　内容把握問題は書かれてあることがすべて。要旨把握は著者の主張と同義であり、したがって例示の部分は主張ではないという前提のもとに読む必要がある。

◆文章を読み取ろう！
I　（形式段落①②）
　　対比 ┌── 凡庸な〈死の意識〉…敗戦時、私が感じたこと
　　　　 └──〈覚悟の死〉…大東亜戦争を戦った兵士の意識
II　（形式段落③～⑥）
　　「安心・安全」…「死」の代わりの擬制のシステム
III　（形式段落⑦⑧）
　　東日本大震災が「安全・安心」の化けの皮を剥いだ
IV　（形式段落⑨～⑫）
　　「内側の心」はどうか
　　〈人間は死ぬ〉対比〈親しき者の死〉
　　　　　↓　　　　　　　↓
　　一般論としての死　　実感としての死
V　（形式段落⑬⑭）
　　〈覚悟の死〉…大東亜戦争の戦没者
　　〈死の覚悟〉…東日本大震災が教えたもの

（文章整序） ＜重要度＞ ☆ ★ ★

　次の〔　　　　　〕と〔　　　　　〕の文の間に、A ～Eを並べ替えて続けると意味の通った文章になるが、その順序としても最も妥当なのはどれか。

> 　〔地球の物理を明らかにしないで地震や火山の現象のみの研究をするのは、事によると、人体の生理を明らかにせずして単に皮膚の吹出物だけを研究しようとするようなものかもしれない。〕
>
> 　〔地震だけを調べるのでは、地震の本体は分かりそうもない。〕

A　今回地震の起因のごときも、これを前記の定説や仮説に照らして考究するは無用の業ではない。これによって少なくも有益な暗示を得、また将来研究すべき事項に想い到るべき手懸りを得るのではあるまいか。

B　地殻の構造について吾人の既に知り得たところは甚だ少ない。重力分布や垂直線偏差から推測さるるイソスタシー〔地殻均衡〕の状態、地殻潮汐や地震伝播の状況から推定さるる弾性分布などがわずかにやや信ずべき条項を与えているに過ぎない。

C　地震の根本的研究はすなわち地球特に地殻の研究という事になる。本当の地震学はこれを地球物理学の一章として見た時に始めて成立するものではあるまいか。

D　かくのごとく直接観測し得らるべき与件の僅少な問題にたいしては種々の学説や仮説が可能であり、また必要でもある。

E　ウェーゲナーの大陸漂移説や、最近ジョリーの提出した、放射能性物質の熱によって地質学的輪廻変化を説明する仮説のごときも、あながち単なる科学的ロマンスとして捨つべきものでないと思われる。

（出典：寺田寅彦『天災と国防』（講談社学術文庫）より「地震雑感」1927年〈大正13年5月〉）

(1)　A→C→E→D→B
(2)　C→B→A→D→E
(3)　C→B→D→E→A
(4)　E→B→A→C→D
(5)　E→D→C→B→A

《用語解説》
　「吾人」＝われわれ。われら。「偏差」＝平均値からの偏り。「潮汐」＝潮の干満。「大陸漂移説」＝大陸は地球表面を移動して、その形状や位置を変えるという説。「輪廻」＝同じことを繰り返すこと。

◆解法のカギ① 呼応・対比に注目する

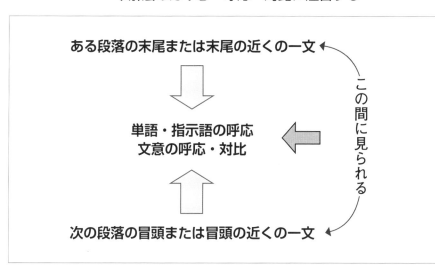

ある段落の末尾または末尾の近くの一文

単語・指示語の呼応
文意の呼応・対比

次の段落の冒頭または冒頭の近くの一文

この間に見られる

《解説》

　文章整序の解法のテクニックとして次のことが挙げられる。

　すなわち、ある段落の末尾か末尾近くの一文と、次の段落の冒頭か冒頭近くの一文の間に、単語・指示語の呼応、文意の呼応・対比などが見られることが多いので、それらを具体的に確かめつつ整序すること、である。

　また、若干付言するならば、この整序問題は段落が一文となっているケースがあるので、正答に到るのはより容易だということである。

◆解法に基づく点検

「対比的」につながるのは

　〔　　　　〕の中は、「地球の物理を明らかにしないで地震や火山の現象のみの研究をする」のは「単に皮膚の吹出物だけを研究しようとするようなもの」という文意になっている。

　「皮膚の吹き出物」というのは物事の表層・表面の意味で、これがⒸの「地震の根本的研究はすなわち地球特に地殻の研究という事になる」に〈対比的に〉つながっていく。

　「皮膚の吹出物」と「地震の根本的研究」＝「地球特に地殻の研究」は、〈表層〉対〈根本〉といった意味合いで対比的につながるということである。

「同義」はどれとどれか

Cの中にある「本当の地震学」とは「地震の根本的研究」のことで、「地殻の研究」と同義であることを踏まえると、「イソスタシー〔地殻均衡〕の状態、地殻潮汐」という部分に「地殻」という単語が二箇所あることから、次はBということになる。

「着目」すべき点は

Bの末尾の文は「重力分布や垂直線偏差から推測されるイソスタシー〔地殻均衡〕の状態、地殻潮汐や地震伝播の状況から推定される弾性分布などがわずかにやや信ずべき条項を与えているに過ぎない」となっているが、着目すべきは「〜などがわずかにやや信ずべき条項を与えているに過ぎない」という部分である。

「かく」を受けるのは

とすればこの文は「地震の構造」について「吾人」(＝作者)が知りえたのが、「〜などがわずかにやや信ずべき条項を与えているに過ぎない」という文脈になる。これは当然Dの冒頭の「かくのごとく」の「かく」が受けている。

「呼応」するのはどれか

Dの文章は続いて「直接観測し得らるべき与件の僅少な問題」となっているが、この中の「与件の僅少な問題」がB文中の「わずかにやや信ずべき条項」と文意的に呼応することは言うまでもない。

「五番目」にくるのは

次にD文中の「種々の学説や仮説」という語句に着目すると、これがE文中の「ウェーゲナーの大陸漂移説」や「ジョリーの提出した、放射能性物質の熱によって地質学的輪廻変化を説明する仮説」と呼応することは明白である。そしてA文中には「これを前記の定説や仮説に照らして」という語句があることからも、五番目にはAがくることが分かる。

正解　(3)

◆解法のカギ②　シリトリ感覚で解いてみよう！

◆解法のカギ③　組合せが一箇所でも違えばその選択肢は除け！！

《ワンポイント・アドバイス》
　段落整序問題は前の段落の末尾の一文と次の段落の冒頭の一文の間に、同じ語句があって単語同士が呼応したり、反対の語句があって対比的に呼応しあったりする場合が多い。したがって、シリトリをするような感覚で解くのが一番だ。
　また、組合せが一箇所でも違えばその選択肢は排除することも大事なテクニック。

例題－4　　　　　　　（空欄補充）　　＜重要度＞ ☆ ★ ★

次の文のA、B、Cにあてはまる語句の組合せとして最も妥当なのはどれか。

信長は新しい分野、畔や原野に育ちつつあるものを大胆に利用した。

この男は、土地＝農業を基盤とした日本社会のなかで商工業の実利とそれが行財政に与える影響を感じ取った最初の日本人であったろう。しかもここで彼は「楽市楽座」という凄まじい改革を行う。

織田信長は統治行政のなかに商工業という異分子を持ち込むことで農本社会を揺さぶったばかりでなく、その商工業の分野でも旧体制を打破して〔　A　〕を連れ込んだのである。

思想・宗教の世界でも信長は徹底的に反体制的であった。神仏像を「木と金属（かね）でできたもの」といい切る痛烈な無神論を展開すると同時に、キリシタンという〔　B　〕を導入することで、この分野の生態系を大いに変えた。

また戦術戦闘においても、鉄砲を大量に使用することでこれまでの戦闘技術と戦術常識を叩き壊した。芸術と社交術の分野でも、豪壮な安土文化を生み、新興の茶会を普及した。

こうしたことでも、信長のやり方は破天荒な乱暴さであった。仏教とキリシタンとの宗論では旗色の悪かった朝山日乗（ちょうざんにちじょう）の衣を自ら引き裂いたというし、できの悪かった能役者を我が手で殴打したともいう。

こんな信長は、耕作者、体制に従順な作物人間から見ると、恐るべき野蛮人であり許し難い乱入者だったに違いない。ほとんどすべての体制派が信長の敵となったのは当然だろう。この男が上洛し天下にそそり立つようになると、旧体制側は、総力を挙げて反織田大同盟を築き上げる。

だが、信長は敵の包囲網を打ち破り、敵集団を各個撃破する。織田信長は天下の耕地の中軸を圧する〔　C　〕に育ったわけだ。

織田信長が、一応しっかりした家系の出でありながら典型的な雑草型人間として大を成したのに対して、全く名のない賤しい生まれから出発した豊臣秀吉（木下藤吉郎）は逆に体制派的エリートコースに入り込んでいく。

（出典：堺屋太一『歴史からの発想』日経ビジネス人文庫）

	A	B	C
(1)	いびつな作物	巨大な雑草	雑草たち
(2)	いびつな作物	新種の雑草	巨大な雑草
(3)	雑草たち	巨大な雑草	いびつな作物
(4)	雑草たち	新種の雑草	巨大な雑草
(5)	巨大な雑草	新種の雑草	雑草たち

◆解法のカギ①　中心になる単語をつかもう

《解説》

本文のレトリックの中心をなす単語は「作物人間」と「雑草型人間」である。

前者は「体制に従順」であり、なおかつ既得権益の護持者、後者は体制への「許し難い乱入者」であり、なおかつ「畔や原野」という「新しい分野」の開拓者という相貌をもつといったイメージである。

言うまでもなく織田信長は典型的な「雑草型人間」だったということが主張されている。

「隠喩」を選ぶ

「〔　Ａ　〕を連れ込んだ」は、直近にある「商工業という異分子を持ち込む」という文とパラレルの関係にあるので、「商工業という異分子」にふさわしい隠喩を選ぶことになる。

「複数」を考える

直前の「旧体制を打破」からすれば「いびつ」であれ「作物」が入るのはおかしい。「楽市楽座」にかかわった商工業者は、当然複数だから本来は「商工業者たち」とすべきところであり、そう考えると、〔　Ａ　〕には「雑草たち」が入る。また商工業者を「巨大な」と形容すべき、どんな手掛かりの文章もない。

「同義の隠喩」とは

〔　Ｂ　〕には既述したように「キリシタン」と同義の隠喩が入るので「新種の雑草」がふさわしい。またキリシタンを「巨大な」と形容すべく促すような部分が本文にないことも付言しておく。

「比喩」の表現は

〔　Ｃ　〕には、「総力を挙げて反織田大同盟を築き上げる」ところの「旧体制側」を「打ち破り」、「各個打破する」信長に与えられた隠喩が入る。「天下の耕地の中軸を圧する」というから、「巨大な」の比喩がある「巨大な雑草」がふさわしい。

「いびつな作物」は、せいぜい体制順応型人間のうちの「落ちこぼれ」を意味するだけであるので、ふさわしくない。

正解　(4)

◆解法のカギ②　空欄の直近か前に手掛かりがある！

内容一致

例題

次の文章に流れている心情について最も妥当なものはどれか。

　三代の栄耀一睡の中（うち）にして、大門の跡は一里こなたに有（あり）。秀衡が跡は田野に成（なり）て、金鶏山のみ形を残す。先、高館にのぼれば、北上川南部より流るゝ大河也。衣川は、和泉が城をめぐりて、高館の下にて大河に落入（おちいる）。泰衡等が旧跡は、衣が関を隔て、南部口をさし堅め、夷（えぞ）をふせぐとみえたり。偖（さて）も義臣すぐつて此城にこもり、巧名一時の叢（くさむら）となる。国破れて山河あり、城春にして草青みたり。笠打敷て、時のうつるまで泪（なみだ）を落し侍りぬ。

　　夏草や兵（つはもの）どもが夢の跡
　　卯の花に兼房みゆる白毛（しらが）かな　　曾良

（出典：松尾芭蕉「おくのほそ道」）

(1)　漂白の想い
(2)　栄華の夢
(3)　隔世の感
(4)　追慕の情
(5)　懐旧の情

◆解法のカギ　滅びるものと不滅なものとは

《解説》

　「三代の栄耀一睡の中にして」とあるが、「三代」は12世紀に栄えた奥州藤原氏三代のことで、芭蕉はそれから約500年後にこの平泉を訪れたのである。それが「一睡の中にして」滅びたことを意味している。

　もっと仔細に言えば、「大門の跡」「秀衡が跡」「泰衡等が旧跡」の「跡」が示すのは、藤原氏ゆかりの居城が滅びているということである。つまりこれらはこの地の権勢家の為した「人為」的なるものが滅びたことを示しているの

である。

　一方滅びていないものもある。それは、「田野」「金鶏山」「北上川」「衣川」などの「自然」である。

　「自然」の最たるものは、実は上記の「自然」よりも「叢」であり、「草青みたり」の「草」であり、また俳句の中に詠みこまれた「夏草」である。

　漢詩「春望」の一節「国破れて」の「国」は「人為」を意味し、「山河あり」の「山河」は「自然」を意味する。つまり、ここには「人為」

は滅びるが、「自然」は不滅であることが歌われているのだが、この漢詩一節の援用もそういう思想を示すことにある。

　そして芭蕉は、冒頭に述べた500年前の往

時を偲んで、「笠打敷て、時のうつるまで泪を落し侍りぬ」という状態になった。このことから、この「泪」は「懐旧の涙」というべきである。

(1)漂白の想い…漂白は漂うこと、つまり旅を意味する。誤り。
(2)栄華の夢…藤原氏の栄華が滅びたことが描写されている。誤り。
(3)隔世の感…500年は「隔世」であるが、「隔世の感」を吐露しているわけではない。
誤り。
(4)追慕の情…滅びた藤原氏の栄華を追い、慕うということではない。誤り。
(5)懐旧の情…上記解説に従うと、これが正解となる。

正解　(5)

《訳》

　藤原氏三代の栄華も、悠久の歴史から見れば一睡の夢のように儚いものであり、平泉一円は今は廃墟のようになっているが、平泉の館の大門の跡は、一里ほど手前にある。秀衡の館の跡は今は田野になり、庭の築山にあたる金鶏山だけが昔の形を今に残している。まず、義経の居城であった高館に登ると、北上川が眼の前に流れているが、この川は南部地方から流れてくる大河なのである。衣川は、泉が城の周りを巡っていて、この高館の下で北上川に流れ込んでいる。泰衡ら藤原一族の旧跡は、西方一丁あまりの衣が関を隔てた向こうにあり、南部口を抑えて蝦夷の侵入を防ぐためのごとくに見える。それにしても、義経をはじめとして、よりすぐった正義の士たちがこの高館にこもり、華々しく戦ったのだが、その巧名も、顧みればただ一時の束の間のことで、今はただ草むらと化している。「国破れて山河あり、城春にして草青みたり」と笠を敷き腰をおろして、いつまでも懐旧の涙を流したことであった。

　夏草や兵どもが夢の跡（今見れば、このあたりは、ただ夏草がぼうぼうと繁茂しているだけだが、ここはその昔義経一党や藤原氏一族が、あるいは功名を争い、あるいは栄華の夢を見た場所である。だが、今はそれも虚しく一場の夢と化して夏草が生い繁っているのみである）

　卯の花に兼房みゆる白毛かな（このあたりに真っ白い卯の花が咲いているが、それを見るにつけ、白髪の兼房が義経の最期に際し、奮戦するさまが偲ばれ、あわれを催すことである）

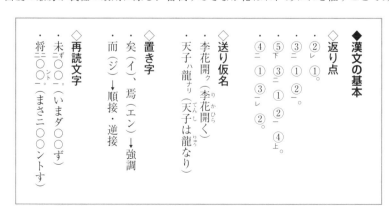

◆漢文の基本

◇返り点
①レ。
②①。
③一二
⑤下 ②一 ①レ 上。
③一 ①レ 二
④一 ②二
①レ
②一。

◇送り仮名
・李花開ク（李花開く）
・天子ハ龍ナリ（天子は龍なり）

◇置き字
・矣（イ）、焉（エン）→強調
・而（ジ）→順接・逆接

◇再読文字
・未ず○○。（いまダ○○ず）
・将ニ○○ント（まさニ○○ントす）

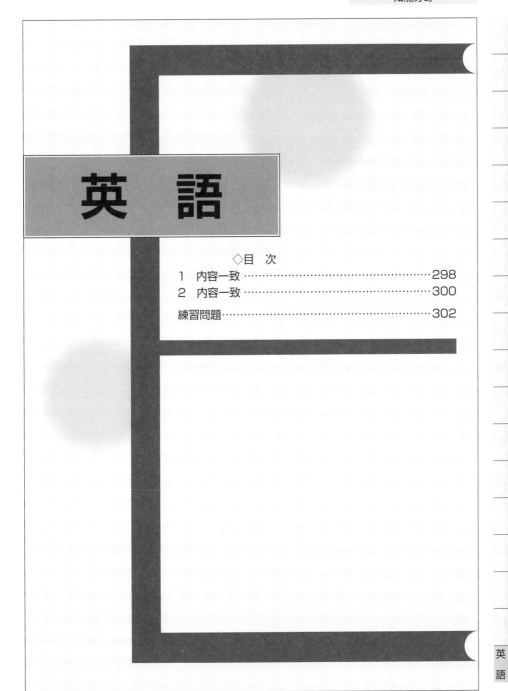

英　語

◇目　次

内容一致

「教育」は頻出テーマの一つである。生徒の個性に合った、そして個性を伸ばす教育が現代の主流である。文中の句・節を見つけて、意味のまとまりを左から右へ英文（＝思考）の流れにそって読み進もう。戻り読みより速く、案外わかりやすい。

例題－1

次の英文の内容に合うものを一つ選びなさい。

I particularly like learning about how people learn. During my first few months as an English teaching intern, there was a student in my class, "H", who refused to do any written work. She would immediately develop a glazed look and go to sleep at her desk. Her spoken English was good, so at first I thought she was acting up because she was bored with the class. Then I wondered if she perhaps had a learning disability. If she was dyslexic, she would probably have difficulty dealing with exercises that involved a lot of reading and writing.

To test my theory, I got all the students to do an activity which involved running up to the board to match a picture with a word. To my delight, instead of falling asleep like she usually did, "H" fully participated in the lesson, running up to the board numerous times.

（中略）

A learning disability is often seen to be a detrimental, negative thing. I prefer to see it as meaning " I'm not learning in a way that suits me." Some people learn best by reading. I learn best by observing, listening, and doing. I find it virtually impossible to concentrate when I'm forced to only listen, which happened recently when I was on a telephone conference call. Not being able to see who I was talking to frustrated me to no end. Perhaps "H" learned better not when reading, but when listening and doing.

（中略）

A little extra effort spent to learn something in a way that suits your learning style means you're working smarter, not harder. And judging by my Osaka host mum, continually learning things can also keep you looking and feeling younger.

（出典：ジャパンタイムズ「週刊ST」June, 17, 2011 Yearn to learn by Samantha Loong）

(1) 筆者が教師になって最初の数か月、クラスにライティングの授業を受けない生徒がいた。
(2) 筆者は「黒板に描いた絵がわかったら立ち上がって発表するように」と生徒に言った。
(3) 筆者は、学習障害は自分に合った方法で学習していないという意味だと考えている。
(4) 筆者は、話している相手が目の前にいるときの方がいらいらしたと感じている。
(5) 筆者は、どんな方法でもよいから特別な努力をして学習することだと主張している。

[解説]

(1) 第一段落、第二文ではteaching inturnつまり「実習生」と述べているので、不一致。
(2) 第二段落、第一文ではrunning up to boardつまり「黒板のところに走ってくる」と述べているので、不一致。
(3) 第三段落、第二文の内容と一致している。
(4) 第三段落、第三文では「話している相手が見えないことで」いらいらしたと感じていると述べているので、不一致。
(5) 第五段落では「自分の学習法に合う方法で」と述べているので、不一致。

[解答] (3)

[全文和訳]

　私は人がどのように学習するのかを特に知りたいと思っている。英語教師実習生であった最初の数か月、クラスにHさんという生徒がいて、彼女はライティングのどのような勉強もしようとしなかった。授業が始まると、彼女の目はすぐに眠そうな目になり、まもなく机に突っ伏してしまった。彼女が話す英語は素晴らしかったので、はじめ、授業がつまらないから好き勝手やっているのだと思った。それから、もしかしたら学習障害なのではと思った。もし難読症（読み書き障害）ならば、読み書きをたくさんしなくてはならない練習は難しいだろう。

　私は自分の考えを検証するために、すべての生徒に、黒板まで走って行って絵と単語を合わせることをさせた。嬉しいことに、Hさんはいつものように寝てしまわないで、始めから終わりまで授業に参加し、何度も黒板に走って行った。

　（中略）

　学習障害は、しばしば、支障をきたす、否定的なものと思われている。私は学習障害は「自分に合った方法で学習していない」という意味だと思いたい。読書から最も多くのことを学ぶ人もいる。でも、私はよく観て聴いてそして自分でやってみることで最も多くのことを学ぶ。だから、聴くことしか許されない時には、集中することがほとんどできない。こういう事態が最近あった。それは電話会議の時で、話し相手が誰なのかわからなかったので、私はずっといらいらしていた。たぶん、Hさんは読んでいる時ではなくて、聴いて実践しているときに、より多くのことを学んだのだろう。

　（中略）

　自分の学び方に合った方法で学習するために、ちょっと特別な努力をすることは、頑張るのではなく、賢く勉強することなのである。大阪のホストママの生き方から見ると継続的に学習することで、人は若く見えるし、若くいられる。

内容一致

例題－2

次の文を読んで、内容に合うものを一つ選びなさい。

The relationship between me and electronics is one of mutual distrust. I don't love gadgets, and gadgets don't love me, and they have an alarming tendency to break down when I use them. So it's not surprising that I scoffed when I heard of e-readers.

Reading books is, of course, about reading words on a page, but there's more to the reading experience than that. Reading books is about going into a bookshop, seeing the books lined waiting on the shelves, and encountering the unexpected. It's about the physical beauty of the book itself: the cover, the texture of the paper, the weight of the book in your hand. It's a record of where you read it and what was happening when you read it: the chocolate brownie stain on page 14, the bloody smear of a squashed mosquito from your trip to Thailand on page 158, the now incomprehensible "note to self" on page 287. You lose that intimacy with an e-reader, which seems cold and impersonal by comparison, and which makes the reading experience more ephemeral.

And yet, here I am, now, the owner of an e-reader, and rather begrudgingly I like it.

Practicality was the main draw. I move about a great deal, and praising books is all very fine and noble until you have to cart a ton of them around. But once I started using the e-reader, I was pleasantly surprised. It was easy to use, and easy on the eye. I could adjust the size of the script, which was a great boon as publishers now often economize with microscopic fonts.

So am I a convert? Not entirely. You can't share e-books. Some e-readers come with too many distracting extras. Publishing spats can limit book selection, and there is the constant fear that my e-reader will break or run out of batteries or, heaven forbid, be outmoded. Happily it's not an either/or situation, and I'm now used to mixing books and e-books.

The e-book may be the future of reading, but it won't ever replace the book.

（出典：ジャパンタイムズ「週間ST」Sep. 3, 2010 A happy coexistence by Benjamin Woodward）

（注釈）

electoronics：電子機器　gadgets：小さくて便利な機械　scoff：馬鹿にして笑う
texture：感触　bloody smear of a squashed mosquito：つぶされた蚊の血の跡
ephemera：一時的な　束の間の　begrudgingly：しぶしぶ　気が進まない様子で
easy on the eye：目にやさしい　boon：重宝なもの　distracting extras：気を散らす余計なもの　heaven forbid：そんなことがあってはならないのだが

(1) 電子書籍では著者のきめ細かい心情が伝わらない。

(2) 読書は、ページの上の言葉を追う以上の行為である。

(3) 電子書籍に親しみすぎると、人は冷淡で思いやりがなくなる。

(4) 著者は、電子書籍が完全に本に代わると思っている。

(5) 本でも電子書籍でも内容に違いはない。

[解説]

(1) 本文に記述なし。

(2) 第二段落but以下に一致している。

(3) 第二段落最終文の誤読である。

(4) 第六段落と不一致。

(5) 本文に記述なし。

[解答]　(2)

本文は紙の本と電子書籍を比べて、それぞれの良さを挙げている。そして、筆者は実際に使ってみて、使う前と考えが変わった。英文は、大枠を述べてから具体的なことを続けて挙げていく。このことを常に頭に入れて多くの英文を読んでほしい。なお、むずかしい語句には注釈をつけた。また、紙面の制限があるために、何箇所か文を省いたが、文の主旨は変わっていない。

[全文和訳]

私と電子機器の関係は、一種の相互不信である。私は機械が嫌いだし、機械の方も私を嫌っている。私は、機械を使うとき、故障するのではないかといつも不安になる。だから、電子書籍のことを耳にしたとき、私が馬鹿にしたのも驚くにあたらない。

もちろん、本を読むことはページ上の言葉を読むことではある。しかし、読書経験はそれだけに止まらない。それは、本屋に入って、棚の上で並んであなたを待っている本を見ることであり、予想もしない本に出会うことである。さらに、本そのものの形の美しさ、すなわち、表紙、紙の手触り、手に持ったときの本の重さ、こうしたことすべてが、本を読むことのうちに入る。それは、どこを読んでいたか、読んでいるときに何があったのかを残した記録である。14ページにはブラウニーチョコのしみが、158ページにはタイ旅行の最中に潰した蚊の血痕が、287ページには、今となっては理由のわからぬ「自分用のメモ」

が残っているのである。ところが、電子書籍を使ったのではこうした親しみを味わうことはできない。それは、冷たく温かさがないように感じられる。しかも、電子書籍では、読書は一時的なものになってしまう。

それなのに、今、私は電子書籍を持っている。かなり気が進まないのだが。

電子書籍の魅力は、主にその実用性であった。私はあちらこちらかなり移動する。そこで、本の素晴らしさを喧伝することはよいのだが、本をたくさん持ち歩かなくてはならない。だが、いったん電子書籍を使い始めたら、嬉しい驚きを感じた。なにしろ使いやすいし、目に優しいし、文字の大きさを変えることも出来た。近頃、出版業者が非常に小さい文字を使って節約することが多いので、これは大いに重宝した。

私が宗旨変えをしたかって？　完全にしたわけではない。電子書籍は共有することが出来ないし、気の散る装置がついているものもある。出版競争のために、選ばれる本が制限されることだってあり得る。私の端末が故障したり、バッテリー切れになる、あるいは、あってはならないことだが、流行遅れになるなどの懸念がある。幸いにも、二者択一の状況にはない。つまり、私は、いま、紙の本と電子書籍を併用しているのである。

読書の将来は電子書籍が中心になるだろうが、紙の本に代わることは決してないだろう。

英語

＜練習問題＞

次の英文の内容として妥当なものを一つ選びなさい。

The name "kirin" is a Japanese one taken from that of an imaginary Chinese animal, but the English name is giraffe. It comes from the Arab "zirafah", meaning a swift runner. It is true that it is fleet of foot and can run at speeds of 50 to 60 kilometers per hour. However, it is way behind the cheetah, which has a speed of over 100 kilometers per hour.

It is, however, the world's tallest animal, and reaches a height of about six meters. Since it must transport blood to the top of its long neck, it has high blood pressure.

The body pattern, which is like a design sample, apparently differs for each giraffe. It is like fingerprints in human beings. On rare occasions there are giraffes with no body patterns. A female giraffe born in Ueno four years ago had no body pattern, but it died at the age of two.

The male baby giraffe born this time has a body pattern and is running around energetically. It is said that the general public will probably be able to see it from about the end of March.

It cries when still young, but makes no noise after becoming an adult. Its tongue is more than 50 centimeters long, and its favorite food is acacia leaves. It does not worry at all about the thorns. It is said that its weight sometimes goes up to one ton, but its footwork is very light.

The image of a giraffe running across the plains is like a mysterious illusion, and we are struck with wonder that there is such an elegant living thing on earth.

Such an animal continues to live in the smog of a big city and bears a child. It is news that makes us sigh with relief. This is because human beings cannot possibly exist in an environment in which animals cannot live.

（注釈）　fleet of foot：足が速い　thorn：とげ、いばら

（出典：朝日新聞 1976. 02. 27付け天声人語 ＊英訳文

「天声人語［' 76春］英訳文対照」(1976年、原書房) 所収『49.キリンの赤ちゃん』)

(1) キリンという名前は日本語で、インドの想像上の動物から付けられた。
(2) キリンは背が高く、6メートルほどもあるから、血糖値が高い。
(3) キリンの体の模様は指紋のように、キリンによって異なっているらしい。
(4) キリンはめったに鳴かないが、大人のキリンは夜に鳴くことがある。
(5) キリンが大都会で生きていられるのは、順応性が高いからである。

[全文和訳]

　キリンとは、中国の想像上の動物にちなんでつけられた和名で、原名はジラフ。アラビア語で「韋駄天」の意とある。足が速いのはたしかで時速五、六十キロは出るが、百キロをこすチーターには遠く及ばない。ただノッポでは世界一で、六メートルぐらいはある。長いクビにまで血液を運びあげねばならないから高血圧だ。

　デザインのお手本のような体の紋様は、一頭一頭みな違うらしい。人間でいえば指紋といったところだろう。まれに無紋のものもある。四年前、やはり上野で生まれたメスがそうだったが二歳で死んだ。今度のオスの赤ん坊はりっぱな紋つきで、元気にはねまわっている。一般へのおめみえは来月末ごろの予定という。

　子どものうちは鳴くが大人になると声を出さなくなる。舌の長さは五十センチ以上もあり、アカシアの葉が好物。トゲなどはものともしない。体重はときに一トンにもなるというが、フットワークは軽快そのもの。草原を走るジラフの映像などあやしい幻にも似て、地球にはなんと優美な生き物がいることかと感嘆させられる。

　そんな動物が、都会のスモッグのなかでもともかく生きぬいて子孫を生む。なにがしかホッとさせられるニュースだ。動物が生きられぬ環境には、人間も生きられるはずはないからだ。

[解説]

(1) 第一段落、第一文にan imaginary Chinese animalとあるので、不一致。

(2) 第二段落末尾にhigh blood pressureつまり「高血圧」と述べているので、不一致。

(3) 第三段落第一文の内容と一致している。

(4) 第五段落第一文にmakes no noise after becoming an adultつまり「大人になると声を出さなくなる」とあるので、不一致。

(5) キリンの順応性については、本文の記述になし。

[解答]　(3)

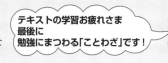

先生の黒板

No pain, No gain：努力なくして成功なし

There is a will, there is a way：意欲あれば道は開ける

One thing at a time：一時に一事を

There is no royal road to learning：学問に王道なし

Never do things by halves：何事も中途半端にするな

Nothing comes out of nothing：まかぬ種は生えぬ

テキストの学習お疲れさま
最後に
勉強にまつわる「ことわざ」です！

●編著者

L&L 総合研究所

License & Learning 総合研究所は，大学教授ほか教育関係者，弁護士，
医師，公認会計士，税理士，１級建築士，福祉・介護専門職などをメンバー
とする。資格を通して新しいライフスタイルを提唱するプロフェッショナ
ル集団。各種資格試験、就職試験を中心とした分野，書籍・雑誌・電子出版，
WBT における企画・取材・調査・執筆・出版活動を行っている。

公務員試験
地方初級テキスト＆問題集

編著者	Ｌ＆Ｌ総合研究所
発行者	富　永　靖　弘
印刷所	今家印刷株式会社

発行所　東京都台東区　株式　**新星出版社**
　　　　台東 2 丁目24　会社
　　　　〒110-0016 ☎03(3831)0743